MITOLOGIA
DOS ORIXÁS

Apoio editorial

MITOLOGIA DOS ORIXÁS

REGINALDO PRANDI

Ilustrações de Pedro Rafael

39ª reimpressão

COMPANHIA DAS LETRAS

Copyright © 2001 by Reginaldo Prandi
Copyright das ilustrações © 2001 by Pedro Rafael

*Grafia atualizada segundo o Acordo Ortográfico
da Língua Portuguesa de 1990,
que entrou em vigor no Brasil em 2009*

Projeto gráfico e capa
Raul Loureiro

Fotos
Reginaldo Prandi
Roderick Steel
Toninho Macedo
Giliola Vesentini
Andreas Hofbauer

Índice onomástico
Reginaldo Prandi
Carlos Alberto Inada

Preparação
Carlos Alberto Inada

Revisão
Maysa Monção
Isabel Jorge Cury

Atualização ortográfica
Verba Editorial

Dados Internacionais de Catalogação na Publicação (CIP)
Câmara Brasileira do Livro, SP, Brasil

Prandi, Reginaldo
   Mitologia dos Orixás / Reginaldo Prandi ; ilustrações de
Pedro Rafael. — 1ª ed. — São Paulo : Companhia das Letras,
2001.

   ISBN 978-85-359-0064-4

   1. Candomblés 2. Deuses iorubás – África ocidental 3.
Deuses iorubás – Brasil 4. Deuses iorubás – Cuba 5. Iorubás
– mitologia 6. Orixás I. Título

00-4370	CDD-299.63

Índices para catálogo sistemático:
1. Deuses iorubás : Religiões de origem africana negra
   299.63
2. Orixás: Deuses : Religiões de origem africana negra
   299.63

Todos os direitos desta edição reservados à
EDITORA SCHWARCZ S.A.
Rua Bandeira Paulista, 702, cj. 32
04532-002 – São Paulo – SP
Telefone: (11) 3707-3500
www.companhiadasletras.com.br
www.blogdacompanhia.com.br
facebook.com.br/companhiadasletras
instagram.com/companhiadasletras
twitter.com/cialetras

Sumário

Prólogo, 17

Exu — Legba — Eleguá — Bará, 38

Exu ganha o poder sobre as encruzilhadas, 40

Exu respeita o tabu e é feito o decano dos orixás, 42

Exu ajuda Olofim na criação do mundo, 44

Exu come tudo e ganha o privilégio de comer primeiro, 45

Exu põe fogo na casa e vira rei, 47

Eleguá guarda o portão de Aganju, 48

Exu leva dois amigos a uma luta de morte, 48

Legba carrega uma panela que se transforma em sua cabeça, 49

Exu ajuda um homem a trapacear, 51

Exu promove uma guerra em família, 52

Eleguá ganha a primazia nas oferendas, 53

Bará aprende a trabalhar com Ogum, 54

Exu vinga-se por causa de ebó feito com displicência, 55

Eleguá espanta a clientela das adivinhas, 56

Exu recebe ebó e salva um homem doente, 57

Exu provoca a ruína da vendedora do mercado, 58

Exu come antes dos demais na festa de Iemanjá, 59

Eleguá ajuda Orunmilá a ganhar o cargo de adivinho, 60

Exu tenta trocar a morada dos deuses, 61

Exu corta o nariz do artesão que não fez o ebó prometido, 63

Exu não consegue vencer a Morte, 65

Exu atrapalha-se com as palavras, 66

Exu põe Orunmilá em perigo e depois o salva, 68

Exu instaura o conflito entre Iemanjá, Oiá e Oxum, 70

Elegbara devora até a própria mãe, 73

Exu provoca a rivalidade entre duas esposas, 75

Exu torna-se o amigo predileto de Orunmilá, 76

Exu leva aos homens o oráculo de Ifá, 78

Exu ajuda um mendigo a enriquecer, 81

Exu vinga-se e exige o privilégio das primeiras homenagens, 82

Ogum, 84

Ogum dá aos homens o segredo do ferro, 86

Ogum torna-se rei de Irê, 88

Ogum mata seus súditos e é transformado em orixá, 89

Ogum faz instrumentos agrícolas para Oxaguiã, 91

Ogum repudia Oiá por causa de Xangô, 93

Ogum é castigado por incesto a viver nas estradas, 94

Ogum cria a forja, 95

Ogum faz ebó e se torna uma potência, 96

Ogum reconquista o amor de Oxum, 97

Ogum recompensa a generosidade da vendedora de acaçá, 98

Ogum ensina aos homens as artes da agricultura, 98

Ogum trai o pai e deita-se com a mãe, 99

Ogum livra um pobre de seus exploradores, 101

Ogum chama a Morte para ajudá-lo numa aposta com Xangô, 102

Ogum livra Oxum da fome imposta por Xangô, 103

Ogum violenta e maltrata as mulheres, 105

Ogum conquista para os homens o poder das mulheres, 106

Ogum cria a Terra, 108

Ogum recusa a coroa de Ifé, 109

Oxóssi — Odé, 110

Oxóssi aprende com Ogum a arte da caça, 112

Oxóssi mata o pássaro das feiticeiras, 113

Odé desrespeita proibição ritual e morre, 114

Oxóssi ganha de Orunmilá a cidade de Queto, 116

Oxóssi mata a mãe com uma flechada, 116

Oxóssi desobedece a Obatalá e não consegue mais caçar, 118

Oxóssi quebra o tabu e é paralisado com seu arco e flecha, 119

Oxóssi é raptado por Ossaim, 120

Odé mata o irmão que trai os seus segredos, 122

Oxóssi é feito rei de Queto por Oxum, 125

Erinlé — Inlé — Ibualama, 126

Erinlé transforma-se em rio e encontra Oxum, 128

Erinlé tem a língua cortada por Iemanjá, 130

Erinlé é acusado de roubar cabras e ovelhas, 131

Erinlé é chamado Ibualama, 132

Logum Edé, 134

Logum Edé nasce de Oxum e Erinlé, 136

Logum Edé é salvo das águas, 137

Logum Edé devolve a visão a Erinlé, 138

Logum Edé rouba segredos de Oxalá, 139

Logum Edé é possuído por Oxóssi, 140

Otim, 142

Otim esconde que nasceu com quatro seios, 144

Otim aprende a caçar com Oxóssi, 147

Ossaim, 150

Ossaim recusa-se a cortar as ervas miraculosas, 152

Ossaim dá uma folha para cada orixá, 153

Ossaim cobra por todas as curas que realiza, 154

Ossaim imita um pássaro e casa com a filha do rei, 156

Ossaim vinga-se dos pais por o deixarem nu, 156

Ossaim vem dançar na festa dos homens, 158

Ossaim tem as suas oferendas rejeitadas por Orunmilá, 159

Ossaim é mutilado por Orunmilá, 160

Iroco, 162

Iroco castiga a mãe que não lhe dá o filho prometido, 164

Iroco ajuda a feiticeira a vingar o filho morto, 168

Iroco engole a devota que não cumpre a interdição sexual, 169

Orixá Ocô, 172

Orixá Ocô cria a agricultura com a ajuda de Ogum, 174

Orixá Ocô é condenado a trabalhar a terra, 176

Orixá Ocô é expulso de seu reino, 177

Orixá Ocô tira joias da barriga de suas caças, 179

Orixá Ocô julga os praticantes de feitiçaria, 180

Orixá Ocô recebe de Obatalá o poder sobre as plantações, 181

Orixá Ocô desaparece e deixa o cajado em seu lugar, 181

Orô, 184

Orô é traído pela mulher e se afasta do mundo, 186

Orô assusta o povo com seus gritos, 187

Oquê, 190

Oquê surge do fundo do mar, 192

Oquê salva seus súditos dos invasores, 193

Nanã, 194

Nanã fornece a lama para a modelagem do homem, 196

Nanã esconde o filho feio e exibe o filho belo, 197

Nanã tem um filho com Oxalufã, 198

Nanã proíbe instrumentos de metal no seu culto, 200

Obaluaê — Omulu — Xapanã — Sapatá, 202

Obaluaê desobedece à mãe e é castigado com a varíola, 204

Omulu cura todos da peste e é chamado Obaluaê, 204

Obaluaê tem as feridas transformadas em pipoca por Iansã, 206

Obaluaê conquista o Daomé, 207

Xapanã ganha o segredo da peste na partilha dos poderes, 209

Sapatá se esquece de trazer água para a Terra, 210

Sapatá é proibido de viver junto com os outros orixás, 212

Omulu ganha as pérolas de Iemanjá, 215

Xapanã é proclamado o Senhor da Terra, 216

Obaluaê morre e é ressuscitado a pedido de Oxum, 218

Xapanã ganha seu culto entre os iorubás, 219

Sapatá torna-se rei na terra dos jejes, 220

Oxumarê, 222

Oxumarê desenha o arco-íris no céu para estancar a chuva, 224

Oxumarê fica rico e respeitado, 225

Oxumarê transforma-se em cobra para escapar de Xangô, 226

Oxumarê usurpa a coroa de sua mãe Nanã, 227

Oxumarê é morto por Xangô, 228

Euá, 230

Euá transforma-se numa fonte e sacia a sede dos filhos, 232

Euá transforma-se na névoa, 233

Euá livra Orunmilá da perseguição da Morte, 235

Euá casa-se com Oxumarê, 236

Euá é expulsa de casa e vai viver no cemitério, 237

Euá é escondida por seu irmão Oxumarê, 238

Euá é presa no formigueiro por Omulu, 239

Euá atemoriza Xangô no cemitério, 240

Euá se desilude com Xangô e abandona o mundo dos vivos, 241

Xangô, 242

Xangô é escolhido rei de Oió, 244

Xangô é reconhecido como o orixá da justiça, 245

Xangô torna-se rei de Cossô, 246

Xangô é reconhecido por Aganju como seu filho legítimo, 247

Xangô rouba Iansã de Ogum, 248

Xangô ordena que primeiro saúdem seu irmão mais velho, 249

Xangô faz oferendas e vence os inimigos, 249

Xangô mata o monstro e lança chamas pela boca, 250

Xangô foge de seus perseguidores vestido de mulher, 251

Xangô cai no fogo e brinca com as brasas, 252

Xangô foge de Oiá com a ajuda de Oxum, 253

Xangô é vencido pelo Carneiro, 254

Xangô usurpa a coroa de Ogum, 254

Xangô seduz o povo e usurpa o trono de Ogum, 255

Xangô é salvo por Oiá da perseguição dos eguns, 256

Xangô ensina ao homem como fazer fogo para cozinhar, 257

Xangô seduz a mãe adotiva, 258

Xangô usa vários nomes para escapar de Iemanjá, 259

Xangô e suas esposas transformam-se em orixás, 260

Xangô ganha o colar vermelho e branco, 261

Xangô mata o touro com seu machado duplo, 262

Xangô dá a Obaluaê os cães de Ogum, 263

Xangô conquista Iansã na guerra contra Ogum, 264

Xangô incendeia sua cidade acidentalmente, 265

Xangô é visitado pelos quinze odus e acaba ficando rico, 267

Xangô oferece mil riquezas a Oxum, 270

Xangô conquista pela força o amor de Iansã, 271

Xangô depende de Iansã para ganhar a guerra, 271

Xangô conquista a terra dos malês, 272

Xangô vence Exu e conquista Oxum, 273

Xangô deixa de comer carne de porco em honra dos malês, 274

Xangô encanta-se juntamente com Iansã e Oxum, 276

Xangô é proibido de participar do culto dos eguns, 276

Xangô é destronado e se torna um orixá, 277

Xangô é rejeitado por seus súditos, 279

Xangô é condenado por Oxalá a comer como os escravos, 279

Xangô torna-se o quarto rei de Oió, 281

Xangô tem seu culto organizado pelos doze obás, 284

Xangô vence Ogum na pedreira, 286

Xangô deixa a velha Obá e encontra Oxum, 287

Oiá — Iansã, 292

Oiá recebe o nome de Iansã, mãe dos nove filhos, 294

Oiá nasce na casa de Oxum, 295

Iansã ganha seus atributos de seus amantes, 296

Oiá transforma-se num búfalo, 297

Iansã proíbe Xangô de comer carneiro perto dela, 299

Iansã é traída pelo Carneiro, 300

Iansã foge ligeira e transforma-se no vento, 301

Oiá cria o rio dum pedaço de pano preto, 301

Oiá transforma-se no rio Níger, 302

Oiá transforma-se num elefante, 302

Oiá sopra a forja de Ogum e cria o vento e a tempestade, 303

Oiá transforma-se em coral, 304

Oiá é dividida em nove partes, 305

Oiá liberta Xangô da prisão usando o raio, 306

Oiá é disputada por Xangô e Ogum, 307

Oiá usa a poção de Xangô para cuspir fogo, 308

Oiá ganha de Obaluaê o reino dos mortos, 308

Oiá dá à luz Egungum, 309

Oiá toca o fole de Ogum para os egunguns dançarem, 309

Oiá inventa o rito funerário do axexê, 310

Obá, 312

Obá é possuída por Ogum, 314

Obá corta a orelha induzida por Oxum, 314

Obá provoca a morte do cavalo de Xangô, 316

Oxum, 318

Oxum é concebida por Iemanjá e Orunmilá, 320

Oxum dança para Ogum na floresta e o traz de volta à forja, 321

Oxum Apará tem inveja de Oiá, 323

Oxum seduz Iansã, 325

Oxum Navezuarina cega seus raptores, 326

Oxum mata o caçador e transforma-se num peixe, 327

Oxum transforma sangue menstrual em penas de papagaio, 329

Oxum transforma-se em pombo, 332

Oxum recupera o báculo de Orixalá que Iansã joga no mar, 333

Oxum exige a filha do rei em sacrifício, 334

Oxum fica pobre por amor a Xangô, 335

Oxum deita-se com Exu para aprender o jogo de búzios, 337

Oxum leva ebó ao Orum e salva a Terra da seca, 339

Oxum nasce de Iemanjá e é curada por Ogum, 340

Oxum é transformada em pavão e abutre, 341

Oxum faz ebó e mata os invasores do seu reino, 343

Oxum difama Oxalá e ele a faz rica para se livrar dela, 344

Oxum faz as mulheres estéreis em represália aos homens, 345

Iá Mi Oxorongá, 346

Iá Mi chegam ao mundo com seus pássaros maléficos, 348

Iá Mi são enganadas por Orunmilá, 351

Iá Mi usam proibições para aprisionar os imprudentes, 352

Iá Mi propõem enigma a Orunmilá, 354

Iá Mi fazem um pacto com Orunmilá, 356

Iá Mi reconhece o poder dos homens sobre o poder feminino, 357

Iá Mi perseguem Orixalá pelo roubo da água, 360

Iá Mi Odu torna-se esposa de Orunmilá, 362

Iá Mi Odu fica velha e morre, 364

Ibejis, 366

Os Ibejis nascem de Oiá e são criados por Oxum, 368

Os Ibejis são transformados numa estatueta, 369

Os Ibejis brigam por causa do terceiro irmão, 369

Os Ibejis nascem como abicus mandados pelos macacos, 371

Os Ibejis brincam e põem fogo na casa, 373

Os Ibejis encontram água e salvam a cidade, 374

Os Ibejis enganam a Morte, 375

Iemanjá, 378

Iemanjá ajuda Olodumare na criação do mundo, 380

Iemanjá é violentada pelo filho e dá à luz os orixás, 382

Iemanjá foge de Oquerê e corre para o mar, 383

Iemanjá dá à luz as estrelas, as nuvens e os orixás, 385

Iemanjá vinga seu filho e destrói a primeira humanidade, 386

Iemanjá joga búzios na ausência de Orunmilá, 387

Iemanjá é nomeada protetora das cabeças, 388

Iemanjá trai seu marido Ogum com Aiê, 388

Iemanjá finge-se de morta para enganar Ogum, 389

Iemanjá afoga seus amantes no mar, 390

Iemanjá salva o Sol de extinguir-se, 391

Iemanjá irrita-se com a sujeira que os homens lançam ao mar, 392

Iemanjá atemoriza seu filho Xangô, 393

Iemanjá oferece o sacrifício errado a Oxum, 394

Iemanjá mostra aos homens o seu poder sobre as águas, 395

Iemanjá seduz seu filho Xangô, 395

Iemanjá tem seu poder sobre o mar confirmado por Obatalá, 396

Iemanjá cura Oxalá e ganha o poder sobre as cabeças, 397

Olocum, 400

Olocum acolhe todos os rios e torna-se a rainha das águas, 402

Olocum mostra sua força destruidora, 403

Olocum isola-se no fundo do oceano, 405

Olocum perde uma disputa para Oxalá, 405

Onilé, 408

Onilé ganha o governo da Terra, 410

Ajê Xalugá, 416

Ajê Xalugá cega os homens e também perde a visão, 418

Ajê Xalugá faz seu amado próspero e rico, 419

Odudua, 422

Odudua briga com Obatalá e o Céu e a Terra se separam, 424

Odudua cai na armadilha que ele mesmo prepara para Oxalá, 425

Odudua é encarregado de dotar os homens de cabeça, 428

Odudua constrói um abrigo para seu amado caçador, 428

Oraniã, 430

Oraniã nasce negro e branco e tem dois pais, 432

Oraniã cria a Terra, 433

Oraniã traz Oquê, a Montanha, do fundo do mar, 434

Oraniã é invocado para salvar sua cidade e mata seus súditos, 435

Orunmilá — Ifá, 440

Orunmilá institui o oráculo, 442

Ifá dá ao feiticeiro as lendas da adivinhação, 445

Orunmilá traz a festa como dádiva de Olodumare, 446

Orunmilá aprende o segredo da fabricação dos homens, 447

Ifá nasce como menino mudo, 447

Orunmilá ludibria Oxalá com a ajuda de Exu, 448

Orunmilá trava longa contenda com seu escravo Ossaim, 450

Orunmilá engana Oxalá e Odudua e faz a paz na Terra, 452

Orunmilá recebe o título de Senhor do Mundo, 453

Orunmilá dá o alimento à humanidade, 453

Orunmilá é escondido de seus perseguidores por uma aranha, 455

Orunmilá disputa com seu escravo quem é o melhor adivinho, 456

Orunmilá desposa a filha de Olocum, 458

Orunmilá prefere a Paciência à Discórdia e à Riqueza, 460

Orunmilá reconhece seu filho com Iemanjá, 461

Orunmilá é enganado por Exu mas termina vencedor, 462

Orunmilá proíbe o sacrifício de seres humanos, 463

Orunmilá conquista a mais linda donzela, 465

Orunmilá recebe de Obatalá o cargo de babalaô, 466

Ajalá, 468

Ajalá modela a cabeça do homem, 470

Ajalá faz as cabeças de três amigos, 471

Ori, 474

Ori faz o que os orixás não fazem, 476

Ori vence os orixás numa disputa, 481

Ori decide não nascer de novo, 483

Ori livra Orunmilá de ameaças, 484

Oxaguiã — Ajagunã, 486

Oxaguiã inventa o pilão, 488

Ajagunã ganha uma cabeça nova, 489

Oxaguiã manda libertar o amigo preso injustamente, 491

Ajagunã instaura o reino da discórdia e promove o progresso, 493

Oxaguiã devolve o sexo aos homens, 494

Ajagunã destrói palácios para o povo trabalhar, 496

Oxaguiã encontra Iemanjá e lhe dá um filho, 498

Oxalá — Obatalá — Orixanlá — Oxalufã, 500

Orixanlá cria a Terra, 502

Obatalá cria o homem, 503

Obatalá cria Icu, a Morte, 506

Obatalá provoca a inveja e é feito em mil pedaços, 507

Obatalá fere acidentalmente sua esposa Iemu, 508

Orixalá guarda de lembrança uma pena de Ecodidé, 509

Oxalá salva seus filhos com a ajuda de Orunmilá, 510

Oxalá cria a galinha-d'angola e espanta a Morte, 511

Oxalá é proibido de consumir sal, 512

Oxalá é feito albino por Exu, 513

Obatalá separa o Céu da Terra, 514

Obatalá rouba o pescador cego, 516

Oxalá expulsa o filho chamado Dinheiro, 517

Orixalá ganha o mel de Odé, 518

Oxalufã é banhado com água fresca e limpa ao sair da prisão, 519

Obatalá usa a coroa de ecodidé e é chamado rei dos orixás, 522

Epílogo, 524

E foi inventado o candomblé..., 526

Notas bibliográficas e comentários, 529

Glossário, 563

Índice onomástico, 571

Índice e créditos das fotos, 575

Fontes etnográficas escritas, 584

Sobre o autor, 591

1. EXU

2. OGUM

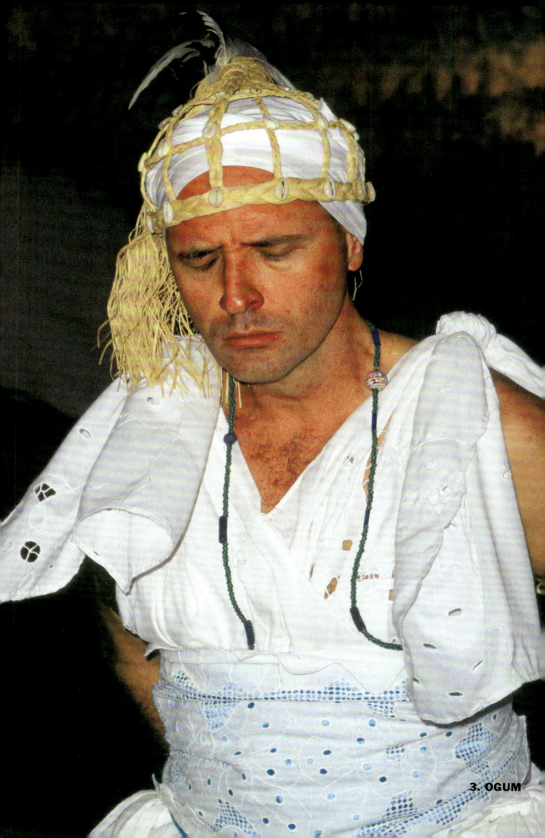

3. OGUM

4. OGUM

5. OGUM E OXÓSSI

6. OXÓSSI

7. LOGUM EDÉ

8. OSSAIM

9. OSSAIM E IROCO

10. NANÃ

11. OBALUAÊ

12. OBALUAÊ

13. OBALUAÊ

14. OXUMARÊ

15. EUÁ

16. EUÁ

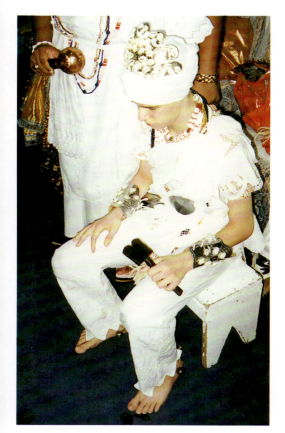

18. XANGÔ

19. OBÁ

20. OXUM

22. OXUM

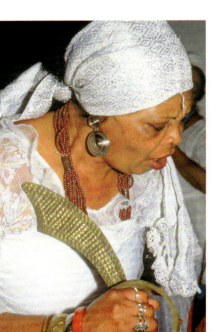

23. OIÁ

24. OIÁ

25. OIÁ

26. IEMANJÁ

27. IEMANJÁ

28. IEMANJÁ

29. OXAGUIÃ

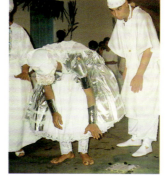

30. OXALÁ

31. OXALÁ

32. E foi inventado o candomblé...

Prólogo

Um dia, em terras africanas dos povos iorubás, um mensageiro chamado Exu andava de aldeia em aldeia à procura de solução para terríveis problemas que na ocasião afligiam a todos, tanto os homens como os orixás. Conta o mito que Exu foi aconselhado a ouvir do povo todas as histórias que falassem dos dramas vividos pelos seres humanos, pelas próprias divindades, assim como por animais e outros seres que dividem a Terra com o homem. Histórias que falassem da ventura e do sofrimento, das lutas vencidas e perdidas, das glórias alcançadas e dos insucessos sofridos, das dificuldades na luta pela manutenção da saúde contra os ataques da doença e da morte. Todas as narrativas a respeito dos fatos do cotidiano, por menos importantes que pudessem parecer, tinham que ser devidamente consideradas. Exu deveria estar atento também aos relatos sobre as providências tomadas e as oferendas feitas aos deuses para se chegar a um final feliz em cada desafio enfrentado. Assim fez ele, reunindo 301 histórias, o que significa, de acordo com o sistema de enumeração dos antigos iorubás, que Exu juntou um número incontável de histórias. Realizada essa pacientíssima missão, o orixá mensageiro tinha diante de si todo o conhecimento necessário para o desvendamento dos mistérios sobre a origem e o governo do mundo dos homens e da natureza, sobre o desenrolar do destino dos homens, mulheres e crianças e sobre os caminhos de cada um na luta cotidiana contra os infortúnios que a todo momento ameaçam cada um de nós, ou seja, a pobreza, a perda dos bens materiais e de posições sociais, a derrota em face do adversário traiçoeiro, a infertilidade, a doença, a morte.

Conta-se que todo esse saber foi dado a um adivinho de nome Orunmilá, também chamado Ifá, que o transmitiu aos seus seguidores, os sacerdotes do oráculo de Ifá, que são chamados babalaôs ou pais do segredo.

Durante a iniciação a que é submetido para o exercício da atividade oracular, o babalaô aprende essas histórias primordiais que relatam fatos do passado que se repetem a cada dia na vida dos homens e mulheres. Para os iorubás antigos, nada é novidade, tudo o que acontece já teria acontecido antes. Identificar no passado mítico o acontecimento que ocorre no presente é a chave da decifração oracular. Os mitos dessa tradição oral estão organizados em dezesseis capítulos, cada um subdividido em dezesseis partes, tudo paciente e meticulosamente decorado, já que a escrita não fazia parte, até bem pouco tempo atrás, da cultura dos povos de língua iorubá. Acredita-se que um determinado segmento de um determinado capítulo mítico, que é chamado *odu*, contém a história capaz de identificar tanto o problema trazido pelo consulente como sua solução, seu remédio mágico, que envolve sempre a realização de algum sacrifício votivo aos deuses, os orixás. O babalaô precisa saber em qual dos capítulos e em que parte encontra-se a história que fala dos problemas do seu consulente. Ele acredita que as soluções estão lá e então joga os dezesseis búzios, ou outro instrumento de adivinhação, que lhe indica qual é o *odu* e, dentro deste, qual é o mito que procura. Acredita-se que Exu é o mensageiro responsável pela comunicação entre o adivinho e Orunmilá, o deus do oráculo, que é quem dá a resposta, e pelo transporte das oferendas ao mundo dos orixás.

Essa arte da adivinhação sobrevive na África, entre os iorubás seguidores da religião tradicional dos orixás, e na América, entre os participantes do candomblé brasileiro e da santeria cubana, principalmente. Na África e em Cuba, o oráculo é prerrogativa dos babalaôs, e, no Brasil, onde os babalaôs se extinguiram, dos pais e mães de santo. Aqui, pouco a pouco a adivinhação praticada no candomblé no jogo de búzios foi sendo simplificada e o corpo de mitos foi sendo desligado da prática divinatória, preservando-se, contudo, os nomes dos *odus*, as previsões e os *ebós* ou oferendas propiciatórias, além do nome dos orixás que eram os protagonistas das histórias originais de cada *odu*. O próprio orixá Orunmilá foi sendo esquecido, passando Exu a ocupar o papel central na prática oracular do jogo de búzios. Os mitos, entretanto, continuaram presentes nas explicações da Criação, na composição dos atributos dos orixás, na justificativa religiosa dos tabus, que são muito presentes no cotidiano do candomblé, no sentido das danças rituais etc. Tudo porém muito difuso, embutido nos ritos, sem organização alguma.

A partir da década de 1960 conheceram significativo reavivamento religiões tradicionais, entre elas as religiões dos orixás constituídas na América, verificando-se grande expansão do candomblé, que da Bahia se alastrou por todo o território brasileiro, e da santeria cubana, agora também cultivada nos Estados Unidos, sobretudo entre os imigrantes hispano--americanos. Isso fez proliferar as publicações sobre as religiões dos orixás. Textos oraculares, coletâneas de mitos e de fórmulas rituais colhidos na África, em Cuba e no Brasil têm sido publicados por pesquisadores e sacerdotes, geralmente de modo fragmentado e pouco sistematizado. Essas publicações, científicas ou religiosas, foram se tornando mais e mais procuradas, tanto pelos pesquisadores como pelos seguidores das religiões dos orixás, denominados entre nós de o povo de santo. A recente expansão do candomblé no Brasil envolveu forte adesão de segmentos sociais diferentes daqueles em que se originou no Brasil a religião dos orixás, com a inclusão de adeptos não necessariamente de origem negra e que são provenientes de camadas sociais com maior escolaridade e habituadas à ideia da informação pelo livro. Esse novo segmento, que em geral associa culturalmente religião com a palavra escrita, encontrou nos mitos explicações e sentidos para práticas e concepções do candomblé, descobrindo que o mito está impregnado nos objetos rituais, nas cantigas, nas cores e desenhos das roupas e colares, nos rituais secretos da iniciação, nas danças e na própria arquitetura dos templos e, marcadamente, nos arquétipos ou modelos de comportamento do filho de santo, que recordam no cotidiano as características e aventuras míticas do orixá do qual se crê descender o filho humano. Isso reforçou o crescimento e a diversificação de um mercado livreiro sobre os orixás, de modo que a transmissão oral do conhecimento religioso, que caracteriza o candomblé, foi aos poucos incorporando o uso do texto escrito.

Hoje é grande o volume de publicações que trazem mitos dos orixás. Há títulos especializados na divulgação de mitos e uma enormidade de escritos sobre religião e cultura que também reproduzem mitos colhidos em pesquisas em diferentes épocas, regiões e países. Há fontes de natureza científica, religiosa ou cultural, de qualidade variada e extensão diversa, mas não se podia, até agora, encontrar os mitos dos orixás reunidos num só volume. Juntar e organizar os mitos africanos e afro-americanos dos orixás foi o objetivo a que me propus na realização deste trabalho.

Os orixás e os mitos

Para os iorubás tradicionais e os seguidores de sua religião nas Américas, os orixás são deuses que receberam de Olodumare ou Olorum, também chamado Olofim em Cuba, o Ser Supremo, a incumbência de criar e governar o mundo, ficando cada um deles responsável por alguns aspectos da natureza e certas dimensões da vida em sociedade e da condição humana. Na África, a maioria dos orixás merece culto limitado a determinada cidade ou região, enquanto uns poucos têm culto disseminado por toda ou quase toda a extensão das terras iorubás. Muitos orixás são esquecidos, outros surgem em novos cultos. O panteão iorubano na América é constituído de cerca de uma vintena de orixás e, tanto no Brasil como em Cuba, cada orixá, com poucas exceções, é celebrado em todo o país. Os orixás que protagonizam os mitos aqui reunidos são, em sua maioria, cultuados atualmente tanto na África como na América, mas há também aqueles que são adorados na África e desconhecidos na América ou num dos países americanos em que se cultuam os orixás, assim como aqueles cujo culto se extinguiu na África original, podendo porém, em casos raros, ser encontrados em solo americano.

Exu é o orixá sempre presente, pois o culto de cada um dos demais orixás depende de seu papel de mensageiro. Sem ele orixás e humanos não podem se comunicar. Também chamado Legba, Bará e Eleguá, sem sua participação não existe movimento, mudança ou reprodução, nem trocas mercantis, nem fecundação biológica. Na época dos primeiros contatos de missionários cristãos com os iorubás na África, Exu foi grosseiramente identificado pelos europeus com o diabo e ele carrega esse fardo até os dias de hoje.

Ogum governa o ferro, a metalurgia, a guerra. É o dono dos caminhos, da tecnologia e das oportunidades de realização pessoal. Foi, num tempo arcaico, o orixá da agricultura, da caça e da pesca, atividades essenciais à vida dos antigos. Assim, ele é muito próximo de Oxóssi ou Odé e outros orixás caçadores, como Erinlé ou Ibualama, Logum Edé e Otim, que são os donos da vegetação e da fauna, detendo a chave da sobrevivência do homem através do trabalho. Orixá Ocô divide com Ogum o patronato da agricultura, mas foi esquecido no Brasil, provavelmente porque aqui o candomblé se formou como religião urbana.

Nanã é a guardiã do saber ancestral e participa com outros orixás do panteão da Terra, do qual uma antiga divindade, Onilé, ainda recebe em velhos candomblés uma cantiga ou outra em ritos de louvação dos antepassados fundadores da religião. Onilé, a Mãe Terra, é a senhora do planeta em que vivemos. As atribuições de Onilé foram redistribuídas entre Nanã e outros orixás que muitos seguidores consideram filhos seus. Nanã é a dona da lama que existe no fundo dos lagos e com a qual foi modelado o ser humano. É considerada o orixá mais velho do panteão na América. De sua família fazem parte Oxumarê e Omulu e, mais remotamente, Euá. Oxumarê, o arco-íris, é o deus serpente que controla a chuva, a fertilidade da terra e, por conseguinte, a prosperidade propiciada pelas boas colheitas. Omulu ou Obaluaê, também chamado Xapanã e Sapatá, é o senhor da peste, da varíola, da doença infecciosa, o conhecedor de seus segredos e de sua cura. Euá, orixá feminino das fontes, preside o solo sagrado onde repousam os mortos. Muitos candomblés incluem nesse panteão Iroco, a árvore centenária em cuja copa frondosa habitam aves misteriosas, temidas portadoras do feitiço, mas seu culto no Brasil é raro.

Xangô é o dono do trovão, conhecedor dos caminhos do poder secular, governador da justiça. Teria sido um dos primeiros reis da cidade de Oió, que dominou por muito tempo a maioria das demais cidades iorubanas, merecendo Xangô, talvez por essa razão, um culto muito difundido na África. É praticamente o grande patrono das religiões dos orixás no Brasil e seu culto está associado aos de suas esposas Oiá, Obá e Oxum, originalmente orixás de rios africanos. Na América, por razões óbvias, perderam a referência ao seu rio específico e tiveram reforçados outros atributos míticos. Oiá ou Iansã dirige o vento, as tempestades e a sensualidade feminina. É a senhora do raio e soberana dos espíritos dos mortos, que encaminha para o outro mundo. Obá dirige a correnteza dos rios e a vida doméstica das mulheres, no contínuo fluxo do cotidiano. Oxum preside o amor e a fertilidade, é dona do ouro e da vaidade e senhora das águas doces.

O culto aos orixás femininos não se completa sem Iemanjá, a senhora das grandes águas, mãe dos deuses, dos homens e dos peixes, aquela que rege o equilíbrio emocional e a loucura, talvez o orixá mais conhecido no Brasil. É uma das mães primordiais e está presente em muitos mitos que falam da criação do mundo. No Brasil ganhou a soberania dos mares e oceanos, regidos na África por Olocum, orixá esquecido no Brasil e pouco lembrado em Cuba, a antiga senhora do oceano, das profundezas da vida, dos mistérios insondáveis. Também do mar é Ajê Xalugá, de culto inexistente no Brasil, mas lembrada em candomblés que cultivam a busca de raízes culturais, antigo orixá regente da conquista da riqueza, da prosperidade material, dos negócios lucrativos. O culto de Iemanjá na África está associado ao rio Níger e pode ser observado no âmbito da celebração de divindades femininas primordiais, as Iá Mi Oxorongá, literalmente, nossas mães ancestrais, donas de todo o conhecimento e senhoras do feitiço, representantes da ancestralidade feminina da humanidade, as nossas mães feiticeiras, mas que entre nós são lembradas muito discretamente em ritos aos antepassados celebrados em velhos candomblés. Associadas ao culto das mães primeiras encontramos duas divindades infantis muito festejadas no Brasil, os gêmeos Ibejis, os orixás crianças que presidem a infância e a fraternidade, a duplicidade e o lado infantil dos adultos.

Presentes na memória de poucos sobreviventes das antigas gerações de candomblé estão Orô, o temido espírito da floresta, de rugido assustador, antigamente cultuado na África pelos membros de uma sociedade secreta encarregada da punição dos bandidos, feiticeiros e mulheres adúlteras, e Oquê, a montanha, elevação que nasce do oceano, a segurança da terra firme, base da vida humana.

Orunmilá ou Ifá é o conhecedor do destino dos homens, o que detém o saber do oráculo, o que ensina como resolver toda sorte de problema e aflição. Os sacerdotes de Orunmilá na África, os babalaôs, sábios que usam seus mistérios para resolver problemas e curar pessoas, disputam com os sacerdotes de Ossaim a cura de todos os males que destroem a saúde. Ossaim é o conhecedor do poder mágico e curativo das folhas e sem sua ciência nenhum remédio mágico funciona. Ossaim é cultuado em todos os templos de orixá no Brasil, assim como em Cuba, mas a confraria africana dos olossains, seus sacerdotes herboristas, não sobreviveu entre nós. Orunmilá foi muito esquecido no Brasil, mas ainda é celebrado em antigos templos de Pernambuco e em terreiros que procuram recuperar tradições perdidas. Em Cuba, Orunmilá é praticamente um baluarte da religião dos orixás.

Oxalá encabeça o panteão da Criação, formado de orixás que criaram o mundo natural, a humanidade e o mundo social. Oxalá ou Obatalá, também chamado Orixanlá e Oxalufã, é o criador do homem, senhor absoluto do princípio da vida, da respiração, do ar, sendo chamado de o Grande Orixá, Orixá Nlá. É orixá velho e muito respeitado tanto pelos devotos humanos como pelos demais orixás, entre os quais muitos são identificados como filhos seus. Oxaguiã ou Ajagunã é o criador da cultura material, inventor do pilão que prepara o alimento e é quem rege o conflito entre os povos. É considerado no Brasil uma invocação de Oxalá quando jovem e guerreiro. Oduduа é o criador da Terra, ancestral dos iorubás e, juntamente com Oraniã, o responsável pelo surgimento das cidades. Na África há uma grande disputa entre os partidários de Obatalá e os de Oduduа, mas no Brasil Oduduа foi menos feliz e desapareceu quase por completo, sendo confundido com um aspecto do próprio Oxalá. Outros orixás fazem parte desse grupo: o entre nós pouco lembrado Ajalá, que fabrica as cabeças dos homens e mulheres, sendo assim o responsável pela existência de bons e maus destinos, e Ori, divindade da cabeça de cada ser humano e portador da sua individualidade, cujo culto vem sendo reconstituído no Brasil com vigor considerável.

Cada orixá pode ser cultuado segundo diferentes invocações, que no Brasil são chamadas qualidades e em Cuba, caminhos. Pode-se, por exemplo, cultuar uma Iemanjá jovem e guerreira, de nome Ogunté, uma outra velha e maternal, Iemanjá Sabá, entre outras. Assim, cada orixá se multiplica em vários, criando-se uma diversidade de devoções, cada qual com um repertório específico de ritos, cantos, danças, paramentos, cores, preferências alimentares, cujo sentido pode ser encontrado nos mitos.

Os iorubás acreditam que homens e mulheres descendem dos orixás, não tendo, pois, uma origem única e comum, como no cristianismo. Cada um herda do orixá de que provém suas marcas e características, propensões e desejos, tudo como está relatado nos mitos. Os orixás vivem em luta uns contra os outros, defendem seus governos e procuram ampliar seus domínios, valendo-se de todos os artifícios e artimanhas, da intriga dissimulada à guerra aberta e sangrenta, da conquista amorosa à traição. Os orixás alegram-se e sofrem, vencem e perdem, conquistam e são conquistados, amam e odeiam. Os humanos são apenas cópias esmaecidas dos orixás dos quais descendem.

Os mitos dos orixás originalmente fazem parte dos poemas oraculares cultivados pelos babalaôs. Falam da criação do mundo e de como ele foi repartido entre os orixás. Relatam uma infinidade de situações envolvendo os deuses e os homens, os animais e as plantas, elementos da natureza e da vida em sociedade. Na sociedade tradicional dos iorubás, sociedade não histórica, é pelo mito que se alcança o passado e se explica a origem de tudo, é pelo mito que se interpreta o presente e se prediz o futuro, nesta e na outra vida. Como os iorubás não conheciam a escrita, seu corpo mítico era transmitido oralmente. Na diáspora africana, os mitos iorubás reproduziram-se na América, especialmente cultivados pelos seguidores das religiões dos orixás no Brasil e em Cuba. A partir do século XIX, primeiramente estudiosos estrangeiros, sobretudo europeus, e mais tarde letrados iorubás iniciaram a compilação desse vasto patrimônio.

Em Cuba os babalaôs cultivaram o hábito de escrever em cadernos os *odus* do oráculo, que contêm os mitos, interpretações e prescrições sacrificiais, cadernos que mais tarde foram utilizados como fonte primária por pesquisadores das tradições afro-cubanas. No Brasil, onde a instituição oracular baseada na figura do babalaô desapareceu, certamente em razão do papel centralizador aqui desenvolvido pelas mães e pais de santo, chefes dos terreiros que agregam os devotos dos orixás, os mitos mantiveram-se difusos na memória ritual e no dia a dia das congregações religiosas iorubá-descendentes.

Pesquisadores brasileiros comentam a existência de cadernos mantidos secretamente pelo povo de santo como meio de preservar e passar adiante o conhecimento mítico, mágico e ritual cultivado nos terreiros brasileiros, mas isso é raro e recente, considerando o triste fato de que, até bem pouco tempo atrás, a maioria dos dirigentes dos terreiros e demais iniciados era analfabeta. Até onde se tem notícia, data de 1928 o primeiro documento extenso escrito contendo os mitos da arte oracular, um caderno compilado por Agenor Miranda Rocha, membro letrado de um dos terreiros da Bahia, em que tradições divinatórias haviam sido preservadas à moda dos antigos babalaôs, mas esse documento somente foi trazido à luz mais de meio século depois de ter sido escrito.

A partir de meados da década de 1930, escritores e cientistas sociais iniciaram o registro mais sistemático de mitos de orixás, embora uns poucos exemplares datem da virada do século XIX para o XX. Nos anos 30, o antropólogo Artur Ramos acreditou que a mitologia iorubá no Brasil estava completamente degradada e perdida (Ramos, 1935), mas Roger Bastide (1945, 1958), sociólogo francês, então professor de sociologia da Universidade de São Paulo, pesquisando na Bahia nas décadas de 40 e 50, discerniu perfeitamente a presença viva dos mitos não só como narrativa, mas como substrato subentendido nos ritos mantidos nos terreiros, sobretudo nas danças, e na própria estrutura mental dos seguidores da religião dos orixás, tendo registrado inúmeros mitos.

As fontes

Dificilmente se lê um livro ou artigo sobre as religiões dos orixás sem que um ou mais mitos sejam citados, uma vez que os valores e ritos dessas religiões repousam num conhecimento mítico. Assim, uma das etapas do projeto que originou este livro consistiu em pesquisar a bibliografia disponível para o Brasil, a que trata da religião dos orixás em outros países americanos, com destaque para Cuba, e aquela produzida com referência à África, o que envolveu a consulta a centenas de títulos, entre livros, artigos, teses etc. Depois, tratava-se de juntar o material primário colhido em pesquisa de campo e ainda não publicado.

Os primeiros mitos escritos apareceram já nas primeiras obras que trataram da religião dos orixás na África no século XIX, os livros de padre Baudin, de 1884, e do coronel Ellis, de 1894, iniciando-se uma contribuição que nunca parou de crescer, em que se destacam os trabalhos de Leo Frobenius (1949), William Bascom (1969, 1980, 1992), Geoffrey Parrinder (1967), Harold Courlander (1973), Wande Abimbola (1975, 1976) e Ulii Beier (1980). Este é certamente o mais importante pesquisador atual da mitologia dos orixás na África. Beier foi contemporâneo de Pierre Verger na África, de quem recebeu inúmeros mitos, alguns colhidos no Brasil. A lista de fontes africanas pode ser completada com um número muito grande de autores, agora incluindo também babalaôs africanos e cubanos e outros sacerdotes preocupados em divulgar seu conhecimento em livros, muitos deles radicados nos Estados Unidos.

Os mestres da mitologia dos orixás em Cuba são certamente Lydia Cabrera (1954, 1974), Natalia Aróstegui (1990, 1994), Samuel Feijoo (1986) e Rómulo Lachatañeré (1940, 1992, 1995), aos quais se juntam outros pesquisadores com contribuições menos extensas. Com a recente emigração cubana para os Estados Unidos, muitos santeiros ali se estabeleceram, alimentando uma forte indústria editorial sobre a religião dos orixás. A principal fonte primária usada pelos pesquisadores cubanos tem sido as cadernetas dos babalaôs, cadernos em que são registrados os *pataquis*, os mitos de Ifá que compõem cada *odu* do oráculo de Orula, nome cubano para Orunmilá.

O Brasil contou com um incansável divulgador da religião dos orixás, o fotógrafo e etnólogo francês Pierre Verger, que adotou o candomblé como religião e o Brasil como pátria, tendo se iniciado babalaô na África, quando passou a se chamar Pierre Fatumbi Verger. Em obra de 1954, publicada na França, Verger apresentou uma primeira versão de um conjunto de mitos, que ampliou em livro de 1957 e cuja redação não cansou de aprimorar em várias de suas obras brasileiras aparecidas nos anos 80, sempre acrescentando novas contribuições. Em geral sua obra monumental traz mitos colhidos na África, alguns dos quais já anteriormente presentes na literatura, sobretudo em padre Baudin (1884), por quem Verger, ironicamente, nutria um indisfarçável desprezo científico, acusando-o de inventar mitos (Verger, 1981, p. 194). Muitos dos mitos apresentados por Verger foram registrados no Brasil, outros, em Cuba.

Roger Bastide (1945, 1961), pesquisando na Bahia, e René Ribeiro (1978), em Pernambuco, legaram-nos muitos mitos registrados em terreiros de candomblé e xangô. Antes deles já tínhamos a contribuição, quantitativamente menor mas não menos importante, de nomes como Nina Rodrigues (1898), o primeiro cientista brasileiro a se preocupar com a mitologia africana, e Artur Ramos (1935, 1940, 1952), que publicou uns poucos mitos, inclusive um dos mais belos mitos de orixás coletados no Brasil, "Xangô deixa a velha Obá e encontra Oxum", originalmente aparecido num artigo de João do Rio publicado na revista *Kosmos* em 1904.

A mais rica fonte primária brasileira de mitos é, certamente, o já referido caderno escrito por Agenor Miranda Rocha, cuja redação foi iniciada em Salvador e concluída no Rio de Janeiro, em 1928, conforme me contou seu autor, que há décadas tem sido o responsável pelo jogo de búzios que regula a sucessão da mãe de santo na Casa Branca do Engenho Velho e no Axé Opô Afonjá. Professor Agenor, como é conhecido pelo povo de santo, conta que foi iniciado no candomblé em Salvador, em 1912, aos cinco anos de idade, por Mãe Aninha Obá Bií, Ana Eugênia dos Santos (1869-1938), filha de santo da Casa Branca do Engenho Velho e fundadora dos terreiros Axé Opô Afonjá de Salvador e do Rio de Janeiro. O caderno de 1928 registra os *odus* ou capítulos oraculares do jogo de búzios, cada um com seus mitos, interpretações e *ebós*, isto é, as oferendas propiciatórias prescritas nas situações indicadas pelo oráculo. Copiado e recopiado, o texto de 1928 circulou apócrifo por muito tempo entre sacerdotes e estudiosos do candomblé, tendo sido a fonte primária de inúmeros escritos de mitos afro-brasileiros. Na década de 50, Mãe Senhora, Maria Bibiana do Espírito Santo, já então mãe de santo do Axé Opô Afonjá de Salvador, teria emprestado a Pierre Verger uma cópia do caderno, publicado cerca de trinta anos depois, em edição bilíngue inglês-português, por Willfried F. Feuser e José Mariano Carneiro da Cunha, com o título de *Dílógún: Brazilian Tales of Yorùbá Divination Discovered in Bahia by Pierre Verger* (1982), com autoria creditada a Mãe Agripina de Souza, que sucedeu Mãe Aninha na chefia de seu terreiro do Rio de Janeiro e que era irmã de santo de Professor Agenor e Mãe Senhora.

Verger valeu-se amplamente do caderno de 1928 em seu *Notas sobre o culto aos orixás e voduns*, publicado em francês em 1957, com a tradução para o português editada somente em 1999. Júlio Braga incluiu os mitos, interpretações e *ebós* do caderno de 1928 em sua tese de doutorado sobre o jogo de búzios, defendida em 1977 na Universidade Nacional do Zaire, mas só publicada no Brasil em 1988, assim como em sua antologia *Contos afro-brasileiros*, de 1989. Mestre Didi, Deoscóredes Maximiliano dos Santos, filho biológico de Mãe Senhora e irmão de santo de Agenor, também se valeu do caderno em seus livros *Contos negros da Bahia* (1961), *Contos de nagô* (1963), *Contos crioulos da Bahia* (1976) e *Contos de Mestre Didi* (1981). Júlio Braga indica como fonte antigos cadernos que circulavam entre adeptos do candomblé, preferindo não citar nomes, "pois os cadernos que consultamos são guardados com maior recato e revelar o nome de seus proprietários seria uma indiscrição que não ousamos cometer" (Braga, 1989, p. 11). Note-se que Braga usa o termo *proprietários* e não *autores*. Verger informa, no livro de 1957, ter usado como fonte as tradições mantidas por descendentes de africanos nos terreiros de candomblé da Bahia, referindo-se vagamente a uma "caderneta de um adivinho" (Verger, 1957, p. 113 et passim).

Em 1997, no Rio de Janeiro, Professor Agenor confiou-me parte significativa de seus documentos pessoais, os quais incluíam o caderno de 1928: uma pasta contendo folhas de papel amarelado, quase ilegíveis. Na capa de papelão, escritas com tinta muito desbotada, estavam as palavras: *Caminhos de Odu*. Com esse mesmo título, publicamos em 1999 o caderno de 1928, em edição da Pallas, constando como autor Agenor Miranda Rocha. De acordo com o que me contou Professor Agenor, Mãe Aninha Obá Bií foi quem ditou o documento de 1928, do qual Professor Agenor fez e distribuiu muitas cópias ao longo dos anos, e que foi a fonte usada por Pierre Verger, Mestre Didi e Júlio Braga. Braga é bisneto de santo de Mãe Aninha, neto de santo de Mãe Senhora e, por conseguinte, parente do Professor Agenor e de Mestre Didi, filho de santo de Mãe Aninha, sendo assim todos eles membros da mesma família de santo, uma das mais importantes na manutenção do patrimônio cultural e religioso fundado na tradição herdada dos iorubás, família à qual se juntou Verger, na condição de filho espiritual de Mãe Senhora e titular do posto sacerdotal de Ojuobá, os Olhos de Xangô, no Axé Opô Afonjá de Salvador.

Os mitos registrados nesse caderno setenta anos atrás difundiram-se amplamente a partir dessas obras, enquanto a edição africana de Feuser e Cunha permaneceu completamente desconhecida no Brasil. É interessante notar que, no manuscrito de 1928, os mitos fazem parte dos caminhos dos *odus*, isto é, de cada uma das diferentes possibilidades de interpretação de um *odu* determinado, com cada caminho devidamente acompanhado da lista das oferendas que são prescritas naquela situação, mais a interpretação do mito em termos de predição que o adivinho, que joga os búzios e interpreta o oráculo, oferece ao consulente. Embora preservada na tese de Júlio Braga sobre o jogo de búzios, a estrutura formada de *odu*, mito, interpretação e *ebó* desapareceu nas mitologias compiladas tanto pelo próprio Júlio Braga como por Mestre Didi, reproduzindo-se apenas o mito, evidenciando-se mais um indicador do descolamento verificado no Brasil entre os mitos e o oráculo, processo em que o jogo divinatório foi simplificado e preservado como segredo iniciático da religião e o mito, difundido como manifestação de cultura popular de origem religiosa, secularizada através da obra literária.

Ao longo do tempo, em diferentes contextos analíticos, mitos de todas essas fontes foram reapresentados por muitos cientistas sociais, que acrescentaram a eles outros mitos colhidos em novas pesquisas de campo e novas versões. Quero citar especialmente as contribuições de Juana Elbein dos Santos (1976), Monique Augras (1983, 1989) e Rita Laura Segato (1995), às quais se junta uma longa lista de outros autores ligados basicamente, como elas, à pesquisa científica e que se completa com o trabalho escrito que agora nos vem das mãos de sacerdotisas e sacerdotes do candomblé, como Mãe Stella de Azevedo Santos (1993), atual ialorixá do Axé Opô Afonjá, em Salvador, e Mãe Beata de Yemonjá (1997), iniciada no mais que centenário terreiro baiano do Alaqueto e hoje mãe de santo na Baixada Fluminense.

A esse conjunto de fontes escritas, que reúne cerca de uma centena de títulos, listados no final do presente volume, soma-se o produto do trabalho de campo aqui publicado pela primeira vez, com outros 42 mitos.

Pesquisa e redação

Ao longo de mais de uma década colecionei mitos dos orixás enquanto desenvolvia outros aspectos da pesquisa sobre as religiões dos orixás. Em 1996 propus-me a dar um caráter mais sistemático à pesquisa dos mitos e, com o patrocínio do CNPq, organizei uma equipe que trabalhou comigo no levantamento de fontes durante os anos de 1997 e 1998. Nessa etapa, para coordenar a pesquisa contei com a colaboração competente e dedicada de Armando Vallado, sacerdote-chefe de terreiro e meu orientando de pós-graduação no Departamento de Sociologia da Universidade de São Paulo, e com o auxílio precioso de José Américo Justo, Cláudio Scafuto Filho, André Ricardo de Souza e Patrícia Ricardo de Souza, meus orientandos de iniciação científica, além do apoio de secretaria sempre relevante de Isabel do Céu Matias e Sandra Regina de Lucca.

Vários de meus colegas e amigos ofereceram colaboração decisiva, indicando fontes, emprestando livros, fornecendo mitos que eles mesmos colheram em suas pesquisas de campo em várias partes do Brasil. Rita de Cássia Amaral, com quem tenho compartilhado o trabalho de pesquisa do candomblé durante muitos anos, ofereceu grande número de mitos colhidos em primeira mão em suas investigações de campo. Mãe Sandra Medeiros Epega, ialorixá do Ilê Leuiwyato, de Guararema, São Paulo, ajudou muito, emprestando-me livros raros e me transmitindo mitos recebidos de seu pai adotivo, o falecido babalaô nigeriano Onadelê Epega. Pai Doda Aguéssi Braga, babalorixá do Ilê Axé Ossaim Darê, de São Paulo, foi sempre o interlocutor generoso, buscando na memória muitos mitos por ele aprendidos e ensinados ao longo de sua vida sacerdotal. Sérgio Ferretti, professor da Universidade Federal do Maranhão, cedeu-me mitos colhidos em terreiro do tambor de mina de São Luís, e Ari Pedro Oro, professor da Universidade Federal do Rio Grande do Sul, enviou-me mitos registrados em suas pesquisas do batuque em Porto Alegre. Angela Lühning, diretora de projetos da Fundação Pierre Verger, em Salvador, franqueou-me o acervo de sua instituição. Carlos Eugênio Marcondes de Moura, o maior especialista brasileiro em bibliografia sobre os cultos dos orixás, voduns e inquices, foi um incansável indicador de fontes. Steven White, professor da St. Lawrence University, em Canton, Nova York, fez as vezes de uma verdadeira ponte bibliográfica, enviando-me dos Estados Unidos, sempre com o entusiasmo próprio dos amigos, títulos raros existentes em bibliotecas de universidades americanas e que eu não conseguia encontrar no Brasil. Quase no final da pesquisa, Ulli Beier, muito generosamente, examinou minha relação de fontes escritas e sugeriu alguns outros títulos publicados na África décadas atrás.

Para a inclusão dos mitos na presente mitologia, orientei-me por regras bastante simples e inequívocas. No candomblé, no xangô e em outras variantes regionais da religião dos orixás no Brasil, assim como na religião dos orixás na África e em Cuba, os mitos justificam papéis e atributos dos orixás, explicam a ocorrência de fatos do dia a dia e legitimam as práticas rituais, desde as fórmulas iniciáticas, oraculares e sacrificiais até a coreografia das danças sagradas, definindo cores, objetos etc. A associação a algum desses aspectos é que dá vida ao mito, é sua prova de sentido. Assim, foram incluídos os mitos registrados na literatura científica sempre que relacionados a determinados contextos culturais e rituais. Os mitos não publicados anteriormente e coletados mediante pesquisa de campo no Brasil, assim como aqueles presentes em trabalhos de divulgação da religião dos orixás, escritos sobretudo por sacerdotes, foram incluídos quando seus conteúdos puderam ser relacionados a práticas rituais e crenças constitutivas das religiões dos orixás observáveis entre nós. Como a religião dos orixás no Brasil encontra-se em franca expansão e em permanente transformação, os terreiros podem lançar mão de mitos e ritos recém-criados que justificam e informam esta ou aquela inovação. Nesse caso, somente quando se tratava de inovação generalizada, observável em diferentes terreiros, optei pela inclusão do mito, procurando assim selecionar um corpo de mitos minimamente arraigado no repertório de crenças dos terreiros.

Os mitos que compõem esta coleção estão numerados, fornecendo-se sua fonte, frequentemente mais de uma, em notas arroladas ao final do texto. Através das notas o leitor pode acompanhar a trajetória do mito na literatura. Nas notas incluí também indicação de variantes, informações etnográficas e outros comentários que me pareceram oportunos.

É possível identificar por meio da análise das fontes, mesmo que de modo grosseiro, onde e quando o mito foi registrado em primeira mão, se na África iorubana, em Cuba ou no Brasil, ou ainda em outro território. Muitos deles estão presentes num e noutro continente, às vezes como versões modificadas, que podem ter resultado da própria diáspora negra, de recentes fluxos migratórios ou da simples consulta bibliográfica, ou ainda da ação de informantes que circulam geograficamente com muita mobilidade, algo bem característico entre os brasileiros que cultuam os orixás. Hoje, mitos dos orixás também podem ser encontrados em *sites* da Internet. Mas é difícil atestar a procedência de um mito, isto é, onde teria ele sido criado, se na África ou na América, e, quando se trata de um daqueles colhidos há muito tempo na África e depois reencontrado na América, é temerário afirmar qualquer coisa sobre o modo como veio a se reproduzir aqui, o mesmo ocorrendo quando se dá o caminho inverso. Hoje em dia é quase impossível saber com que fonte aprendeu o informante, sobretudo porque, com o enfraquecimento da transmissão oral, um verdadeiro universo de fontes escritas de todas as origens, de naturezas diversas e em diferentes línguas se abre aos iniciados, sobretudo aos jovens curiosos, impacientes e mais escolarizados que seus iniciadores, que superam rapidamente a regra ancestral de que o conhecimento religioso legítimo, com suas fórmulas míticas e rituais assumidas como verdadeiras e corretas pelos antigos, só se aprende diretamente das palavras e dos gestos dos mais velhos. Considerando-se o país onde cada pesquisador realizou o trabalho de campo ou onde atua ou foi iniciado o sacerdote escritor, quando se trata de fonte religiosa, pode-se dizer que, dos 301 mitos reunidos e recontados na presente edição, 106 foram colhidos em primeira mão na África, 126 no Brasil e 69 em Cuba, o que corresponde a 35, 42 e 23%, respectivamente. Coleta em primeira mão significa que a pesquisa não conseguiu encontrar para determinado mito nenhuma outra fonte com data mais antiga, embora tal fonte possa existir em alguns casos.

Vale dizer que a mitologia iorubá tradicional é mais ampla do que aquela aqui retratada, pois ao lado dos mitos dos orixás, e formando com estes um mesmo complexo civilizatório, há uma enorme variedade de mitos iorubás protagonizados por outros personagens, como os homens comuns, os animais e elementos da natureza, sem a presença dos orixás. Não foram incluídos no presente volume. Também não foram incluídos os incontáveis provérbios, *oriquis* e encantamentos que completam o vasto patrimônio cultural iorubá e iorubá-descendente.

Os mitos foram agrupados em capítulos de acordo com o orixá que ocupa o papel principal naquela narrativa. Como em geral mais de um orixá participa do enredo de um mito, o índice onomástico disponível pode ajudar o leitor a localizar cada orixá ao longo de toda a mitologia. Evidentemente os mitos podem ser reordenados em função da temática principal, podendo assim ser reagrupados em mitos da Criação, mitos que tratam de aspectos rituais e preceituais da religião, mitos que falam do cotidiano, do trabalho, da guerra, do amor etc. Um glossário pretende ajudar na compreensão de nomes, palavras e expressões de origem africana cujo significado é corrente entre o povo de santo, ou parte dele, mas desconhecido dos demais.

São 301 os mitos africanos e afro-americanos reunidos e recontados neste livro, sem dúvida a maior coleção organizada até hoje. Essa cifra supera em muito os números apresentados pelos diferentes autores tomados individualmente. Para se ter ideia da amplitude desta mitologia, basta considerar os autores que mais mitos publicaram. Pierre Fatumbi Verger publicou cerca de sessenta mitos registrados na África e no Brasil, apresentando-os em mais de cem versões, ao longo de sete obras, datadas do período de 1954 a 1992. No Brasil, Mestre Didi publicou perto de vinte mitos, não se considerando aqueles que não falam de orixás, muitos em mais de uma versão, em cinco livros. Júlio Braga apresentou também pouco mais de vinte, assim como Feuser e Carneiro da Cunha, na edição do caderno do Professor Agenor Miranda Rocha, que nos legou 32 contribuições, entre os mitos do caderno de 1928 e outros reunidos em publicação recente (1994). Rita Segato ofereceu-nos perto de duas dezenas, enquanto Roger Bastide e depois Monique Augras publicaram cerca de quinze cada um. Esses números, entretanto, não se somam, pois boa parte dos mitos repete-se de uma obra para outra. Em Cuba, Lydia Cabrera e

Natalia Aróstegui publicaram cerca de trinta mitos cada uma, enquanto Samuel Feijoo e Rómulo Lachatañeré contribuíram com um número menor. Também entre os autores cubanos observam-se muitas repetições. Da África temos a participação de Ulli Beier, com cerca de três dezenas de mitos, e as de Harold Courlander e William Bascom com pouco mais de vinte cada, além da histórica contribuição de padre Baudin, que registrou em primeira mão uma dezena de mitos coletados no século XIX. As demais contribuições, tanto para a África como para os países da América, vêm de autores com um número pequeno de mitos cada um. No presente trabalho, a esse conjunto de mitos registrados em fontes escritas foram acrescentados 42 mitos coletados em pesquisa de campo e aqui publicados pela primeira vez, dos quais 23 foram registrados por mim e quinze por Rita de Cássia Amaral.

Na redação dos mitos tive que optar por algum tipo de padronização da linguagem, uma vez que não existe nenhuma uniformidade nas diferentes fontes, podendo um mesmo mito aparecer escrito de modo diferente em cada uma das versões disponíveis, às vezes apresentadas por um mesmo autor, que vai, por assim dizer, aprimorando a redação a cada publicação. Alguns autores são prolíficos, outros demasiadamente econômicos no uso das palavras. Optei por um padrão inspirado na forma dos poemas dos babalaôs africanos (conforme Abimbola, 1976), com o uso de versos livres e linguagem sintética, procurando sempre manter, contudo, os conteúdos originais das fontes. Na versão final, contei com a inestimável colaboração de Antônio Flávio Pierucci, do Departamento de Sociologia da USP, que me ajudou a rever parte da redação.

Ao tratar da edição que viria a público, pareceu-me oportuno incluir algum material iconográfico do ritual religioso associado à mitologia dos orixás. Dentre milhares de fotos que tomei em muitos anos de trabalho de campo, selecionei um conjunto que me pareceu ilustrar bastante bem o modo de apresentação dos orixás, manifestados por meio do transe religioso aos devotos reunidos em cerimônias festivas em diferentes terreiros de candomblé. As fotos mostram vestimentas, armas, coroas, colares e outros adereços que são símbolos dos orixás, assim como passos, posturas e gestos profusamente referidos nos mitos. O conjunto de minhas fotos foi extremamente enriquecido com fotos cedidas por outros pesquisadores e fotógrafos das manifestações afro-brasileiras, meus amigos e colegas Roderick Steel, Toninho Macedo, Giliola Vesentini e Andreas Hofbauer. Todos os orixás cultuados nos candomblés brasileiros e que se manifestam em transe no corpo de seus iniciados estão representados no caderno fotográfico.

Engajando-se no projeto do livro, Pedro Rafael criou as ilustrações, dando aos mitos uma vitalidade que a palavra escrita certamente atenua.

O CNPq, Conselho Nacional de Desenvolvimento Científico e Tecnológico, foi o responsável pelo financiamento do projeto, concedendo bolsas de pesquisa e provendo fundos para tratamento digital do material iconográfico (processo 520086/96). A FAPESP, Fundação de Amparo à Pesquisa do Estado de São Paulo, forneceu recursos financeiros para a edição do livro (processo 99/12957-9).

A todos os que colaboraram para a realização desta obra, quero externar minha profunda gratidão.

Reginaldo Prandi
Professor Titular de Sociologia da Universidade de São Paulo

Exu — Legba — Eleguá — Bará

Exu — Legba — Eleguá — Bará

Exu ganha o poder sobre as encruzilhadas

Exu não tinha riqueza, não tinha fazenda, não tinha rio,
não tinha profissão, nem artes, nem missão.
Exu vagabundeava pelo mundo sem paradeiro.
Então um dia, Exu passou a ir à casa de Oxalá.
Ia à casa de Oxalá todos os dias.
Na casa de Oxalá, Exu se distraía,
vendo o velho fabricando os seres humanos.
Muitos e muitos também vinham visitar Oxalá,
mas ali ficavam pouco,
quatro dias, oito dias, e nada aprendiam.
Traziam oferendas, viam o velho orixá,
apreciavam sua obra e partiam.
Exu ficou na casa de Oxalá dezesseis anos.
Exu prestava muita atenção na modelagem
e aprendeu como Oxalá fabricava
as mãos, os pés, a boca, os olhos, o pênis dos homens,
as mãos, os pés, a boca, os olhos, a vagina das mulheres.
Durante dezesseis anos ali ficou ajudando o velho orixá.
Exu não perguntava.
Exu observava.
Exu prestava atenção.
Exu aprendeu tudo.

Um dia Oxalá disse a Exu para ir postar-se na encruzilhada
por onde passavam os que vinham à sua casa.

Para ficar ali e não deixar passar quem não trouxesse
uma oferenda a Oxalá.
Cada vez mais havia mais humanos para Oxalá fazer.
Oxalá não queria perder tempo
recolhendo os presentes que todos lhe ofereciam.
Oxalá nem tinha tempo para as visitas.
Exu tinha aprendido tudo e agora podia ajudar Oxalá.
Exu coletava os *ebós* para Oxalá.
Exu recebia as oferendas e as entregava a Oxalá.
Exu fazia bem o seu trabalho
e Oxalá decidiu recompensá-lo.
Assim, quem viesse à casa de Oxalá
teria que pagar também alguma coisa a Exu.
Quem estivesse voltando da casa de Oxalá
também pagaria alguma coisa a Exu.
Exu mantinha-se sempre a postos
guardando a casa de Oxalá.
Armado de um *ogó*, poderoso porrete,
afastava os indesejáveis
e punia quem tentasse burlar sua vigilância.
Exu trabalhava demais e fez ali a sua casa,
ali na encruzilhada.
Ganhou uma rendosa profissão, ganhou seu lugar, sua casa.
Exu ficou rico e poderoso.
Ninguém pode mais passar pela encruzilhada
sem pagar alguma coisa a Exu.
[1]

Exu respeita o tabu e é feito o decano dos orixás

Exu era o mais jovem dos orixás.
Exu assim devia reverência a todos eles,
sendo sempre o último a ser cumprimentado.
Mas Exu almejava a senioridade,
desejando ser homenageado pelos mais velhos.
Para conseguir seu intento,
Exu foi consultar o babalaô.
Foi dito a Exu que fizesse sacrifício.
Deveria oferecer
três *ecodidés*, que são as penas do papagaio vermelho,
três galos de crista gorda, mais quinze búzios
e azeite de dendê e *mariô*, a folha nova da palmeira.
Exu fez o *ebó*
e o adivinho disse a ele para tomar um dos *ecodidés*
e usá-lo na cabeça, amarrado na testa.
E que assim não poderia por três meses
carregar na cabeça o que quer que fosse.
Olodumare disse então
que queria ver todos os orixás,
queria saber se eles estavam dando conta na Terra
das missões que Olodumare a eles atribuíra.
Oxu, a Lua, foi buscar os orixás.

Todos os orixás se prepararam para o grande momento,
a grande audiência com Olodumare.
Todos trataram de preparar suas oferendas,
fizeram suas trouxas, seus carregos,
para levar tudo para Olodumare.
E cada um foi com a trouxa de oferendas na cabeça.
Só Exu não levava nada,

porque estava usando o *ecodidé*
e com *ecodidé* não podia levar nenhuma carga no *ori*.
Sua cabeça estava descoberta,
não tinha gorro, nem coroa, nem chapéu, nem carga.
Oxu levou os orixás até Olodumare.
Quando chegaram ao Orum de Olodumare,
todos se prostraram.
Mas Olodumare não teve que perguntar nada a ninguém,
pois tudo o que ele queria saber,
lia nas mentes dos orixás.
Disse ele:
"Aquele que usa o *ecodidé*
foi quem trouxe todos a mim.
Todos trouxeram oferendas
e ele não trouxe nada.
Ele respeitou o tabu
e não trouxe nada na cabeça.
Ele está certo.
Ele acatou o sinal de submissão.
Doravante será meu mensageiro,
pois respeitou o *euó*.
Tudo o que quiserem de mim,
que me seja mandado dizer por intermédio de Exu.
E então por isso, por sua missão,
que ele seja homenageado antes dos mais velhos,
porque ele é aquele que usou o *ecodidé*
e não levou o carrego na cabeça
em sinal de respeito e submissão".

Assim o mais novo dos orixás,
o que era saudado em último lugar,
passou a ser o primeiro a receber os cumprimentos.

O mais novo foi feito o mais velho.
Exu é o mais velho, é o decano dos orixás.
[2]

Exu ajuda Olofim na criação do mundo

Bem no princípio, durante a criação do universo,
Olofim-Olodumare reuniu os sábios do Orum
para que o ajudassem no surgimento da vida
e no nascimento dos povos sobre a face da Terra.
Entretanto, cada um tinha uma ideia diferente para a criação
e todos encontravam algum inconveniente nas ideias dos outros,
nunca entrando em acordo.
Assim, surgiram muitos obstáculos e problemas
para executar a boa obra a que Olofim se propunha.
Então, quando os sábios e o próprio Olofim já acreditavam
que era impossível realizar tal tarefa,
Exu veio em auxílio de Olofim-Olodumare.
Exu disse a Olofim que para obter sucesso em tão grandiosa obra
era necessário sacrificar cento e um pombos como *ebó*.
Com o sangue dos pombos se purificariam
as diversas anormalidades
que perturbam a vontade dos bons espíritos.
Ao ouvi-lo, Olofim estremeceu,
porque a vida dos pombos está muito ligada
à sua própria vida.
Mesmo assim, pouco depois sentenciou:
"Assim seja, pelo bem de meus filhos".
E pela primeira vez se sacrificaram pombos.
Exu foi guiando Olofim por todos os lugares
onde se deveria verter o sangue dos pombos,

para que tudo fosse purificado
e para que seu desejo de criar o mundo
assim fosse cumprido.
Quando Olofim realizou tudo o que pretendia,
convocou Exu e lhe disse:
"Muito me ajudaste
e eu bendigo teus atos por toda a eternidade.
Sempre serás reconhecido, Exu,
serás louvado sempre
antes do começo de qualquer empreitada".
[3]

Exu come tudo e ganha o privilégio de comer primeiro

Exu era o filho caçula de Iemanjá e Orunmilá,
irmão de Ogum, Xangô e Oxóssi.
Exu comia de tudo
e sua fome era incontrolável.
Comeu todos os animais da aldeia em que vivia.
Comeu os de quatro pés e comeu os de pena.
Comeu os cereais, as frutas, os inhames, as pimentas.
Bebeu toda a cerveja, toda a aguardente, todo o vinho.
Ingeriu todo o azeite de dendê e todos os *obis*.
Quanto mais comia, mais fome Exu sentia.
Primeiro comeu tudo de que mais gostava,
depois começou a devorar as árvores,
os pastos, e já ameaçava engolir o mar.
Furioso, Orunmilá compreendeu que Exu não pararia
e acabaria por comer até mesmo o Céu.
Orunmilá pediu a Ogum
que detivesse o irmão a todo custo.

Para preservar a Terra e os seres humanos e os próprios orixás,
Ogum teve que matar o próprio irmão.

A morte, entretanto, não aplacou a fome de Exu.
Mesmo depois de morto,
podia-se sentir sua presença devoradora,
sua fome sem tamanho.
Os pastos, os mares, os poucos animais que restavam,
todas as colheitas, até os peixes iam sendo consumidos.
Os homens não tinham mais o que comer
e todos os habitantes da aldeia adoeceram
e de fome, um a um, foram morrendo.
Um sacerdote da aldeia consultou o oráculo de Ifá
e alertou Orunmilá quanto ao maior dos riscos:
Exu, mesmo em espírito, estava pedindo sua atenção.
Era preciso aplacar a fome de Exu.
Exu queria comer.
Orunmilá obedeceu ao oráculo e ordenou:
"Doravante, para que Exu não provoque mais catástrofes,
sempre que fizerem oferendas aos orixás
deverão em primeiro lugar servir comida a ele".
Para haver paz e tranquilidade entre os homens,
é preciso dar de comer a Exu,
em primeiro lugar.
[4]

Exu põe fogo na casa e vira rei

Um dia mandaram Exu preparar um *ebó*
para conseguir fazer fortuna bem depressa.
Exu, depois de ter feito o *ebó*,
foi para a cidade de Ijebu.
Em vez de se hospedar no palácio do chefe local,
como pedia a tradição,
Exu ficou na casa de um homem de importante posição oficial.
De madrugada, quando todos dormiam,
Exu levantou-se devagarinho e fingiu que ia urinar no quintal.
Lá fora, Exu pôs fogo nas palhas que cobriam a casa.
Enquanto o telhado pegava fogo,
Exu gritava como louco, se fazendo de inocente.
Gritava que estava perdendo grande fortuna no incêndio.
Fortuna que havia guardado dentro de uma talha
que entregara à guarda do dono da casa.
Para os muitos curiosos que chegavam atraídos pelo sinistro
ele repetia sem cessar a sua história.
Rapidamente tudo se queimou,
da casa só sobrando cinzas.
E assim, com toda a confusão que houve,
até o chefe da aldeia correu para o local.
Exu continuava clamando por causa do dano do incêndio.
Como se tratava de prejuízo a um estrangeiro,
o chefe local resolveu pagar o suposto valor que Exu perdera.
Mas não havia na aldeia dinheiro suficiente
e então, para compensá-lo pelas perdas,
o rei, em detrimento de si mesmo, proclamou Exu rei dali em diante.
Assim Exu foi feito o dono de Ijebu
e todos tornaram-se seus súditos.
[5]

Eleguá guarda o portão de Aganju

Um dia Aganju, ao cruzar o rio, avistou uma linda mulher.
Ela se banhava nas águas, era Oxum.
Aganju fez a corte à linda mulher,
mas Oxum respondeu ao galanteio com desprezo.
Aborrecido, Aganju tentou violentá-la.
Em defesa de Oxum surgiu das águas um ser pequenino.
Era Eleguá.
Oxum riu-se da situação
e explicou a Aganju que o pequeno a queria como a uma mãe,
por isso ele a defendia.
Todos ficaram amigos e Aganju os convidou à sua casa.
Oxum e Eleguá aceitaram o convite de Aganju
e foram até a casa dele.
Mas, ao chegar, Eleguá negou-se a entrar.
Ficou sentado à porta.
Ficou sendo o guardião da casa.
E por ser o guardião da entrada,
era sempre o primeiro a comer.
[6]

Exu leva dois amigos a uma luta de morte

Dois camponeses amigos puseram-se bem cedo
a trabalhar em suas roças,
mas um e outro deixaram de louvar Exu.
Exu, que sempre lhes havia dado chuva e boas colheitas!
Exu ficou furioso.
Usando um boné pontudo,
de um lado branco e do outro vermelho,

Exu caminhou na divisa das roças,
tendo um à sua direita
e o outro à sua esquerda.
Passou entre os dois amigos
e os cumprimentou enfaticamente.
Os camponeses entreolharam-se. Quem era o desconhecido?
"Quem é o estrangeiro de barrete branco?", perguntou um.
"Quem é o desconhecido de barrete vermelho?", questionou o outro.
"O barrete era branco, branco", frisou um.
"Não, o barrete era vermelho", garantiu o outro.
Branco. Vermelho. Branco. Vermelho.
Para um, o desconhecido usava um boné branco,
para o outro, um boné vermelho.
Começaram a discutir sobre a cor do barrete.
Branco.
Vermelho.
Branco.
Vermelho.
Terminaram brigando a golpes de enxada,
mataram-se mutuamente.
Exu cantava e dançava.
Exu estava vingado.
[7]

Legba carrega uma panela que se transforma em sua cabeça

Ifá andava triste e desolado,
tendo se desentendido com seu rei.
Ele consultou o oráculo para saber o que fazer.
Foi dito que fizesse uma oferenda
com tudo quanto era fruto redondo.

Mas o *ebó* deveria ser entregue por sua mãe.
Como a mãe de Ifá morava longe,
Ifá pagou a Legba um galo e uns doces para ele ir buscá-la.
Exu chegou à casa da mãe de Ifá
e disse que a levaria à casa de seu filho
desde que ela lhe pagasse alguma coisa.
Mas ela não tinha nada para oferecer a ele.
Exu disse que queria o bode de doze chifres
que tinha visto no quintal da casa dela.
Ela disse que o bode não era dela,
ela apenas o guardava.
Legba insistiu.
Legba tomou o bode e o matou.
O sangue do bode jorrou e era puro fogo
e o fogo tomou conta de Exu.
Ele consultou o babalaô
e foi dito que fizesse uma oferenda
com os órgãos internos do bode.
Ele o fez e em seguida se pôs a cozinhar a cabeça.
Mas a cabeça do bode não cozinhava,
por mais que a panela ficasse no fogo.
Ele tomou a mãe de Ifá e a panela
e resolveu voltar à cidade de Ifá, levando a mulher.
Usando um pano torcido,
Legba fez uma rodilha para carregar a panela nos ombros
e a panela grudou nele e se transformou em sua cabeça.
Naquele tempo Exu ainda não tinha cabeça.
Eles chegaram à casa de Ifá e a mãe narrou ao filho o ocorrido.
Ifá lamentou-se por também não ter cabeça.
Foi dito que se fizessem sacrifícios com frutas redondas
para ganhar um *ori*.
A mãe levou ao rei a cabaça contendo as frutas redondas.

O rei tomou um mamão e o partiu em dois.
Uma metade do mamão fixou-se entre os ombros
e transformou-se na cabeça do rei.
Assim foram nascendo as cabeças.
Exu foi o primeiro a ter o *ori* fixado nos ombros.
Precisa fazer sacrifício
quem quiser ter uma cabeça.
[8]

Exu ajuda um homem a trapacear

Havia um homem que falava horrores de tudo e de todos.
Um dia o rei tomou ciência desse seu hábito
e o intimou a depor.
Diante do rei, o homem não só confirmou
todas as coisas que vivia a dizer
como também acrescentou mais um desaforo:
se o rei quisesse ver do que ele era capaz,
que mandasse plantar em duas covas sete inhames assados
e, dentro de doze dias, os inhames brotariam e dariam folhas.
Tudo isso deveria ser feito na presença de todos.
Todos estavam ansiosos em presenciar o prodígio
e o rei marcou a data para o desafio.
O homem, então, para se safar daquela situação difícil,
procurou um adivinho, que o aconselhou a fazer um *ebó*.
Tudo pronto, veio Exu e ambos combinaram a estratégia para o caso.
Foram juntos para o local onde estavam plantados os inhames.
Quando estavam próximos de lá, Exu, que ia na frente,
chamou a atenção dos guardas para uma coisa jamais vista:
todos, de fato, viram bois trepados no telhado de um curral.
Enquanto isso, o homem pôde mudar os inhames assados,

trocando-os por inhames que brotavam,
sem que nenhum guarda visse o que ele fazia.
Assim, sua promessa pareceu estar cumprida diante do rei,
pois que os guardas atestaram que os inhames assados
haviam brotado sem a interferência de ninguém.
Por isso, o homem foi gratificado pelo rei e por todos,
tornando-se muito rico.
[9]

Exu promove uma guerra em família

Um rei e sua família deixaram de prestar
as homenagens devidas a Exu.
Exu não se deu por vencido.
Haveriam de pagar bem caro pela ofensa!
Exu procurou a rainha,
que vivia enciumada porque o rei
só se interessava pela esposa mais nova.
Disse-lhe que faria um feitiço
para ela voltar a ter a preferência do marido.
Deu a ela uma faca e disse que cortasse
um fio de barba do rei
para fazer o tal trabalho.
Exu foi à casa do príncipe herdeiro e disse
que o pai queria vê-lo aquela noite;
que fosse ao palácio e levasse seus guerreiros.
Exu foi ao rei e disse que tomasse cuidado,
porque a rainha planejava matá-lo aquela noite.

O rei se recolheu aquela noite,
mas ficou acordado, esperando.

Viu então a rainha entrar no quarto
e dele se aproximar com a faca na mão.
Imaginou que ela pretendia matá-lo
e engalfinhou-se com ela numa luta feroz.
O príncipe, que chegava ao palácio com seus homens,
ouviu o barulho e correu à câmara real com os soldados.
Viu o rei com a faca na mão,
faca que tirara da rainha na luta,
e pensou que o rei ia matar a rainha sua mãe.
Invadiu o quarto com os soldados.
Seguiu-se grande mortandade.
O preço fora pago, e alto.
Exu cantava.
Exu dançava.
Exu estava vingado.
[10]

Eleguá ganha a primazia nas oferendas

Olofim estava muito doente.
Muitos foram vê-lo,
mas não se encontrou o que o curasse.
Por esses tempos Eleguá comia o que o lixo lhe dava,
convivendo com a miséria.
Sabendo da doença de Olofim,
Eleguá vestiu um gorro branco,
igual aos que usam os babalaôs,
e foi visitar o velho rei.
Levou consigo suas ervas
e com seu poder curou Olofim.
Olofim ficou muito agradecido.

Perguntou a Eleguá qual deveria ser a recompensa.
Eleguá que conhecia o que era a miséria,
Eleguá que provara do desprezo de todos,
pediu-lhe que lhe dessem primazia nas oferendas,
que lhe dessem sempre um pouco
de tudo o que dessem a qualquer um.
E que o pusessem à entrada das casas,
de modo a ser sempre o primeiro a ser saudado
pelos que chegassem à casa.
E para que fosse saudado
pelos que saíssem à rua.
Olofim estava grato a Eleguá.
Olofim deu tudo o que Eleguá pediu.
[11]

Bará aprende a trabalhar com Ogum

Bará era um menino muito esperto.
Todo mundo tinha receio de suas artimanhas.
Ele enganava todo mundo,
queria sempre tirar sua vantagem.
Sua mãe sempre o repreendia
e o amarrava no portão da casa
para ele não ir para a rua fazer traquinagem.
Bará ficava ali na porta
esperando alguém se aproximar
e então pedia seus favores,

fazia suas artes e ali se divertia.
Só deixava passar quem lhe desse alguma coisa.

Sua mãe então chamou Ogum e disse a ele
para ficar junto com Bará e dele tomar conta.
Ogum era responsável e trabalhador.
Ogum Avanagã sempre ficou morando com Bará.
Juntos eles moram na porta da casa e se dão bem.
Bará continuou um menino danado,
mas com Ogum aprendeu a trabalhar.
Agora ele ainda se diverte com todos,
mas para todos faz o seu trabalho.
Todos procuram Bará para alguma coisa.
Todo mundo precisa dos favores de Bará.
[12]

Exu vinga-se por causa de ebó feito com displicência

Alumã era um lavrador que precisava de chuvas,
pois seus campos estavam secos
e a plantação toda ia se perder.
Alumã ofereceu um *ebó* para Exu mandar chuva.
Ofereceu a Exu pedaços de carne de bode.
Como a comida estava muito apimentada,
Exu ficou com muita sede.
Exu procurava água para matar a sede implacável,
mas água não havia, estava tudo seco no lugar.
Exu então abriu a torneira da chuva.
Ela jorrou como nunca,
fazendo com que o povo se regozijasse com Alumã.
As colheitas estavam salvas!

Mas a chuva não cessou.
Alumã percebeu dias depois que já bastava de chuva.
Já chovera em excesso e as colheitas corriam perigo,
agora era água em demasia; uma inundação.
Alumã tornou a oferecer a Exu carne de bode,
mas agora cuidou que a pimenta estivesse no ponto certo.
Exu aceitou o *ebó* e estancou a chuva.
Exu é justo, cantou Alumã.
[13]

Eleguá espanta a clientela das adivinhas

Oxum, Iemanjá e Obatalá viviam na mesma casa.
Eram adivinhas de vasta clientela
e tinham em Eleguá o guardião da porta.
Muita gente recorria ao seu oráculo,
levando para os rituais galinhas, patos, pombos
e todo tipo de boas comidas e bebidas.
As adivinhas comiam tudo, se empanturravam.
Às vezes convidavam Xangô, Ogum e Oxóssi
para acompanhá-las nas lautas refeições.
Para Eleguá ofereciam só os ossos.
Eleguá andava insatisfeito com a situação.

Um dia, um rato entrou na casa das santeiras.
Eleguá caçou o rato e o comia aos pouquinhos.
Eleguá comia o rato pouco a pouco na porta da rua,
enojando a freguesia que adentrava a casa.
E assim toda a clientela foi afugentada,
com asco do que via na entrada.
Ninguém mais procurava as adivinhas,

que não tinham mais o que comer,
padecendo de uma fome desesperadora.
Um dia Oxóssi veio à casa delas
e as ouviu chorar suas lamúrias.
Soube que sempre davam a Eleguá os restos da comida
e espantou-se com tamanho absurdo.
Afinal, Eleguá era o dono da porta,
por onde entrava toda a riqueza da casa.
Oxóssi procurou Eleguá e lhe disse
que, se a clientela voltasse a consultar as deusas,
ele comeria bem, nunca mais os ossos.
A porta da casa mostraria a fartura da cozinha.
Rapidamente a clientela dos búzios retornou a casa
e desde então Eleguá passou a receber muitas oferendas.
E a casa de Oxum, Iemanjá e Obatalá
tornou-se novamente e para sempre próspera.
[14]

Exu recebe ebó e salva um homem doente

Havia um homem que tinha muitos discípulos.
Um dia, quando esse homem adoeceu,
mandou seus discípulos a todas as partes do mundo
em busca de quem pudesse curá-lo.
Mas, mesmo tendo ele feito o *ebó* como lhe indicaram,
todos o abandonaram.
Exu, porém, que recebera o *ebó*, disse-lhe:
"Levanta-te e segue adiante de mim,
que vou te escorando por detrás,
até chegar aos pés de quem possa te salvar nesta emergência".
E assim Exu o ajudou a chegar até Orunmilá,

que não o desprezou no pior momento de sua vida
e que o curou.
[15]

Exu provoca a ruína da vendedora do mercado

Abionã vendia roupas no mercado.
Era uma mulher próspera e respeitada.
Todos cumprimentavam Abionã solenemente
quando ela ia ao mercado fazer o seu comércio.
Mas havia muito Abionã se esquecera de Exu;
nada de *ebós*, de suas comidas prediletas,
nada de aguardente, pimenta e dendê.
Ela não se lembrava que Exu lhe dera tudo.
Exu dera tudo o que tinha.

Um dia, estava no mercado vendendo
quando avisaram que sua casa estava em chamas.
Ela abandonou sua banca no mercado
e correu em desespero para casa.
Nada mais o que fazer. Era tudo cinzas.
Abionã, desconsolada, voltou à feira,
mas nada de seu lá encontrou.
Nada mais o que fazer. Tudo roubado.
Ela gritou e chorou
e todos se riram de Abionã.
Abionã não era mais rica
nem era a mulher respeitada do mercado.
Todos faziam pouco caso dela.
Exu estava vingado.
[16]

Exu come antes dos demais na festa de Iemanjá

O aniversário de Iemanjá se aproximava.
Todos os orixás preparavam seus presentes.
Mas Xangô, que era desorganizado,
nada preparou, nada comprou.
Exu, porém, que era um pobre servente,
preparou uma plantação de inhames para Iemanjá.
Sabia que ela adorava inhame
e este era o único presente que ele poderia lhe oferecer.
No dia do aniversário,
Exu colheu todos os inhames que havia plantado
e os colocou para secar ao sol.
Xangô, que nada havia preparado nem comprado,
passou e viu os inhames plantados por Exu.
Xangô sentiu inveja.
Sabia que Iemanjá gostava muito de inhame.
Xangô, então, pediu os inhames para dar a Iemanjá.
Mas Exu se negou a dá-los.
Xangô insistiu muito, muito.
Exu concordou, desde que Xangô o deixasse
sentar primeiro à mesa na festa de Iemanjá.
Xangô aceitou e carregou os inhames para levá-los a Iemanjá.

Iemanjá recebeu radiante os inhames de Xangô
e disse-lhe que aquele era o melhor de todos os presentes.
Quando todos os convidados importantes chegaram para a festa,
Exu entrou e sem cerimônia se sentou à mesa.
Mas Iemanjá veio, junto de Orixalá,
e mandou que Exu se retirasse.
Aquela não era hora de ele comer, nem era lugar para ele.
Exu se recusou a sair, mesmo diante das súplicas de Iemanjá.

Exu disse a ela que não sairia,
porque Xangô havia dito que ele comeria primeiro.
Então, Iemanjá mandou chamar Xangô.
E Xangô também insistiu para que ele saísse,
pois pensava que o trato que fizeram
não tivesse sido levado a sério.
Mas Exu disse que um rei não volta atrás em sua palavra.
Então Iemanjá permitiu que ele ficasse
e comesse antes dos outros.
[17]

Eleguá ajuda Orunmilá a ganhar o cargo de adivinho

Xangô foi o primeiro adivinho.
Era muito amigo de Orunmilá,
que então não tinha profissão e era muito pobre.
Xangô, querendo ajudar o amigo miserável,
foi a Olofim pedir que desse a Orunmilá o poder da adivinhação.
Disse Xangô que não queria continuar na profissão de adivinho,
pois as guerras sempre lhe tomavam muito tempo.
Olofim concordou.
Mas deveria pôr à prova a capacidade de Orunmilá.
Olofim saiu para o campo.
Levou consigo milho cru e milho tostado.
Num canteiro semeou o milho cru,
noutro, o milho torrado.
Eleguá assistiu a toda a cena.
Eleguá pediu oferendas a Orunmilá
e em troca lhe contou o segredo das sementes.
Olofim levou Orunmilá ao local da plantação.
Perguntou qual o canteiro onde plantara

as sementes que haveriam de germinar.
Orunmilá, devidamente instruído por Eleguá,
mostrou-lhe onde estavam as sementes cruas por nascer.
Olofim se deu por satisfeito
e entregou a Orunmilá os segredos da adivinhação.
Ossaim, o herborista, também ficou sabendo
da prova arquitetada por Olofim.
Procurou Eleguá para saber a resposta correta,
mas não quis dar as oferendas que ele pedia.
Ossaim não foi ajudado por Eleguá,
permanecendo com o posto de conhecedor das ervas.
Só Orunmilá sabe ler o futuro.
Só Orunmilá pode adivinhar corretamente.
[18]

Exu tenta trocar a morada dos deuses

No princípio, Olocum, Orum e Oxu tinham
cada um seu próprio domicílio.
Olocum, o deus-mar, morava no oceano e nos rios,
onde mora a água.
Oxu, o deus-lua, tinha o costume de deixar sua casa
para vagar pelo céu,
às vezes numa direção, às vezes noutra,
cada semana num horário diferente.
Orum, o deus-sol, levantava-se cada manhã
por sobre a sua casa e para ela retornava só à noite.
Um dia, Exu foi até Olocum e lhe disse:
"Tua casa não é boa, vem comigo
que eu vou te mostrar algo melhor".
Exu foi ter com Orum e com Oxu e lhes disse o mesmo.

Todos responderam:
"Muito bem, mostra-me isso".
Exu, então, levou Olocum à casa de Oxu,
Orum à casa de Olocum
e Oxu à casa de Orum.
Trocou todos de lugar.
Oxalá era o grande senhor de todos os deuses.
De onde ele vivia,
podia ver todos os dias passar Orum
e todas as noites passar Oxu.
No dia seguinte, Oxalá viu Oxu passar
e perguntou-lhe:
"O que está acontecendo,
agora andas durante o dia?".
Oxu respondeu:
"Foi Exu quem disse que eu deveria viver assim".
Oxalá ordenou que Oxu voltasse
ao lugar onde ele a havia colocado.
Quando anoiteceu, Oxalá viu Orum passar
e em seguida Olocum.
Ao perguntar-lhes o que acontecia,
recebeu de Orum e Olocum a mesma resposta de Oxu.
Oxalá então ordenou que eles retornassem a seus lugares
e fizessem o trabalho que ele havia determinado.

Exu, pela segunda vez,
fez com que os três deuses trocassem de morada,
ameaçando-os de morte.
Oxalá novamente percebeu a troca
e enviou Xapanã para castigar Exu.
Orum ajudou Xapanã a castigar Exu.
Quando Exu abriu os olhos,

Orum o cegou com sua luz solar,
enquanto Xapanã o surrava com seu feixe de varas.
O corpo de Exu ficou todo ferido.
Exu, então, foi se banhar no rio.
Para livrar-se de seus males, passou-os adiante.
Ao entrar na água, proferiu a maldição:
"Todas as feridas
que Xapanã provocou em meu corpo
passarão através da água para os homens
que se banharem nela.
Queimarão a todos como fogo.
Quem se banhar nas águas
onde Exu lavou as chagas de Xapanã
terá varíola e cicatrizes de varíola".
Desse modo a tentativa de Exu
de inverter o mundo atingiu também os homens
e permaneceu viva entre eles.
[19]

Exu corta o nariz do artesão que não fez o ebó prometido

Era uma vez um marceneiro muito competente no ofício,
mas que não tinha jeito de arranjar trabalho.
O artesão teve um sonho com um negrinho
que disse que ele ia ter muito serviço
e ia ganhar um bom dinheiro.
O negrinho do sonho, com seu barrete vermelho,
disse ao marceneiro que após completar o primeiro serviço
ele tinha que fazer um *ebó* para Exu.
Devia providenciar um galo preto,
sete tocos de lenha, fósforos e uma vela,

um pouco de azeite de dendê, sete *ecôs*,
fumo picado e muitos búzios.
Que fosse para o mato fechado,
acendesse a vela, passasse o galo no corpo,
fizesse a fogueira com a lenha e o fósforo.
Que matasse o galo e o cozinhasse
com os temperos estipulados e oferecesse os búzios.
Era assim o *ebó* que Exu queria.
Se ele não fizesse o *ebó*, ameaçou,
Exu tomaria o seu nariz.
No sonho, o artesão concordou com tudo.
Quando acordou, porém,
não deu a menor importância ao que sonhara.

No mesmo dia apareceu um grande serviço,
que o marceneiro fez com capricho e rapidez,
e ganhou um bom dinheiro.
E depois outro e mais outro
e assim foi ele ficando bem de vida.
Mas para Exu, nada.
Ele nunca se interessou em cumprir a obrigação.
Um dia, trabalhava sob o sol, alisando as tábuas,
quando o negrinho do sonho apareceu e disse:
"Olha, não vais cortar o nariz com esse enxó?".
Ele respondeu:
"Como é que eu posso cortar o nariz com este enxó?",
e fez um gesto aproximando o instrumento do rosto.
E sem querer decepou o seu nariz com a lâmina do enxó.
Aí o moleque disse:
"Te lembras da promessa do *ebó*?
Exu deu-te trabalho e dinheiro.
Não deste nada para Exu,

então vim buscar o teu nariz".
Pegou o nariz que caíra no chão,
deu as costas para o marceneiro que sangrava horrivelmente
e foi-se embora, levando o nariz do artesão.
[20]

Exu não consegue vencer a Morte

Havia um ser que não temia Exu e este era Icu, a Morte.
Icu ouvira falar de coisas terríveis que Exu tinha feito ao povo
e perguntou por que Exu fazia isso sem ser reprimido.
Todos diziam que ninguém era suficientemente corajoso
para enfrentar Icu face a face.
Icu disse que era ela quem devia lidar com Exu
e enviou uma mensagem desafiando Exu para uma batalha.
E Exu então respondeu:
"Eu não tenho medo de Icu. Vamos lutar".
Exu foi até seu amigo Orunmilá e contou-lhe sobre o desafio.
Orunmilá perguntou:
"Quem pode lutar com a Morte?".
Exu respondeu bravo:
"Quem pode lutar com Exu?".
Exu pediu a Orunmilá que arranjasse o combate.
E o dia do duelo chegou.
Veio gente de toda parte para assistir ao duelo
e a cidade ficou tomada de espectadores.
Exu bradou seu grito de guerra provocando Icu.

Então Icu avançou, segurando a espada e o escudo,
e cantou provocando Exu.
E a batalha começou.
Exu golpeava forte com o porrete, várias vezes.
Mas Icu era rápida e ágil.
Tanto que Icu prendeu Exu.
Icu jogou-o no chão e arrancou o porrete de sua mão.
Icu ergueu o porrete sobre Exu para matá-lo.
Então houve gritos de alarme na multidão.
Orunmilá correu até o lugar da escaramuça
e tomou o porrete de Icu, salvando o amigo da destruição.
E foi porque Exu foi defendido por Orunmilá que ele não morreu.
E é por causa disso que os homens dizem:
"Ninguém pode matar a Morte.
Ninguém pode derrotar Icu".
[21]

Exu atrapalha-se com as palavras

No começo dos tempos estava tudo em formação.
Lentamente os modos de vida na Terra foram sendo organizados,
mas havia muito a ser feito.
Toda vez que Orunmilá vinha do Orum para ver as coisas do Aiê,
era interrogado pelos orixás, humanos e animais.
Ainda não fora determinado qual o lugar para cada criatura
e Orunmilá ocupou-se dessa tarefa.
Exu propôs que todos os problemas fossem resolvidos ordenadamente.
Ele sugeriu a Orunmilá que a todo orixá,
humano e criatura da floresta fosse apresentada uma questão simples,
para a qual eles deveriam dar resposta direta.
A natureza da resposta individual de cada um determinaria

seu destino e seu modo de viver.
Orunmilá aceitou a sugestão de Exu.
E assim, de acordo com as respostas que as criaturas davam,
elas recebiam um modo de vida de Orunmilá, uma missão.
Enquanto isso acontecia, Exu, travesso que era,
pensava em como poderia confundir Orunmilá.
Orunmilá perguntou a um homem:
"Escolhes viver dentro ou fora?".
"Dentro", o homem respondeu.
E Orunmilá decretou que doravante
todos os humanos viveriam em casas.
De repente, Orunmilá se dirigiu a Exu:
"E tu, Exu? Dentro ou fora?".
Exu levou um susto ao ser chamado repentinamente,
ocupado que estava em pensar
sobre como passar a perna em Orunmilá.
E rápido respondeu: "Ora! Fora, é claro".
Mas logo se corrigiu: "Não, pelo contrário, dentro".
Orunmilá entendeu que Exu estava querendo criar confusão.
Falou pois que agiria conforme a primeira resposta de Exu.
Disse:
"Doravante vais viver fora e não dentro de casa".
E assim tem sido desde então.
Exu vive a céu aberto, na passagem,
ou na trilha, ou nos campos.
Diferentemente das imagens dos outros orixás,
que são mantidas dentro das casas e dos templos,
toda vez que os humanos fazem uma imagem de Exu
ela é mantida fora.
[22]

Exu põe Orunmilá em perigo e depois o salva

Orunmilá decidiu fazer uma viagem a Ouô.
Consultou seus dezesseis coquinhos de adivinhação
para saber sobre a viagem.
Mas a verdade não se fez clara.
Como Orunmilá estava impaciente para ir a Ouô,
deixou os coquinhos divinatórios de lado e prosseguiu.
Era longa a distância para Ouô.
No primeiro dia de viagem Orunmilá encontrou seu amigo Exu,
que estava voltando de Ouô.
Eles se cumprimentaram e partiram.
No segundo dia Orunmilá encontrou de novo Exu,
vindo da direção oposta.
Exu afirmou estar voltando de Ouô e Orunmilá ficou intrigado.
"Como é possível que duas pessoas indo em direções opostas
se encontrem duas vezes na mesma estrada?"
No terceiro dia Orunmilá voltou a encontrar Exu.
Orunmilá estava confuso e ansioso para chegar a Ouô.
Por isso não parou para consultar seus coquinhos de adivinhar.
No quarto dia, quando Orunmilá estava próximo a Ouô,
Exu colocou *obis* frescos na beira da estrada e lá os deixou.
Exu foi e cumprimentou Orunmilá novamente.
Orunmilá disse:
"Exu, meu amigo, estás vindo de Ouô mais uma vez?".
Exu respondeu:
"Os amigos devem duvidar uns dos outros? O que é, é".
Orunmilá desconfiou da situação.
Mas, como estava quase chegando a Ouô,
achou desnecessário consultar os coquinhos de adivinhar.
Seguiu adiante e encontrou os *obis* deixados por Exu.
Cansado da longa viagem, pegou os *obis*

e começou a comer para refrescar-se.
Nesse momento, um fazendeiro de Ouô apareceu.
Trazia um facão na mão
e o acusou de estar comendo os *obis* de sua árvore.
Orunmilá argumentou que não tinha visto árvore alguma.
Mas o fazendeiro não aceitou a desculpa de Orunmilá.
E os dois lutaram.
Na briga, o facão do fazendeiro feriu a palma da mão de Orunmilá.
Orunmilá sentou-se na beira da estrada e refletiu:
ainda que fosse inocente,
os partidários de Ouô o acusariam de ser ladrão de *obi*.
A noite chegou. Orunmilá dormiu no chão.
Exu, que tinha visto tudo,
foi até a cidade enquanto todos dormiam
e, com uma faca, feriu a mão de todos os habitantes do lugar.
Até a do próprio rei e a do fazendeiro também.

No quinto dia Orunmilá acordou e começou seu caminho para Ouô.
Na entrada da cidade encontrou Exu.
Exu cumprimentou-o, mas Orunmilá estava envergonhado.
Orunmilá sabia que seus problemas tinham sido causados por Exu.
Mas Exu o encorajou.
"Orunmilá, não hesites. Entra na cidade.
Se houver problema, eu falarei por ti.
Não receberás injúrias em Ouô".
Orunmilá e Exu entraram juntos em Ouô.
O fazendeiro foi até o rei acusar Orunmilá

e disse que o ladrão de seus *obis* estava chegando à cidade.
Então o rei mandou trazer Orunmilá diante dele.
O fazendeiro fez sua reclamação outra vez
e narrou a luta pelos *obis*.
Aí Exu falou por Orunmilá,
perguntando ao fazendeiro como identificar o ladrão.
O fazendeiro descreveu a luta e disse
que o ferimento na palma da mão de Orunmilá seria a prova.
Exu, defendendo Orunmilá, pediu então
que todos os cidadãos também abrissem a mão.
O rei concordou.
Orunmilá e todos os outros abriram a mão.
E constatou-se que todos igualmente tinham um ferimento,
inclusive o rei e o fazendeiro.
Exu disse:
"Se um mero corte é a marca da culpa,
então todos de Ouô são culpados".
O rei reconheceu a inocência de Orunmilá
e ordenou que ele fosse indenizado pela falsa acusação.
O povo de Ouô trouxe presentes de todo tipo para Orunmilá.

São muitas as tramoias de Exu.
Exu pode fazer contra,
Exu pode fazer a favor.
Exu faz o que faz, é o que é.
[23]

Exu instaura o conflito entre Iemanjá, Oiá e Oxum

Um dia, foram juntas ao mercado
Oiá e Oxum, esposas de Xangô, e Iemanjá, esposa de Ogum.

Exu entrou no mercado conduzindo uma cabra.
Ele viu que tudo estava em paz e decidiu plantar uma discórdia.
Aproximou-se de Iemanjá, Oiá e Oxum
e disse que tinha um compromisso importante com Orunmilá.
Ele deixaria a cidade e pediu a elas
que vendessem sua cabra por vinte búzios.
Propôs que ficassem com a metade do lucro obtido.
Iemanjá, Oiá e Oxum concordaram e Exu partiu.
A cabra foi vendida por vinte búzios.
Iemanjá, Oiá e Oxum puseram os dez búzios de Exu à parte.
E começaram a dividir os dez búzios que lhes cabiam.
Iemanjá contou os búzios.
Havia três búzios para cada uma delas, mas sobraria um.
Não era possível dividir os dez em três partes iguais.
Da mesma forma Oiá e Oxum tentaram
e não conseguiram dividir os búzios por igual.
Aí as três começaram a discutir
sobre quem ficaria com a maior parte.
Iemanjá disse:
"É costume que os mais velhos fiquem com a maior porção.
Portanto, eu pegarei um búzio a mais".
Oxum rejeitou a proposta de Iemanjá,
afirmando que o costume era que os mais novos
ficassem com a maior porção,
que por isso lhe cabia.
Oiá intercedeu, dizendo que, em caso de contenda semelhante,
a parte maior cabia à do meio.
As três não conseguiam resolver a discussão.
Então elas chamaram um homem do mercado para dividir
os búzios equitativamente entre elas.
Ele pegou os búzios e colocou-os em três montes iguais.
E sugeriu que o décimo búzio fosse dado à mais velha.

Mas Oiá e Oxum, que eram a segunda mais velha e a mais nova,
rejeitaram o conselho.
Elas se recusaram a dar a Iemanjá a maior parte.
Pediram a outra pessoa que dividisse equitativamente os búzios.
Ele os contou, mas não pôde dividi-los por igual.
Propôs que a parte maior fosse dada à mais nova.
Iemanjá e Oiá não concordaram.
Ainda um outro homem foi solicitado a fazer a divisão.
Ele contou os búzios, fez três montes de três
e pôs o búzio a mais de lado.
Ele afirmou que, neste caso, o búzio extra deveria ser dado
àquela que não é nem a mais nova, nem a mais velha.
O búzio devia ser dado a Oiá.
Mas Iemanjá e Oxum rejeitaram seu conselho.
Elas se recusaram a dar o búzio extra a Oiá.
Não havia meio de resolver a divisão.
Exu voltou ao mercado para ver como estava a discussão.
Ele disse: "Onde está minha porção?".
Elas deram a ele dez búzios e lhe pediram para dividir
os dez búzios delas de modo equitativo.
Exu deu três a Iemanjá, três a Oiá e três a Oxum.
O décimo búzio ele segurou.
Colocou-o num buraco no chão e cobriu com terra.
Exu disse que o búzio extra era para os antepassados,
conforme o costume que se seguia no Orum.

Toda vez que alguém recebe algo de bom,
deve se lembrar dos antepassados.
Dá-se uma parte das colheitas, dos banquetes
e dos sacrifícios aos orixás, aos antepassados.
Assim também com o dinheiro.
Este é o jeito como é feito no Céu.
Assim também na Terra deve ser.
Quando qualquer coisa vem para alguém,
deve-se dividi-la com os antepassados.
"Lembrai que não deve haver disputa pelos búzios."
Iemanjá, Oiá e Oxum reconheceram que Exu estava certo.
E concordaram em aceitar três búzios cada.

Todos os que souberam do ocorrido no mercado de Oió
passaram a ser mais cuidadosos com relação aos antepassados,
a eles destinando sempre uma parte importante do que ganham
com os frutos do trabalho e com os presentes da fortuna.
[24]

Elegbara devora até a própria mãe

Um dia Orunmilá foi procurar Oxalá
e pediu que lhe desse um filho,
pois ele e sua mulher desejavam muito ter um.
Chegando ao palácio de Oxalá,
Orunmilá encontrou Exu Iangui.
Exu estava sentado à esquerda da porta de entrada.
"É este o meu filho?", perguntou Orunmilá.
"Ainda não é tempo da chegada de um filho", respondeu Oxalá.
Orunmilá insistiu junto a Oxalá sobre
quem era o menino sentado à porta

e se poderia levá-lo como filho.
Oxalá garantiu-lhe que não era o filho ideal,
mas Orunmilá tanto insistiu que obteve a graça do velho.

Tempos depois nasceu Elegbara, filho de Orunmilá.
Para espanto de todos, nasceu falando
e comendo tudo o que estava diante de si.
Comeu tudo quanto era bicho de quatro pés,
comeu todas as aves,
comeu os inhames e as farofas.
Engolia tudo com garrafas e garrafas de aguardente e vinho.
Comeu as frutas, os potes de mel e os de azeite de palma,
quantidades impensadas de pimenta e noz-de-cola.
Sua fome era insaciável,
tudo o que pedia, a mãe lhe dava,
tudo o que lhe dava a mãe, ele comia.
Já não tendo como saciar a medonha fome,
Elegbara acabou por devorar a própria mãe.
Ainda com fome, Exu tentou comer o pai.
Mas Orunmilá pegou da espada
e avançou sobre o filho para matá-lo.
Exu fugiu, sendo sempre perseguido pelo pai.
A perseguição ia de Orum em Orum.
A cada espaço do Céu, Orunmilá alcançava o filho,
cortando-o em duzentos e um pedaços.
Cada pedaço transformou-se num Iangui, um pedaço de laterita.
A cada encontro o ducentésimo primeiro pedaço
transformava-se novamente em Exu.
Correndo de um espaço sagrado a outro,
terminaram por alcançar o último Orum.
Como não tinham saída, resolveram entrar em acordo.
Elegbara devolveu tudo o que havia devorado,

inclusive a mãe.
Cada Iangui poderia ser usado por Orunmilá
como sendo o verdadeiro Exu.
E Iangui trabalharia para Orunmilá,
levando oferendas e mensagens enviadas pelos homens.
Em troca, em qualquer ritual,
Elegbara seria saudado sempre antes dos demais.
E sempre que um orixá recebesse um sacrifício,
Elegbara teria o direito de comer primeiro.
[25]

Exu provoca a rivalidade entre duas esposas

Reinava a paz no lar de um homem casado com duas mulheres.
As esposas davam-se bem e colaboravam uma com a outra.
Exu não gostava nada dessa vida tranquila
e tratou logo de armar alguma confusão.
Fez um lindo chapéu, vestiu-se de mercador e foi para o mercado.
Uma das esposas foi ao mercado,
viu o chapéu e o comprou para o marido.
O marido gostou muito do presente
e cobriu a mulher de tamanhas atenções
que a outra esposa pela primeira vez sentiu-se enciumada.
No outro dia, ela foi ao mercado e lá encontrou Exu,
que oferecia um chapéu ainda mais bonito.
Comprou o chapéu para o marido e ele ficou tão agradecido
que a cobriu de carinhos redobrados, esquecendo-se da outra.
Foi a vez da primeira esposa sentir-se rejeitada.
Ela foi ao mercado e reencontrou o vendedor de chapéus.
Bem, a história foi assim se repetindo
e o ciúme e a competição entre as esposas foram crescendo.

A vida doméstica havia se transformado numa briga entre as esposas.
A rivalidade estava presente sempre e a atenção do marido alternava-se,
fazendo sua favorita ora uma esposa, ora a outra.
Até que um dia Exu não mais foi ao mercado com os seus chapéus,
deixando as duas mulheres completamente desnorteadas
e a família mergulhada em completa confusão.
[26]

Exu torna-se o amigo predileto de Orunmilá

Como se explica a grande amizade entre Orunmilá e Exu,
visto que eles são opostos em muitos aspectos?
Orunmilá, filho mais velho de Olorum, foi quem trouxe aos humanos
o conhecimento do destino pelos búzios.
Exu, pelo contrário, sempre se esforçou
para criar mal-entendidos e rupturas,
tanto aos humanos como aos orixás.
Orunmilá era calmo e Exu, quente como o fogo.
Mediante o uso de conchas adivinhas,
Orunmilá revelava aos homens as intenções do supremo deus Olorum
e os significados do destino.
Orunmilá aplainava os caminhos para os humanos,
enquanto Exu os emboscava na estrada
e fazia incertas todas as coisas.
O caráter de Orunmilá era o destino, o de Exu, o acidente.
Mesmo assim ficaram amigos íntimos.
Uma vez, Orunmilá viajou com alguns acompanhantes.
Os homens de seu séquito não levavam nada,
mas Orunmilá portava uma sacola na qual guardava
o tabuleiro e os *obis* que usava para ler o futuro.
Mas na comitiva de Orunmilá muitos tinham inveja dele

e desejavam apoderar-se de sua sacola de adivinhação.
Um deles, mostrando-se muito gentil,
ofereceu-se para carregar a sacola de Orunmilá.
Um outro também se dispôs à mesma tarefa
e eles discutiram sobre quem deveria carregar a tal sacola.
Até que Orunmilá encerrou o assunto, dizendo:
"Eu não estou cansado. Eu mesmo carrego a sacola".
Quando Orunmilá chegou em casa, refletiu sobre o incidente
e quis saber quem realmente agira como um amigo de fato.
Pensou então num plano para descobrir os falsos amigos.
Enviou mensageiros com a notícia de que havia morrido
e escondeu-se atrás da casa, onde não podia ser visto.
E lá Orunmilá esperou.
Depois de um tempo,
um de seus acompanhantes veio expressar seu pesar.
O homem lamentou o acontecido,
dizendo ter sido um grande amigo de Orunmilá
e que muitas vezes o ajudara com dinheiro.
Disse ainda que, por gratidão,
Orunmilá lhe teria deixado seus instrumentos de adivinhar.
A esposa de Orunmilá pareceu compreendê-lo,
mas disse que a sacola havia desaparecido.
E o homem foi embora frustrado.
Outro homem veio chorando, com artimanha pediu a mesma coisa
e também foi embora desapontado.
E assim, todos os que vieram fizeram o mesmo pedido.
Até que Exu chegou.
Exu também lamentou profundamente a morte do suposto amigo.
Mas disse que a tristeza maior seria da esposa,
que não teria mais para quem cozinhar.
Ela concordou e perguntou se Orunmilá não lhe devia nada.
Exu disse que não.

A esposa de Orunmilá persistiu,
perguntando se Exu não queria a parafernália de adivinhação.
Exu negou outra vez.
Aí Orunmilá entrou na sala, dizendo:
"Exu, tu és sim meu verdadeiro amigo!".
Depois disso nunca houve amigos tão íntimos,
tão íntimos como Exu e Orunmilá.
[27]

Exu leva aos homens o oráculo de Ifá

Em épocas remotas os deuses passaram fome.
Às vezes, por longos períodos,
eles não recebiam bastante comida
de seus filhos que viviam na Terra.
Os deuses cada vez mais se indispunham uns com os outros
e lutavam entre si guerras assombrosas.
Os descendentes dos deuses não pensavam mais neles
e os deuses se perguntavam o que poderiam fazer.
Como ser novamente alimentados pelos homens?
Os homens não faziam mais oferendas e os deuses tinham fome.
Sem a proteção dos deuses, a desgraça tinha se abatido sobre a Terra
e os homens viviam doentes, pobres, infelizes.

Um dia Exu pegou a estrada e foi em busca de solução.
Exu foi até Iemanjá em busca de algo
que pudesse recuperar a boa vontade dos homens.
Iemanjá lhe disse:
"Nada conseguirás.
Xapanã já tentou afligir os homens com doenças,
mas eles não vieram lhe oferecer sacrifícios".

Iemanjá disse:
"Exu matará todos os homens,
mas eles não lhe darão o que comer.
Xangô já lançou muitos raios e já matou muitos homens,
mas eles nem se preocupam com ele.
Então é melhor que procures solução noutra direção.
Os homens não têm medo de morrer.
Em vez de ameaçá-los com a morte,
mostra a eles alguma coisa que seja tão boa
que eles sintam vontade de tê-la.
E que, para tanto, desejem continuar vivos".

Exu retomou o seu caminho e foi procurar Orungã.
Orungã lhe disse:
"Eu sei por que vieste.
Os dezesseis deuses têm fome.
É preciso dar aos homens
alguma coisa de que eles gostem,
alguma coisa que os satisfaça.
Eu conheço algo que pode fazer isso.
É uma grande coisa que é feita com dezesseis caroços de dendê.
Arranja os cocos da palmeira e entenda seu significado.
Assim poderás reconquistar os homens".
Exu foi ao local onde havia palmeiras
e conseguiu ganhar dos macacos dezesseis cocos.
Exu pensou e pensou, mas não atinava
no que fazer com eles.
Os macacos então lhe disseram:
"Exu, não sabes o que fazer
com os dezesseis cocos de palmeira?
Vai andando pelo mundo
e em cada lugar pergunta

o que significam esses cocos de palmeira.
Deves ir a dezesseis lugares para saber o que significam
esses cocos de palmeira.
Em cada um desses lugares recolherás dezesseis *odus*.
Recolherás dezesseis histórias, dezesseis oráculos.
Cada história tem a sua sabedoria,
conselhos que podem ajudar os homens.
Vai juntando os *odus*
e ao final de um ano terás aprendido o suficiente.
Aprenderás dezesseis vezes dezesseis *odus*.
Então volta para onde vivem os deuses.
Ensina aos homens o que terás aprendido
e os homens irão cuidar de Exu de novo".
Exu fez o que lhe foi dito e retornou ao Orum, o Céu dos orixás.
Exu mostrou aos deuses os *odus* que havia aprendido
e os deuses disseram:
"Isso é muito bom".
Os deuses, então, ensinaram o novo saber
aos seus descendentes, os homens.
Os homens então puderam saber todos os dias
os desígnios dos deuses e os acontecimentos do porvir.
Quando jogavam os dezesseis cocos de dendê
e interpretavam o *odu* que eles indicavam,
sabiam da grande quantidade de mal
que havia no futuro.
Eles aprenderam a fazer sacrifícios aos orixás
para afastar os males que os ameaçavam.
Eles recomeçaram a sacrificar animais
e a cozinhar suas carnes para os deuses.
Os orixás estavam satisfeitos e felizes.
Foi assim que Exu trouxe aos homens o Ifá.
[28]

Exu ajuda um mendigo a enriquecer

Era uma vez um homem pobre e peregrino.
Um dia, ele consultou gente competente
e fez como lhe fora dito.
Preparou um *ebó* com muita dificuldade.
Exu, então, vendo todo aquele esforço,
quis muito ajudar aquele homem.
Uma vez, quando o mendigo e um milionário
caminhavam pela mesma rua,
Exu preparou a estratégia para mudar a sorte do pobre.
Disse ao pobre que olhasse bem para aquele homem rico,
pois era por causa dos homens ricos
que existiam os homens pobres.
Disse que ia mudar a sua vida e o instruiu
a ridicularizar sem parar o milionário.
Em voz bem alta devia o mendigo dizer
que ali não havia ninguém importante,
senão ele mesmo, o mendigo.
Enquanto isso, Exu instigava o milionário, dizendo:
"Não tolero esse tipo de gente, esses pobres.
Muda-o com a força da tua fortuna, vamos!".
Como o milionário se sentisse de fato
ofendido com a petulância do pobre,
resolveu ajudá-lo para mostrar quão rico era.
O rico tomou o pobre pelo braço
e pôs-se a passear junto com ele aqui e ali,
demonstrando terem a maior intimidade.
Todos viram aquilo e tiraram a mesma conclusão.
Se o rico lhe dava o braço, rico também seria ele.
Assim, em todo o comércio,
todos ofereceram crédito para tudo o que o mendigo quisesse.

Tendo assim tanto crédito,
pôde ele fazer muitos negócios
e com cada negócio mais crédito lhe era oferecido.
Até que enriqueceu.
Assim o pobre ficou rico graças à artimanha de Exu.
[29]

Exu vinga-se e exige o privilégio das primeiras homenagens

Exu era o irmão mais novo de Ogum, Odé e outros orixás.
Era tão turbulento e criava tanta confusão
que um dia o rei, já não suportando sua malfazeja índole,
resolveu castigá-lo com severidade.
Para impedir que fosse aprisionado,
os irmãos o aconselharam a deixar o país.
Mas enquanto Exu estava no exílio,
seus irmãos continuavam a receber festas e louvações.
Exu não era mais lembrado,
ninguém tinha notícias de seu paradeiro.
Então, usando mil disfarces, Exu visitava seu país,
rondando, nos dias de festa, as portas dos velhos santuários.
Mas ninguém o reconhecia assim disfarçado
e nenhum alimento lhe era ofertado.
Vingou-se ele, semeando sobre o reino
toda sorte de desassossego, desgraça e confusão.

Assim o rei decidiu proibir todas as atividades religiosas,
até que se descobrissem as causas desses males.
Então os babalorixás reuniram-se em comitiva
e foram consultar um babalaô que residia nas portas da cidade.
O babalaô jogou os búzios e Exu foi quem falou no jogo.
Disse nos *odus* que tinha sido esquecido por todos.
Que exigia receber sacrifícios antes dos demais
e que fossem para ele os primeiros cânticos cerimoniais.
O babalaô jogou os búzios e disse
que oferecessem um bode e sete galos a Exu.
Os babalorixás caçoaram do babalaô,
não deram a menor importância às suas recomendações
e ficaram por ali sentados, cantando e rindo dele.
Quando quiseram levantar-se para ir embora,
estavam todos grudados nas cadeiras.
Sim, era mais uma das ofensas de Exu!
O babalaô então pôs a mão no ombro de cada um
e todos puderam levantar-se livremente.
Disse a eles que fizessem como fazia ele próprio:
que o primeiro sacrifício fosse para acalmar Exu.
Assim convencidos, foi o que fizeram os pais e mães de santo,
naquele dia e sempre desde então.
[30]

Ogum

Ogum

Ogum dá aos homens o segredo do ferro

Na Terra criada por Obatalá, em Ifé,
os orixás e os seres humanos trabalhavam e viviam em igualdade.
Todos caçavam e plantavam usando frágeis instrumentos
feitos de madeira, pedra ou metal mole.
Por isso o trabalho exigia grande esforço.
Com o aumento da população de Ifé, a comida andava escassa.
Era necessário plantar uma área maior.
Os orixás então se reuniram para decidir como fariam
para remover as árvores do terreno e aumentar a área da lavoura.
Ossaim, o orixá da medicina, dispôs-se a ir primeiro
e limpar o terreno.
Mas seu facão era de metal mole e ele não foi bem-sucedido.
Do mesmo modo que Ossaim,
todos os outros orixás tentaram,
um por um, e fracassaram
na tarefa de limpar o terreno para o plantio.
Ogum, que conhecia o segredo do ferro, não tinha dito nada até então.
Quando todos os outros orixás tinham fracassado,
Ogum pegou seu facão, de ferro, foi até a mata e limpou o terreno.
Os orixás, admirados, perguntaram a Ogum de que material
era feito tão resistente facão.
Ogum respondeu que era o ferro,
um segredo recebido de Orunmilá.
Os orixás invejavam Ogum pelos benefícios que o ferro trazia,
não só à agricultura, como à caça e até mesmo à guerra.

Por muito tempo os orixás importunaram Ogum
para saber do segredo do ferro,
mas ele mantinha o segredo só para si.
Os orixás decidiram então oferecer-lhe o reinado
em troca de que ele lhes ensinasse
tudo sobre aquele metal tão resistente.
Ogum aceitou a proposta.
Os humanos também vieram a Ogum
pedir-lhe o conhecimento do ferro.
E Ogum lhes deu o conhecimento da forja,
até o dia em que todo caçador e todo guerreiro
tiveram sua lança de ferro.
Mas, apesar de Ogum ter aceitado o comando dos orixás,
antes de mais nada ele era um caçador.
Certa ocasião, saiu para caçar e passou muitos dias fora
numa difícil temporada.
Quando voltou da mata, estava sujo e maltrapilho.
Os orixás não gostaram de ver seu líder naquele estado.
Eles o desprezaram e decidiram destituí-lo do reinado.
Ogum se decepcionou com os orixás,
pois, quando precisaram dele para o segredo da forja,
eles o fizeram rei
e agora diziam que não era digno de governá-los.
Então Ogum banhou-se,
vestiu-se com folhas de palmeira desfiadas,
pegou suas armas e partiu.
Num lugar distante chamado Irê, construiu uma casa
embaixo da árvore de *acocô* e lá permaneceu.
Os humanos que receberam de Ogum o segredo do ferro
não o esqueceram.
Todo mês de dezembro, celebram a festa de Iudê-Ogum.
Caçadores, guerreiros, ferreiros e muitos outros

fazem sacrifícios em memória de Ogum.
Ogum é o senhor do ferro para sempre.
[31]

Ogum torna-se rei de Irê

Quando Odudua reinava em Ifé,
mandou seu filho Ogum guerrear
e conquistar os reinos vizinhos.
Ogum destruiu muitas cidades
e trouxe para Ifé muitos escravos e riquezas,
aumentando de maneira fabulosa o império de seu pai.
Um dia, Ogum lançou-se contra a cidade de Irê,
cujo povo o odiava muito.
Ogum destruiu tudo,
cortou a cabeça do rei de Irê
e a colocou num saco para dá-la a seu pai.
Alguns conselheiros de Odudua souberam
do presente que Ogum trazia para o rei seu pai.
Os conselheiros disseram a Odudua
que Ogum desejava a morte do próprio pai
para usurpar-lhe a coroa.
Todos sabem que nenhum rei deve ver
a cabeça decapitada de outro rei.
Ogum não conhecia esse tabu.
Odudua imediatamente enviou uma delegação
para encontrar Ogum fora dos portões da cidade.
Após muitas explicações, Ogum concordou
em entregar a cabeça do rei de Irê aos mensageiros de Odudua.
O perigo havia acabado.
Ogum fora encontrado antes de chegar ao palácio de seu pai.

Como Odudua queria recompensar o seu filho mais querido,
presenteou Ogum com o reino de Irê
e com todos os prisioneiros e as riquezas conquistadas naquela guerra.
Assim Ogum tornou-se o Onirê, o rei de Irê.
[32]

Ogum mata seus súditos e é transformado em orixá

Ogum, filho de Odudua, sempre guerreava,
trazendo o fruto da vitória para o reino de seu pai.
Amante da liberdade e das aventuras amorosas,
foi com uma mulher chamada Ojá que Ogum teve o filho Oxóssi.
Depois amou Oiá, Oxum e Obá,
as três mulheres de seu maior rival, Xangô.
Ogum seguiu lutando e tomou para si a coroa de Irê,
que na época era composto de sete aldeias.
Era conhecido como o Onirê, o rei de Irê,
deixando depois o trono para seu próprio filho.

Ogum era o rei de Irê, Oni Irê, Ogum Onirê.
Ogum usava a coroa sem franjas chamada *acorô*.
Por isso também era chamado de Ogum Alacorô.
Conta-se que, tendo partido para a guerra,
Ogum retornou a Irê depois de muito tempo.
Chegou num dia em que se realizava um ritual sagrado.
A cerimônia exigia a guarda total do silêncio.
Ninguém podia falar com ninguém.
Ninguém podia dirigir o olhar para ninguém.

Ogum sentia sede e fome, mas ninguém o atendia.
Ninguém o ouvia, ninguém falava com ele.
Ogum pensou que não havia sido reconhecido.
Ogum sentiu-se desprezado.
Depois de ter vencido a guerra,
sua cidade não o recebia.
Ele, o rei de Irê!
Não reconhecido por sua própria gente!
Humilhado e enfurecido, Ogum, espada em punho,
pôs-se a destruir a tudo e a todos.
Cortou a cabeça de seus súditos.
Ogum lavou-se com sangue.
Ogum estava vingado.
Então a cerimônia religiosa terminou
e com ela a imposição de silêncio foi suspensa.
Imediatamente, o filho de Ogum,
acompanhado por um grupo de súditos,
ilustres homens salvos da matança,
veio à procura do pai.
Eles renderam as homenagens devidas ao rei
e ao grande guerreiro Ogum.
Saciaram sua fome e sede.
Vestiram Ogum com roupas novas,
cantaram e dançaram para ele.
Mas Ogum estava inconsolável.
Havia matado quase todos os habitantes da sua cidade.
Não se dera conta das regras de uma cerimônia
tão importante para todo o reino.
Ogum sentia que já não podia ser o rei.
E Ogum estava arrependido de sua intolerância,
envergonhado por tamanha precipitação.
Ogum fustigou-se dia e noite em autopunição.

Não tinha medida seu tormento,
nem havia possibilidade de autocompaixão.
Ogum então enfiou sua espada no chão
e num átimo de segundo a terra se abriu
e ele foi tragado solo abaixo.
Ogum estava no Orum, o Céu dos deuses.
Não era mais humano.
Tornara-se um orixá.
[33]

Ogum faz instrumentos agrícolas para Oxaguiã

Oxaguiã, rei de Ejigbô, o Elejigbô,
chamado "Orixá-Comedor-de-Inhame-Pilado",
inventou o pilão para saborear mais facilmente
seus prediletos inhames.
Todo o povo de seu reino adotou sua preferência.
Todo o povo de Ejigbô comia inhame pilado.
E tanto se comia inhame em Ejigbô
que já não se dava conta de plantá-lo.
E assim, grande fome se abateu sobre o povo de Oxalá.

Oxaguiã foi consultar Exu,
que o mandou fazer sacrifícios
e procurar o ferreiro Ogum,
que naquele tempo vivia nas terras de Ijexá.
O que podia fazer Ogum
para que o povo de Ejigbô tivesse mais inhame?,
consultou Oxaguiã.
Ogum pediu sacrifícios e logo deu a solução.
Em sua forja, Ogum fez ferramentas de ferro.

Fez a enxada e o enxadão, a foice e a pá,
fez o ancinho, o rastelo, o arado.
"Leve isso ao seu povo, Elejigbô,
e o trabalho na plantação vai ser mais fácil.
Vão colher muitos inhames,
mais do que agora quando plantam com as mãos", disse Ogum.
E assim foi feito e nunca se plantou tanto inhame
e nunca se colheu tanto inhame.
E a fome acabou.

O povo de Ejigbô, agradecido, cultuou Ogum
e ofereceu a ele banquetes de inhames e cachorros,
caracóis, feijão-preto regado com azeite de dendê e cebolas.
Ogum disse a Oxaguiã:
"Na casa de seu pai todos se vestem de branco,
por isso também assim me visto para receber as oferendas".
E o povo o louvava
e Ogum ficou feliz.
E o povo cantava:
"A kaja lónì fun Ògúnja mojuba".
"Hoje fazemos sacrifício de cachorros a Ogum,
Ogunjá, Ogum que come cachorro, nós te saudamos".
Oxaguiã disse a Ogum:
"Meu povo nunca há de se esquecer de sua dádiva.
Dê-me um laço de seu abadá azul, Ogum,
para eu usar com o meu *axó funfum*, minha roupa branca.
Vamos sempre nos lembrar de Ogunjá".
E, do reino de Ejigbô
até as terras de Ijexá,
todos cantaram e dançaram.
[34]

Ogum repudia Oiá por causa de Xangô

Ogum vivia com Oiá.
Um dia seu irmão Xangô foi visitá-lo
e, na casa de Ogum, Xangô deparou com sua bela mulher.
Voltou para casa atormentado pela beleza que vira.
Desejou Oiá ardentemente.
Não desistia da ideia de possuir a mulher do seu irmão.

Xangô voltou à casa de Ogum
dizendo-se doente, nem conseguia se alimentar.
Ogum acudiu-o e pediu-lhe que ensinasse a Oiá
o preparo de seu prato predileto, o *amalá*,
que sem dúvida saciaria sua fome e o curaria.
Oiá preparou o *amalá* conforme ensinado.
Antes de comê-lo,
Xangô pediu a Oiá que acrescentasse um pó,
advertindo-a contudo que não provasse da comida.
Xangô comeu com gula e saciou a fome.
A proibição deixou Oiá muito curiosa.

No dia seguinte, Oiá fez novamente a comida,
mas desta vez não resistiu e provou dela.
Disse a Xangô não ter sentido nada especial.
Xangô entregou-lhe o pó para acrescentar.
O pó tinha o poder de botar labaredas pela boca.
Oiá pôs o pó no *amalá* e comeu dele.
Desde então Oiá tem o poder de botar fogo pela boca.
Ogum, ao ver sua mulher cuspindo fogo,
repudiou Oiá e a entregou a Xangô.
Xangô cinicamente recusou a oferta.
Ogum insistiu para que levasse Oiá dali.

Xangô tinha enganado Ogum.
Xangô levou Oiá para casa,
feliz com sua vitória.
[35]

Ogum é castigado por incesto a viver nas estradas

Ogum vivia em casa de seus pais, Obatalá e Iemu.
Vivia com seus irmãos Eleguá e Oxóssi.
Ogum estava enamorado de Iemu
e muitas vezes tentou violá-la,
mas sempre fracassou.
Eleguá e Oxóssi protegiam a mãe das investidas de Ogum.
Um dia o próprio pai o surpreendeu no terrível intento.
Antes que Obatalá o castigasse, Ogum suplicou:
"Deixa, meu pai, que eu mesmo encontrarei o meu castigo".
Foi então para um lugar distante
sem ter sequer a companhia de seus cães.
Ali viveu só para o trabalho,
impedido de qualquer felicidade.
Labutava em sua forja,
consumia-se em amarguras.

Somente seu irmão Oxóssi sabia de seu paradeiro.
Para purgar o triste destino,
Ogum se pôs a trabalhar sem nunca descansar.
Fabricava pós miraculosos e terríveis.

Seus pós espalharam-se pelo mundo
e muitos foram procurá-lo pelos seus feitiços.
Foi então que chegou a sua casa uma belíssima mulher.
Era Oxum, que o fez provar de seus encantos.
Que prisão poderia ser mais forte que o mel de Oxum?
Ele estava finalmente perdoado.
[36]

Ogum cria a forja

Ogum e seus amigos Alaká e Ajero foram consultar Ifá.
Queriam saber uma forma de se tornarem reis de suas aldeias.
Após a consulta foram instruídos a fazer *ebó*,
e a Ogum foi pedido um cachorro como oferenda.
Tempos depois,
os amigos de Ogum tornaram-se reis de suas aldeias,
mas a situação de Ogum permanecia a mesma.
Preocupado, Ogum foi novamente consultar Ifá
e o adivinho recomendou que refizesse o *ebó*.
Ele deveria sacrificar um cão sobre sua cabeça
e espalhar o sangue sobre seu corpo.
A carne deveria ser cozida e consumida por todo seu *egbé*.
Depois, deveria esperar a próxima chuva
e procurar um local onde houvesse ocorrido uma erosão.
Ali devia apanhar da areia negra e fina
e colocá-la no fogo para queimar.

Ansioso pelo sucesso, Ogum fez o *ebó*
e, para sua surpresa, ao queimar aquela areia,
ela se transformou na quente massa
que se solidificou em ferro.

O ferro era a mais dura substância que ele conhecia,
mas era maleável enquanto estava quente.
Ogum passou a modelar a massa quente.
Ogum forjou primeiro uma tenaz,
um alicate para retirar o ferro quente do fogo.
E assim era mais fácil manejar a pasta incandescente.
Ogum então forjou uma faca e um facão.
Satisfeito, Ogum passou a produzir
toda espécie de objetos de ferro,
assim como passou a ensinar seu manuseio.
Veio fartura e abundância para todos.
Dali em diante Ogum Alagbedé, o ferreiro, mudou.
Muito prosperou e passou a ser saudado
como Aquele que Transforma a Terra em Dinheiro.
[37]

Ogum faz ebó e se torna uma potência

Um homem honesto e trabalhador
era perseguido por seus rivais
em todos os lugares por onde passava.
Um dia mandaram-lhe fazer um *ebó*,
para conseguir realizar seus desejos
e vencer as dificuldades que lhe atrapalhavam a vida.
Assim fez Ogum,
tornando-se a mais temível potência
naquelas paragens da cidade de Irê.
[38]

Ogum reconquista o amor de Oxum

Ogum passeava com sua esposa Oxum,
quando principiaram a discutir.
A briga terminou com Ogum jogando Oxum no rio.
Xangô salvou Oxum das águas e a levou para seu palácio.
Um dia Ogum foi visitar Xangô e reencontrou Oxum.
Oxum continuava muito bela.
Ogum arrependeu-se do que havia feito.

Tentado, Ogum mandou de presente a Xangô
um carneiro bem gordo.
Ogum queria de volta sua bela Oxum.
Xangô, muito debochado,
deu em retribuição a Ogum um cachorro magro.
Ogum não desistiu com a piada do irmão.
Xangô era um grande comilão;
quando comia, da vida se esquecia.
Mandou a Xangô um enorme cesto de quiabos.
Xangô era louco por quiabos;
quando os comia, da vida se esquecia.
Ogum foi ao palácio de Xangô visitá-lo.
Enquanto Xangô se deleitava com o *amalá*
preparado com os quiabos de Ogum,
Ogum reconquistou Oxum
e a levou de volta em sua companhia.

E ela vai com ele a toda parte,
morando nas estradas, fazendo a guerra.
Oxum Apará está sempre com Ogum.
[39]

Ogum recompensa a generosidade da vendedora de acaçá

Dizia-se que noutros tempos existia uma senhora
que vendia *acaçá* ou mingau pela manhã.
Um dia essa senhora foi à casa de um entendido na "ciência",
que lhe mandou fazer *ebó* para melhorar a vida.
Passado algum tempo,
o general Ogum apareceu com seu exército todo faminto
e pediu à senhora que matasse a fome de seu pessoal.
Ela os serviu atenciosamente e com abundância.
Então, quando a refeição acabou,
como Ogum fosse justo e não tivesse dinheiro para pagá-la,
dividiu com aquela senhora seu butim de guerra.
Foi assim que a vendedora de *acaçá*
tornou-se riquíssima
e divulgou o gesto de Ogum por toda parte.
[40]

Ogum ensina aos homens as artes da agricultura

Ogum andava aborrecido no Orum,
queria voltar ao Aiê e ensinar aos homens
tudo aquilo que aprendera.
Mas ele desejava ser ainda mais forte e poderoso,
para ser por todos admirado por sua autoridade.
Foi consultar Ifá,
que lhe recomendou um *ebó* para abrir os caminhos.
Ogum providenciou tudo antes de descer à Terra.

Veio ao Aiê e aqui fez o pretendido.
Em pouco tempo foi reconhecido por seus feitos.

Cultivou a terra e plantou,
fazendo com que dela o milho e o inhame
brotassem em abundância.
Ogum ensinou aos homens a produção do alimento,
dando-lhes o segredo da colheita,
tornando-se assim o patrono da agricultura.
Ensinou a caçar e a forjar o ferro.
Por tudo isso foi aclamado rei de Irê, o Onirê.
Ogum é aquele a quem pertence tudo de criativo no mundo,
aquele que tem uma casa onde todos podem entrar.
[41]

Ogum trai o pai e deita-se com a mãe

Obatalá tinha em casa um galo branco
e o galo lhe servia de guardião.
Quando Obatalá de casa se ausentava,
se algum fato incomum acontecesse,
o galo o avisava e ele retornava.
De volta a casa,
tudo o que ocorria o galo lhe contava.
Um dia Obatalá se ausentou
e seu filho Ogum aproveitou-se da ausência do pai
e deitou-se com sua mãe Iemu.
De onde estava, Obatalá escutou o cantar do galo:
"Ogundadié! Ogundadié!".

A casa de Obatalá tinha uma única entrada.
Ao chegar, encontrou a porta trancada e o galo aos gritos.
Iemu percebeu o motivo do alvoroço do galo
e pediu a Ogum que saísse correndo.

Obatalá entrou em casa e sentiu cada movimento,
leu nos olhos de Iemu algo que o fez desconfiar.
Nesse mesmo dia pediu à mulher que fizesse provisões,
pois faria uma viagem muito longa.
Pela madrugada Obatalá saiu em caminhada,
mas se escondeu na mata próxima.
Ogum e Iemu, satisfeitos com a ausência do velho,
novamente se relacionaram.
Obatalá esperou um pouco e escutou o galo gritar:
"Ogundadié! Ogundadié!".
Obatalá tomou o rumo de casa e bateu na porta.
Ogum ouviu a insistente batida e pôs-se a esbravejar.
Iemu pediu-lhe que atendesse à porta.
Para seu espanto, Ogum viu seu pai diante de si
e, sem explicações, atirou-se ao chão pedindo perdão, dizendo:
"Perdoa-me, pai, castiga-me de dia e de noite".
Obatalá ouviu o filho.
O próprio filho havia decretado sua pena:
enquanto o mundo fosse mundo,
Ogum não descansaria de dia nem de noite.
As estradas seriam sua morada.
Para sempre andaria por elas,
ajudando os viageiros que se perdem nos caminhos
e deles recebendo oferendas para sobreviver.
[42]

Ogum livra um pobre de seus exploradores

Um pobre homem peregrinava por toda parte,
trabalhando ora numa, ora noutra plantação.
Mas os donos da terra sempre o despediam
e se apoderavam de tudo o que ele construía.
Um dia esse homem foi a um babalaô,
que o mandou fazer um *ebó* na mata.
Ele juntou o material e foi fazer o despacho,
mas acabou fazendo tal barulho
que Ogum, o dono da mata, foi ver o que ocorria.
O homem, então, deu-se conta da presença de Ogum
e caiu a seus pés,
implorando seu perdão por invadir a mata.
Ofereceu-lhe todas as coisas boas que ali estavam.
Ogum aceitou e satisfez-se com o *ebó*.
Depois, conversou com o peregrino,
que lhe contou por que estava naquele lugar proibido.
Falou-lhe de todos os seus infortúnios.
Ogum mandou que ele desfiasse folhas de dendezeiro, *mariô*,
e as colocasse nas portas das casas de seus amigos,
marcando assim cada casa a ser respeitada,
pois naquela noite Ogum destruiria
a cidade de onde vinha o peregrino.
Seria tudo destruído até o chão.
E assim se fez.
Ogum destruiu tudo,
menos as casas protegidas pelo *mariô*.
[43]

Ogum chama a Morte para ajudá-lo numa aposta com Xangô

Ogum e Xangô nunca se reconciliaram.
Vez por outra digladiavam-se nas mais absurdas querelas.
Por pura satisfação do espírito belicoso dos dois.
Eram, os dois, magníficos guerreiros.
Certa vez Ogum propôs a Xangô uma trégua em suas lutas,
pelo menos até que a próxima lua chegasse.
Xangô fez alguns gracejos, Ogum revidou,
mas decidiram-se por uma aposta,
continuando assim sua disputa permanente.
Ogum propôs que ambos fossem à praia
e recolhessem o maior número de búzios que conseguissem.
Quem juntasse mais, ganharia.
E quem perdesse daria ao vencedor o fruto da coleta.
Puseram-se de acordo.

Ogum deixou Xangô e seguiu para a casa de Oiá,
solicitando-lhe que pedisse a Icu que fosse à praia
no horário que havia combinado com Xangô.
Oiá aquiesceu, mas exigiu uma quantia em ouro como pagamento,
que recebeu prontamente.
Na manhã seguinte, Ogum e Xangô apresentaram-se na praia
e imediatamente o enfrentamento começou.
Cada um ia pegando os búzios que achava.
Vez por outra se entreolhavam.
Xangô cantarolava sotaques jocosos contra Ogum.
Ogum, calado, continuava a coleta.
O que Xangô não percebeu foi a aproximação de Icu.
Ao erguer os olhos,
o guerreiro de fogo deparou com a Morte, que riu de seu espanto.
Xangô soltou o saco da coleta,

fugindo amedrontado e escondendo-se de Icu.
À noite Ogum procurou Xangô, mostrando seu espólio.
Xangô, envergonhado, abaixou a cabeça
e entregou ao guerreiro o fruto de sua coleta.
[44]

Ogum livra Oxum da fome imposta por Xangô

Oxum, que vivia com Xangô, sentia muita fome.
Porque na casa de Xangô só comia galo com quiabo.
Xangô dava-lhe de tudo:
uma casa linda, roupas das mais belas e muito ouro,
só que na hora de comer ele dizia:
"Ela tem que comer minha comida".
Assim, Oxum vivia passando fome,
porque ela não comia quiabo,
que não era comida sua.

Um dia, quando Xangô estava longe de casa,
Oxum sentou-se na varanda.
Apesar de estar muitíssimo linda,
nem todo seu charme e elegância
podiam esconder o semblante triste e choroso:
sentia fome terrível.
Ogum, então, passou a cavalo,
viu Oxum e disse:
"Oh, rainha Oxum, bela como és, por que choras?".
Ela respondeu:
"Aqui tenho conforto e luxo,
mas não tenho as minhas comidas.
Estou morrendo de fome".

Ogum então disse:

"Se não morreste até agora, minha cara, já não vais morrer.

Toma estas cinco galinhas para ti".

Oxum pegou as galinhas,

correu para dentro de casa e as cozinhou e comeu.

Quando Xangô voltou para casa,

encontrou sua mulher feliz e satisfeita.

Ciumento, teve certeza de que a felicidade de Oxum

era responsabilidade de Ogum.

Pegou, então, seu machado e partiu para brigar com Ogum.

Quando passava por uma ponte na parte mais larga do rio,

encontrou Ogum.

Foi logo tentando começar a luta.

Ogum, porém, com seu senso de responsabilidade,

disse que não queria briga

e explicou as razões por que tinha dado comida a Oxum.

Que Oxum era uma rainha

e que assim sendo não deveria receber casa e presentes finos

e ao mesmo tempo morrer de fome.

Que Oxum precisava da comida de que gostava.

Xangô, porém, disse que tratava sua mulher

da forma como bem entendesse

e que ela continuaria a ter roupas finas, joias e quiabos.

Ogum não concordou, mas evitou brigar.

Xangô, porém, atirou o seu *oxé* em Ogum.

Ogum se protegeu e mais uma vez tentou explicar.

Não tivera más intenções ao oferecer as galinhas a Oxum.

Jamais magoaria Iemanjá, a mãe de ambos,

entrando numa guerra com Xangô,

o filho predileto da rainha.

Mas Xangô atacou Ogum de novo

e Ogum, não podendo mais evitar o combate,

lançou a espada sobre Xangô.
A luta entre os irmãos foi demorada.
Da estrada a briga passou para cima da ponte
e da ponte, para quase dentro do rio.
Xangô rendeu-se, temendo cair dentro d'água,
pois a água apaga o fogo de Xangô.
[45]

Ogum violenta e maltrata as mulheres

Dizem que Ogum abusava das mulheres que iam à floresta.
Com elas mantinha relações sexuais usando de violência.
Uma mulher bonita de nome Iemanjá
ficava excitada com as histórias que contavam de Ogum.
Um dia foi à floresta para ser possuída pelo famoso guerreiro.
Ogum teve relações com Iemanjá
e depois ordenou que ela partisse.
Iemanjá não queria ir embora
e pediu para Ogum lhe dar mais prazer.
Ogum ignorou seus apelos e a expulsou da floresta.
Angustiada, Iemanjá foi pedir ajuda à sua irmã Oxum.
Oxum foi até a floresta à procura de Ogum,
envolveu-o com seu mel sedutor e teve relações com ele.
Quando Ogum quis mais,
Oxum exigiu que ele fosse para a casa dela.
E eles foram para a casa de Oxum,
que era também a casa de Iemanjá.
De noite, no escuro,
a esperta Oxum escapou da cama de Ogum
e cedeu seu lugar no leito à irmã.
Ogum teve muito prazer aquela noite.

No dia seguinte, quando viu Iemanjá deitada a seu lado,
o fogoso amante ficou enfurecido.
Espancou Iemanjá e saiu da casa.
No lado de fora Ogum encontrou Obatalá
e começou a bater nela também.
Obatalá fugiu da perseguição de Ogum,
foi para o rio, atirou-se n'água e lá permaneceu
até que Ogum partisse.
Ogum voltou para o mato
e ainda hoje alimenta a fama de gostar de violência.
Sobretudo quando se trata de mulher.
[46]

Ogum conquista para os homens o poder das mulheres

No começo do mundo,
eram as mulheres que mandavam na Terra
e eram elas que dominavam os homens.
A mulher manejava o homem com o dedo mindinho.
As mulheres tinham o poder e o segredo.
Iansã tinha inventado o mistério da sociedade dos egunguns,
a sociedade de culto aos antepassados,
e os homens estavam sempre submissos ao poder feminino.
Quando as mulheres queriam humilhar seus maridos,
elas se reuniam com Iansã debaixo de uma árvore.
Iansã tinha um macaco ensinado.
Ela o fazia aterrorizar os homens.

Sim, mandava que ele fizesse coisas para assustar os maridos.
Quando viam ali na árvore
o macaco fazendo as coisas a mando de Iansã,
os homens se apavoravam
e se submetiam ao poder feminino.

Finalmente, um dia
os homens resolveram acabar com aquela humilhação
de estarem sempre submissos ao poder de suas mulheres.
Os homens consultaram Orunmilá
e ele mandou fazer um *ebó*.
O sacrifício era de galos, uma roupa, uma espada, um chapéu.
Ogum era quem deveria levar o sacrifício,
a ser oferecido sob a árvore das mulheres.
Ogum foi bem cedo à árvore,
antes da chegada das mulheres.
Ali ofereceu os galos,
vestiu a roupa e o chapéu e empunhou a espada.
Quando as mulheres chegaram e viram aquele homem forte
vestido como um poderoso e armado até os dentes,
exibindo aos quatro ventos seu porte de guerreiro,
elas saíram a correr e a correr num pânico incontrolável.
A vista do homem assumindo o poder era terrificante.
As mulheres não suportaram tal visão.
Iansã foi a primeira a fugir de espanto.
Uma das mulheres, de medo, correu tanto
que desapareceu da face da Terra para sempre.
Desde esse dia o poder pertence aos homens.
E os homens expulsaram as mulheres das sociedades secretas.
Porque a posse do segredo agora é dos homens.
Iansã, no entanto, ainda é a rainha do culto dos egunguns.
[47]

Ogum cria a Terra

Olodumare resolveu criar o mundo.
Seus filhos foram convocados para ajudar nessa tarefa,
cada qual levou consigo o que era necessário:
joias, dinheiro, tecidos...
A Ogum coube levar uma espada e um saco de terra preta.
Carregando essas coisas, Ogum saiu caminhando
em direção ao lugar onde o mundo havia de ser criado.
Quando se cansou, foi dormir no alto de uma palmeira.
Apanhou algumas folhas de *mariô* para cobrir seu corpo
e defender-se de insetos que o incomodavam.

A chuva chegou e não parou mais.
Ogum abriu o saco que trazia e, do alto da palmeira,
espalhou a terra preta que havia nele.
A terra espalhou-se, fazendo surgir uma lagoa.
Do fundo da lagoa, da lama do fundo, apareceu Nanã.
Ogum e Nanã saíram criando o mundo.
Ogum construiu casas, fez plantações
e todos ouviram falar de seu reino próspero.
Um dia seus irmãos vieram conhecer seu reino
e tentaram dividi-lo entre si.
Aconselhado por Nanã,
Ogum apanhou sua espada mágica
e derrotou todo aquele que tentava usurpar o que era seu.
[48]

Ogum recusa a coroa de Ifé

Quando o mundo era apenas um charco,
Ogum costumava descer do Céu pelas teias de aranha,
sempre que vinha aqui caçar.
Mais tarde, nesse mesmo lugar, Orixanlá criou a Terra
e desceu com os outros orixás ao novo mundo para completar a Criação.
Orixanlá, porém, tinha dificuldade de andar na densa floresta,
pois seus instrumentos de bronze não cortavam o mato.
Somente Ogum tinha um instrumento de ferro
capaz de abater as árvores e moitas e abrir caminho.
A pedido dos orixás, que lhe prometeram recompensa,
concordou em ajudar Orixanlá.
Por isso, quando eles construíram a cidade de Ifé,
ofereceram a coroa a Ogum.
Mas Ogum a recusou, pois não desejava ter súditos.
Não queria governar, preferindo caçar e guerrear.
Por muito tempo viveu sozinho no alto de uma colina,
de onde podia vigiar a terra e observar suas presas.
Quando, finalmente, desceu à cidade para visitar os orixás,
eles não o receberam,
porque suas roupas estavam manchadas de sangue.
Desgostoso, tirou as roupas sujas,
vestiu-se com folhas novas de palmeira
e foi viver, sozinho,
nunca permanecendo muito tempo num mesmo lugar,
sempre a caminhar pelas estradas.
[49]

Oxóssi — Odé

Oxóssi — Odé

Oxóssi aprende com Ogum a arte da caça

Oxóssi é irmão de Ogum.
Ogum tem pelo irmão um afeto especial.
Num dia em que voltava da batalha,
Ogum encontrou o irmão temeroso e sem reação,
cercado de inimigos que já tinham destruído quase toda a aldeia
e que estavam prestes a atingir sua família e tomar suas terras.
Ogum vinha cansado de outra guerra,
mas ficou irado e sedento de vingança.
Procurou dentro de si mais forças para continuar lutando
e partiu na direção dos inimigos.
Com sua espada de ferro pelejou até o amanhecer.

Quando por fim venceu os invasores,
sentou-se com o irmão e o tranquilizou com sua proteção.
Sempre que houvesse necessidade
ele iria até seu encontro para auxiliá-lo.
Ogum então ensinou Oxóssi a caçar,
a abrir caminhos pela floresta e matas cerradas.
Oxóssi aprendeu com o irmão a nobre arte da caça,
sem a qual a vida é muito mais difícil.
Ogum ensinou Oxóssi a defender-se por si próprio
e ensinou Oxóssi a cuidar da sua gente.
Agora Ogum podia voltar tranquilo para a guerra.
Ogum fez de Oxóssi o provedor.
Oxóssi é irmão de Ogum.

Ogum é o grande guerreiro.
Oxóssi é o grande caçador.
[50]

Oxóssi mata o pássaro das feiticeiras

Todos os anos, para comemorar a colheita dos inhames,
o rei de Ifé oferecia aos súditos uma grande festa.
Naquele ano, a cerimônia transcorria normalmente,
quando um pássaro de grandes asas pousou no telhado do palácio.
O pássaro era monstruoso e aterrador.
O povo, assustado, perguntava sobre sua origem.
A ave fora enviada pelas feiticeiras,
as Iá Mi Oxorongá, nossas mães feiticeiras,
ofendidas por não terem sido convidadas.
O pássaro ameaçava o desenrolar das comemorações,
o povo corria atemorizado.
E o rei chamou os melhores caçadores do reino para abater a grande ave.
De Idô, veio Oxotogum com suas vinte flechas.
De Morê, veio Oxotogi com suas quarenta flechas.
De Ilarê, veio Oxotadotá com suas cinquenta flechas.
Prometeram ao rei acabar com o perverso bicho,
ou perderiam suas próprias vidas.
Nada conseguiram, entretanto, os três *odés*.
Gastaram suas flechas e fracassaram.
Foram presos por ordem do rei.

Finalmente, de Irém, veio Oxotocanxoxô,
o caçador de uma só flecha.
Se fracassasse, seria executado
junto com os que o antecederam.

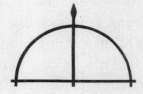

Temendo pela vida do filho,
a mãe do caçador foi ao babalaô
e ele recomendou à mãe desesperada
fazer um *ebó* que agradasse às feiticeiras.
A mãe de Oxotocanxoxô sacrificou então uma galinha.
Nesse momento, Oxotocanxoxô tomou seu *ofá*, seu arco,
apontou atentamente e disparou sua única flecha.
E matou a terrível ave perniciosa.
O sacrifício havia sido aceito.
As Iá Mi Oxorongá estavam apaziguadas.
O caçador recebeu honrarias e metade das riquezas do reino.
Os caçadores presos foram libertados
e todos festejaram.
Todos cantaram em louvor a Oxotocanxoxô.
O caçador Oxô ficou muito popular.
Cantavam em sua honra, chamando-o de Oxóssi,
que na língua do lugar quer dizer "O Caçador Oxô é Popular".
Desde então Oxóssi é o seu nome.
[51]

Odé desrespeita proibição ritual e morre

Naquele dia a caça era proibida.
Ninguém podia trabalhar.
Era dia de ir à casa de Ifá levar as oferendas.
Mas Odé queria caçar,
como fazia todo dia.
Odé não se importou com o interdito.
Odé não foi consultar o adivinho.
Odé tranquilamente foi caçar,
seguiu o caminho da floresta.

Oxum, sua esposa, cansada de ver o marido
quebrar os sagrados tabus,
abandonou a casa e o esposo.

Caminhando pela mata, Odé escutou um canto que dizia:
"Eu não sou passarinho para ser morta por ti...".
Era o canto de uma serpente, era Oxumarê.
Odé não se importou com o canto
e atravessou a cobra com a lança,
partindo-a em vários pedaços.
Odé tomou o caminho de sua casa
e, no percurso, continuou escutando o mesmo canto:
"Eu não sou passarinho para ser morta por ti...".

Ao chegar em casa, Odé foi para a cozinha,
preparou uma iguaria com o fruto de sua caça
e comeu a saborosa comida imediatamente.
Pela manhã Oxum retornou a casa
para ver como estava o marido caçador.
Para seu espanto, encontrou morto o seu Odé.
Odé estava morto, o corpo caído no chão.
Ao lado de Odé, Oxum viu um rastro de serpente
que se alongava até a entrada da floresta.
Desesperada, Oxum foi procurar Orunmilá.
E ofereceu muitos sacrifícios.
Orunmilá ouviu o pleito da dolorosa Oxum.
Orunmilá deixou Odé viver de novo.
Deu a Odé o cargo de protetor dos caçadores.
E Odé foi transformado em orixá.
[52]

Oxóssi ganha de Orunmilá a cidade de Queto

Um certo dia, Orunmilá precisava de um pássaro raro
para fazer um feitiço de Oxum.
Ogum e Oxóssi saíram em busca da ave pela mata adentro,
nada encontrando por dias seguidos.
Uma manhã, porém, restando-lhes apenas um dia para o feitiço,
Oxóssi deparou com a ave e
percebeu que só lhe restava uma única flecha.
Mirou com precisão e a atingiu.
Quando voltou para a aldeia,
Orunmilá estava encantado e agradecido com o feito do filho,
sua determinação e coragem.
Ofereceu-lhe a cidade de Queto para governar até sua morte,
fazendo dele o orixá da caça e das florestas.
[53]

Oxóssi mata a mãe com uma flechada

Olodumare chamou Orunmilá
e o incumbiu de trazer-lhe uma codorna.
Orunmilá explicou-lhe as dificuldades de se caçar codorna
e rogou-lhe que lhe desse outra missão.
Contrariado, Olodumare foi reticente na resposta
e Orunmilá partiu mundo afora
a fim de saciar a vontade do seu Senhor.
Orunmilá embrenhou-se em todos os cantos da Terra.
Passou por muitas dificuldades, andou por povos distantes.
Muitas vezes foi motivo de deboche e negativas
acerca do que pretendia conseguir.
Já desistindo do intento e resignado a receber

de Olodumare o castigo que por certo merecia,
Orunmilá se pôs no caminho de volta.
Estava cansado e decepcionado consigo mesmo.

Entrou por um atalho e ouviu o som de cânticos.
A cada passo, Orunmilá sentia suas forças se renovando.
Sentia que algo de novo ocorreria.
Chegou a um povoado onde os tambores
tocavam louvores a Xangô, Iemanjá, Oxum e Obatalá.
No meio da roda, bailava uma linda rainha.
Era Oxum, que acompanhava com sua dança toda aquela celebração.
Bailando a seu lado estava um jovem corpulento e viril.
Era Oxóssi, o grande caçador.

Orunmilá apresentou-se e disse da sua vontade
de falar com aquele caçador.
Todos se curvaram perante sua autoridade
e trataram de trazer Oxóssi à sua presença.
O velho adivinho dirigiu-se a Oxóssi e disse
que Olodumare o havia encarregado de conseguir uma codorna.
Seria esta, agora, a missão de Oxóssi.
Oxóssi ficou lisonjeado com a honrosa tarefa
e prometeu trazer a caça na manhã seguinte.
Assim ficou combinado.

Na manhã seguinte, Orunmilá se dirigiu à casa de Oxóssi.
Para sua surpresa, o caçador apareceu na porta irado
e assustado, dizendo que lhe haviam roubado a caça.
Oxóssi, desorientado, perguntou à sua mãe sobre a codorna,
e ela respondeu com ares de desprezo,
dizendo que não estava interessada naquilo.
Orunmilá exigiu que Oxóssi lhe trouxesse outra codorna,

senão não receberia o *axé* de Olodumare.
Oxóssi caçou outra codorna, guardando-a no embornal.
Procurou Orunmilá
e ambos dirigiram-se ao palácio de Olodumare no Orum.
Entregaram a codorna ao Senhor do Mundo.
De soslaio Olodumare olhou para Oxóssi
e, estendendo seu braço direito, fez dele o Rei dos Caçadores.
Agradecido a Olodumare e agarrado a seu arco,
Oxóssi disparou uma flecha ao azar e disse que aquela deveria
ser cravada no coração de quem havia roubado a primeira codorna.
Oxóssi desceu à Terra.
Ao chegar em casa encontrou a mãe morta
com uma flecha cravada no peito.
Desesperado, pôs-se a gritar e por um bom tempo
ficou de joelhos inconformado com seu ato.
Negou, dali em diante, o título que recebera de Olodumare.
[54]

Oxóssi desobedece a Obatalá e não consegue mais caçar

Havia uma grande fome
e faltava comida na Terra.
Então Obatalá enviou Oxóssi para que ele aí caçasse
e provesse o sustento de todos os que estavam sem comida.
Oxóssi caçou tanto, mas tanto,
que ficou obsessivo:
ele queria matar e destruir tudo o que encontrasse.
Obatalá pediu-lhe que parasse de caçar,
mas Oxóssi desobedeceu.
Oxóssi continuou caçando.
Um dia encontrou uma ave branca, um pombo.

Sem se importar que os animais brancos são de Obatalá,
Oxóssi matou o pombo.
Obatalá voltou a pedir que ele não caçasse mais,
porém Oxóssi continuou caçando.
Uma noite Oxóssi encontrou um veado
e atirou nele muitas flechas.
Mas as flechas não lhe causaram nenhum dano.
Oxóssi aproximou-se mais
e flechou a cabeça do animal.
Nesse momento, o veado se iluminou.
Era Obatalá disfarçado,
ali, todo flechado por Oxóssi.
Oxóssi não conseguiu caçar nunca mais.
Profundo foi seu desgosto.
[55]

Oxóssi quebra o tabu e é paralisado com seu arco e flecha

Oxóssi caçava todo dia.
Todo dia ia à mata em busca de caça.
Mas tinha dia em que tudo era proibido.
As mulheres não vendiam no mercado.
Os homens não cultivavam os campos.
Os pescadores não pescavam.
Os guerreiros não guerreavam.
Os adivinhos não adivinhavam.
Os *ogãs* sacrificadores não matavam as oferendas.
Os caçadores não caçavam.
Era o grande dia das proibições,
era dia de *euó*.

Oxóssi ia à mata todo dia para a caça.
Mas tinha um dia em que tudo era tabu.
Oxóssi naquele dia não podia ir caçar.
Mas Oxóssi só pensava em si
e contrariou as determinações de Olodumare.
Penetrou na floresta e pôs-se a lançar flechas indiscriminadamente.
De repente, surgiu diante dele uma fera,
uma visão bestial, que Oxóssi desejou ardentemente abater.
Antes que Oxóssi lançasse sua flecha,
a besta transformou-se em Odudua.
Oxóssi entendeu o sentido dos tabus daquele dia.
O caçador aterrorizado gritou petrificado,
o arco esticado como se fosse atirar.
Ali ficou Oxóssi, o arco retesado,
o gesto de ataque parado no ar.
Ali ficou para sempre seu *ofá*, seu arco e flecha.
O *ofá* do caçador, o *ofá* do orixá.
[56]

Oxóssi é raptado por Ossaim

Oxóssi vivia com sua mãe Iemanjá
e com seu irmão Ogum.
Ogum cultivava o campo
e Oxóssi trazia caça das florestas.
A casa de Iemanjá era farta.
Mas Iemanjá tinha maus pressentimentos
e consultou o babalaô.
O adivinho lhe disse que proibisse Oxóssi
de ir caçar nas matas,
pois Ossaim, que reinava na floresta,

podia aprisionar Oxóssi.
Iemanjá disse ao filho que nunca mais fosse à floresta.
Mas Oxóssi, o caçador, era muito independente
e rejeitou os apelos da mãe.
Continuou indo às caçadas.
Um dia ele encontrou Ossaim,
que lhe deu de beber um preparado.
Oxóssi perdeu a memória.
Ossaim banhou o caçador com *abôs* misteriosos
e ele ficou no mato morando com Ossaim.

Ogum não se conformava com o rapto do irmão.
Foi à sua procura e não descansou até encontrá-lo.
Finalmente livrou Oxóssi e o trouxe de volta a casa.
Iemanjá, contudo, não perdoou o filho desobediente
e não quis recebê-lo em casa.
Ele voltou para as florestas,
onde até hoje mora com Ossaim.
Ogum, por sua vez, brigou com a mãe e foi morar na estrada.
Iemanjá passou a sentir demais a ausência dos dois filhos,
que ela praticamente expulsara de casa.
Tanto chorou Iemanjá, tanto chorou,
que suas lágrimas ganharam curso,
se avolumaram
e num rio Iemanjá se transformou.
[57]

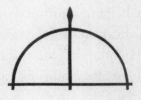

Odé mata o irmão que trai os seus segredos

Antes de sair para uma expedição de caça de sete dias,
Odé consultou o babalaô,
que o mandou oferecer um *ebó* para Exu
e lhe recomendou nunca beber bebida alcoólica
e ser sempre muito cauteloso com as pessoas que o cercavam.
Bebida e inveja alheia podiam ser sua perdição.
Acontece que o caçador tinha pressa e pouca atenção deu
aos avisos do adivinho.
Foi caçar.
Quando entrou na mata, Odé avistou três cervos
pacificamente descansando à sombra de um *iroco*.
No momento em que ia disparar sua flecha,
os cervos transformaram-se em três belas mulheres.
Pasmo, permaneceu escondido e observou
que as mulheres traziam na mão peles de cervo.
Elas esconderam as peles sob o *iroco*
e partiram em direção ao mercado.
Vendo-se sozinho, Odé apanhou as três peles
e correu para casa,
onde escondeu o produto do roubo.

Odé foi ao mercado e lá encontrou as três mulheres,
que cumprimentou com grande familiaridade.
Elas se assustaram com tal intimidade e fugiram.
O caçador foi atrás, sem se deixar ver.
Chegando junto ao *iroco*, elas não acharam as peles
e ficaram desesperadas.
Foi quando Odé apareceu e as saudou cerimoniosamente,
logo elogiando-lhes a beleza.
Elas estavam muito desconfiadas,

mas Odé as acalmou com seu encanto e simpatia
e conversaram amigavelmente por bom tempo.
Ele disse, por fim, que lhes devolveria as peles,
se concordassem em se casar com ele.
Elas aceitaram, mas impuseram condições:
não contar a ninguém nada referente à sua origem animal
e respeitar o tabu de cada uma delas.
Uma não podia comer nem ver preparar quiabo.
A outra não podia ver água derramada no chão.
A terceira não suportava lenha jogada aos seus pés.
Eram estas suas quizilas, seus tabus.
Odé concordou com as condições,
casou com elas e as levou para casa.
Foram morar todos com a grande família de Odé.
As esposas eram amorosas e muito trabalhadeiras.
Tiveram muitos filhos, que cresciam fortes e sadios.
Odé estava feliz.

Mas a inveja logo surgiu entre eles
e uma cunhada do caçador não se conformava
com a harmonia que havia entre Odé e suas mulheres.
Sentindo que havia algum segredo entre eles,
ela convenceu seu marido a arrancar a verdade do irmão.
O irmão de Odé sabia que o babalaô lhe dissera
que seu tabu era a bebida.
Um dia, ele embebedou o irmão
e Odé contou-lhe todos os segredos e tabus de suas mulheres.
Até mostrou o lugar onde guardava as peles.

A cunhada não esperou muito tempo para agir.
No dia seguinte, Odé saiu para a caça
e quando as esposas de Odé voltavam juntas do mercado

encontraram a cunhada na cozinha,
preparando uma enorme panela de quiabo.
Deixando a panela no fogo, a malévola mulher
foi ao quintal e trouxe um feixe de lenha,
que deixou cair bem perto delas.
Para completar, pegou um pote d'água
e despejou no chão todo o conteúdo.
As três mulheres queixavam-se em desespero e dor
enquanto a cunhada gritava, para quem quisesse ouvir,
que as três eram não mais que animais do mato,
que as três mulheres eram cervos da floresta.
Ela gritava e agitava no ar as peles,
que surrupiara de onde Odé as escondera.
As três esposas de Odé ficaram enlouquecidas
e, tomando suas peles, fugiram dali,
levando consigo os filhos de Odé,
abandonando o lar do caçador para sempre.

Quando Odé voltou para casa,
deu-se conta de que perdera as esposas e os filhos
e logo descobriu que a trama toda
fora perpetrada pelos próprios parentes.
Inconformado, apercebeu-se da armadilha do irmão,
que o embebedara, mesmo conhecendo seu tabu.
Deu-se conta de como, erroneamente, confiara no irmão.
Cada vez mais Odé perdia a cabeça.
Deu-se conta do *ebó* que não fizera,
que ainda devia a Exu.
Mais e mais desesperado ficava Odé,
mais e mais crescia seu ódio contra o irmão.
Odé experimentou, no fundo do coração,
o amargo desejo de vingança.

Atormentado e infeliz, Odé tomou do arco e flecha
e matou o irmão traidor.
[58]

Oxóssi é feito rei de Queto por Oxum

Oxóssi ia para uma caçada
buscar comida para sua gente
quando avistou Oxum nas águas doces.
Encantou-se imediatamente com sua beleza,
com seu deslumbramento nas águas cintilantes.
Oxóssi entrou no rio para alcançar o orixá
e lá ficou de amores com Oxum,
esquecendo-se da fome de sua tribo.

Seus companheiros sentiram-se traídos
e começaram a atirar flechas em Oxóssi.
Oxum, que já estava enamorada de Oxóssi,
começou a cantar uma cantiga de encantamento
para defendê-lo das mortíferas flechadas:
"A ti re okê.
Ati re nu balé ba re iô".
Dos perseguidores tiveram que fugir.
Oxum guiou Oxóssi na fuga.
Encontraram guarida na cidade de Queto,
onde Oxum deu a Oxóssi o posto de rei, o Alaqueto.
Assim, Oxóssi, o caçador, também foi rei do Queto.
[59]

Erinlé — Inlé — Ibualama

Erinlé — Inlé — Ibualama

Erinlé transforma-se em rio e encontra Oxum

Erinlé, o orixá caçador e guerreiro,
um dia conheceu Orunmilá e tornaram-se amigos.
Erinlé necessitava de dinheiro
e seu amigo Orunmilá emprestou-lhe o necessário.
O tempo passou e Orunmilá teve que voltar a Ifé.
Como Erinlé não tinha como saldar a dívida,
foi procurar a orientação do babalaô.
O oráculo mandou que fizesse oferendas,
pois assim conseguiria todo o dinheiro que devia e muito mais.
Mas as oferendas eram demasiadamente dispendiosas
e Erinlé não pôde fazer o sacrifício.
Erinlé, sem saída, estava completamente envergonhado.
Foi até o ermo local onde costumava caçar,
depositou seus instrumentos de caçador no chão
e desapareceu solo adentro.
Junto ao seu *ofá* restou apenas uma quartinha d'água.

Seus filhos, desesperados, procuraram Orunmilá
para orientá-los na busca do pai.
Orunmilá disse-lhes que talvez não o vissem nunca mais,
mas que fizessem oferendas
e teriam ao menos um sinal do caçador.
Os filhos de Erinlé o procuraram por tudo quanto era canto.
Um dia, chegando ao local misterioso onde Erinlé desaparecera,
depararam com as armas do pai junto à quartinha d'água.
Ali então ofereceram muitos galos por Erinlé,
chamando insistentemente pelo pai.
Logo a quartinha transbordou
e a água passou a jorrar em abundância,
escorrendo para o chão.
O jorro d'água tomou um curso mata adentro,
avolumou-se
e formou um novo rio,
que todos sabiam ser o próprio Erinlé.
Os parentes seguiram o rio, que os guiou até sua casa.
No caminho, Erinlé os fez saber que desejava
que os galos a ele oferecidos fossem soltos vivos.
Assim foi feito
e dizem que os galos de Erinlé estão vivos até hoje
e que ninguém ousa matá-los.
Erinlé, o rio, continuou a correr para sempre.
Em Edê, Erinlé encontra-se com outro rio.
É Oxum, o rio Oxum, que parte de Ijumu
e corre ao encontro de Erinlé.
Em Edê os dois se juntam num único caudaloso e calmo rio,
são as águas tranquilas que correm juntas para a lagoa.
Da união de Oxum com Erinlé nasceu Logum Edé.

Tempos depois, junto ao rio Erinlé,
num lugar chamado Ibualama, pela profundeza das águas,
os devotos instituíram um templo para Erinlé.
Por causa do nome do lugar,
o Caçador, que também se chama Inlé,
passou a ser conhecido como Ibualama.
[60]

Erinlé tem a língua cortada por Iemanjá

Erinlé era o mais belo dos caçadores.
Diziam que era andrógino,
mas disso não se tem certeza.
O que se sabe é que Inlé era dono
de uma beleza diferente e irresistível.
Tão belo que Iemanjá o amou assim que o viu.
Apaixonada, o raptou e o levou para o fundo do mar.
Satisfeitos os seus desejos, Iemanjá se cansou de Erinlé.
Então Iemanjá o devolveu ao mundo.
Mas Erinlé tinha visto os mistérios do mar
e passara a conhecer os seus enigmas.
Para que Erinlé não contasse os seus segredos,
Iemanjá cortou sua língua.
A partir de então é Iemanjá que responde por Erinlé.
Erinlé fala por intermédio de Iemanjá.
Erinlé é o mais belo dos caçadores.
[61]

Erinlé é acusado de roubar cabras e ovelhas

Em Ijebu viveu um caçador chamado Erinlé.
Ele era generoso e imbatível na caça.
Por isso era admirado pela maioria da população.
Mas havia alguns moradores que invejavam Erinlé
e que conspiravam para arruinar o caçador,
famoso pela caça de elefantes e de outros animais.
Decidiram roubar cabras e ovelhas do rei e culpar Erinlé.
O rei intimou quem soubesse algo sobre o roubo a dizê-lo.
Os conspiradores foram até o rei fazer a acusação.
Disseram que Erinlé roubava cabras e ovelhas,
escondia as peles em casa e dizia
que as carnes eram de animais selvagens.
O rei intimou Erinlé.
Houve um julgamento.
Os inimigos de Erinlé testemunharam contra ele.
O rei quis ouvir a defesa de Erinlé.
Houve testemunhos a favor dele.
Diante do impasse, o rei ponderou que Erinlé
parecia ser de fato um grande caçador,
mas teria que provar sua inocência.
Erinlé disse:
"Minha caça falará por mim.
Minha caça será minha testemunha".
Erinlé foi até sua casa e trouxe coisas para o rei.
Erinlé trouxe as peles dos animais selvagens que havia caçado.
Presas de elefantes e de javalis,
peles de gamos, veados e antílopes.
Então o rei reconheceu a inocência de Erinlé
e ordenou que ninguém mais tocasse no assunto.
Erinlé foi para casa, inocentado porém triste.

Erinlé nunca se conformou com a acusação que sofrera.
Erinlé pensava e não entendia a razão de tentarem desgraçá-lo.
Não quis mais caçar nem comer com os seus.
Em momentos de desespero fustigava o próprio corpo
com a sua chibata de cavaleiro, seu *bilala*.
Imaginava que seria acusado novamente
caso acontecesse outro roubo de animais.
Erinlé perdera completamente a vontade de caçar.
Então entrou na água de um rio próximo
e partiu de Ijebu, onde nunca mais foi visto.
E se tornou o orixá do rio.
Erinlé agora é o rio.
O rio Erinlé é Erinlé,
o orixá caçador que já não caça.
[62]

Erinlé é chamado Ibualama

Havia um caçador chamado Erinlé,
o grande caçador de elefantes.
Um dia uma mulher passava perto de um rio
e ali perto, junto ao bosque, avistou o caçador.
Ele pediu a ela que lhe desse água para beber.
A mulher entrou no rio até a altura dos joelhos
e, quando se inclinou para apanhar água,
ouviu de Erinlé a ordem de que entrasse mais fundo.

Mais fundo no rio entrou a mulher,
mas, percebendo que o rio ia afogá-la,
saiu imediatamente da água, com medo de ser morta.
Ela ouviu então a voz do caçador, que era o próprio rio,
reclamando que ela não lhe trazia oferenda alguma.
Ela queria recolher sua água, mas nada lhe dava em troca.
Ninguém pode entrar no rio profundo sem trazer presentes.
Tempos depois, quando Erinlé foi cultuado como orixá,
seus seguidores o chamaram de Ibualama,
que quer dizer "Água Profunda".
[63]

Logum Edé

Logum Edé

Logum Edé nasce de Oxum e Erinlé

Um dia Oxum Ipondá conheceu o caçador Erinlé
e por ele se apaixonou perdidamente.
Mas Erinlé não quis saber de Oxum.
Oxum não desistiu e procurou um babalaô.
Ele disse que Erinlé só se sentia atraído
pelas mulheres da floresta, nunca pelas do rio.
Oxum pagou o babalaô e arquitetou um plano:
embebeu seu corpo em mel e rolou pelo chão da mata.
Agora sim, disfarçada de mulher da mata,
procurou de novo o seu amor.
Erinlé se apaixonou por ela no momento em que a viu.

Um dia, esquecendo-se das palavras do adivinho,
Ipondá convidou Erinlé para um banho no rio.
Mas as águas lavaram o mel de seu corpo
e as folhas do disfarce se desprenderam.
Erinlé percebeu imediatamente como tinha sido enganado
e abandonou Oxum para sempre.
Foi-se embora sem olhar para trás.

Oxum estava grávida; deu à luz Logum Edé.
Logum Edé é metade Oxum, a metade rio,
e é metade Erinlé, a metade mato.
Suas metades nunca podem se encontrar
e ele habita num tempo o rio

e noutro tempo habita o mato.
Com o *ofá*, arco e flecha que herdou do pai, ele caça.
No *abebé*, espelho que recebeu da mãe, ele se mira.
[64]

Logum Edé é salvo das águas

Logum Edé era filho de Oxóssi com Oxum.
Era o príncipe do encanto e da magia.
Oxóssi e Oxum eram dois orixás muito vaidosos.
Orgulhosos, eles viviam às turras.
A vida do casal estava insuportável
e resolveram que era melhor se separar.
O filho ficaria metade do ano nas matas com Oxóssi
e a outra metade com Oxum no rio.
Com isso, Logum se tornou uma criança de personalidade dupla:
cresceu metade homem, metade mulher.
Oxum proibiu Logum Edé de brincar nas águas fundas,
pois os rios eram traiçoeiros para uma criança de sua idade.
Mas Logum era curioso e vaidoso como os pais.
Logum não obedecia à mãe.
Um dia Logum nadou rio adentro, para bem longe da margem.
Obá, dona do rio, para vingar-se de Oxum,
com quem mantinha antigas querelas,
começou a afogar Logum.
Oxum ficou desesperada
e pediu a Orunmilá que lhe salvasse o filho,
que a amparasse no seu desespero de mãe.
Orunmilá, que sempre atendia à filha de Oxalá,
retirou o príncipe das águas traiçoeiras e o trouxe salvo à terra.
Então deu-lhe a missão de proteger os pescadores

e a todos os que vivessem das águas doces.
Dizem que foi Oiá quem retirou Logum Edé da água
e terminou de criá-lo juntamente com Ogum.
[65]

Logum Edé devolve a visão a Erinlé

Logum Edé era um faceiro caçador.
Erinlé o conheceu e foram caçar juntos.
Eram filho e pai, mas um do outro não sabia.
Logum Edé era muito sedutor
e Erinlé se apaixonou por ele.
Ambos caçavam mais que todo mundo;
eram os dois os maiores dos *odés*.
Logum Edé flechava todos os pássaros,
mas respeitava os pássaros das feiticeiras.
Com as Iá Mi Oxorongá tinha esse pacto
e delas guardava alguns segredos.
Levava a tiracolo o *adô* que ganhara das velhas bruxas,
um bornal repleto de fórmulas mágicas e mistérios.

Um dia Logum Edé se distraiu
e Erinlé matou o pássaro proibido.
As Iá Mi imediatamente se vingaram
e mandaram um feitiço que cegou a ambos.
Logum Edé então abriu o *adô* que carregava
e retirou o mistério das Iá Mi.
Pôde com ele devolver a Erinlé
a luz do sol e o brilho das estrelas.
Cego, partiu Logum seguido por Erinlé
e acabaram chegando à lagoa

onde Oxum se banhava e lavava suas pulseiras.
Logum Edé aproximou a mãe do companheiro
e dentro d'água um amor antigo renasceu.
Dessa nova união de Erinlé e Oxum
nasceu um novo rio, o rio Inlé,
e nasceu um peixe que foi montado por Logum.
Nas águas de Inlé nadou o peixe
e levou Logum Edé para as profundezas.
Foi lá que Logum Edé conheceu Iemanjá,
que o adotou e lhe deu riquezas de seu reino.
Nas margens desse rio ele vive, desde então, por certo tempo,
voltando a viver na mata no tempo seguinte.
Logum Edé, o caçador das matas,
ganhou assim os peixes de Iemanjá.
[66]

Logum Edé rouba segredos de Oxalá

Logum Edé era um caçador solitário e infeliz, mas orgulhoso.
Era um caçador pretensioso e ganancioso,
e muitos o bajulavam pela sua formosura.
Um dia Oxalá conheceu Logum Edé
e o levou para viver em sua casa sob sua proteção.
Deu a ele companhia, sabedoria e compreensão.
Mas Logum Edé queria muito mais, queria mais.
E roubou alguns segredos de Oxalá.
Segredos que Oxalá deixara à mostra,
confiando na honestidade de Logum.
O caçador guardou seu furto num embornal a tiracolo, seu *adô*.
Deu as costas a Oxalá
e fugiu.

Não tardou para Oxalá dar-se conta da traição
do caçador que levara seus segredos.
Oxalá fez todos os sacrifícios que cabia oferecer
e muito calmamente sentenciou
que toda vez que Logum Edé usasse um dos segredos
todos haveriam de dizer sobre o prodígio:
"Que maravilha o milagre de Oxalá!".
Toda vez que usasse seus segredos
alguma arte não roubada ia faltar.

Oxalá imaginou o caçador sendo castigado
e compreendeu que era pequena a pena imposta.
O caçador era presumido e ganancioso,
acostumado a angariar bajulação.
Oxalá determinou que Logum Edé fosse homem
num período e no outro depois fosse mulher.
Nunca haveria assim de ser completo.
Parte do tempo habitaria a floresta vivendo da caça,
e noutro tempo, no rio, comendo peixe.
Nunca haveria assim de ser completo.
Começar sempre de novo era sua sina.
Mas a sentença era ainda nada
para o tamanho do orgulho do Odé.
Para que o castigo durasse a eternidade,
Oxalá fez de Logum Edé um orixá.
[67]

Logum Edé é possuído por Oxóssi

Logum Edé era filho de Oxum e Oxóssi,
mas, abandonado pela mãe, fora criado por Oiá.

Logum Edé não se dava muito bem com o pai,
que era demasiadamente rude com o menino,
mas gostava muito da companhia da mãe de sangue.
Como Oxum vivia no palácio das *aiabás*, as rainhas de Xangô,
onde homem era proibido de entrar, sob ameaça de morte,
Logum Edé, para visitar a mãe, vestia-se com os trajes dela
e lá passava dias e dias disfarçado na companhia da mãe
e das demais mulheres, que o cobriam de gentilezas.

Um dia houve uma grande festa no Orum
e todos os orixás compareceram com suas melhores roupas.
Logum Edé, contudo, não tinha roupas apropriadas,
pois habitava o mato na beira do rio,
como um pescador e caçador que de fato era,
e como tal rudemente se vestia.
Desejando demais comparecer à festa,
Logum lembrou-se das roupas da mãe com que se disfarçava.
Assim, foi ao palácio e roubou um belo traje de Oxum,
vestiu-o e foi à festa como os demais.
Todos ficaram muito admirados com sua beleza e elegância.
"Quem é aquela formosura tão parecida com Oxum?", perguntavam.
Ifá, que era muito curioso, chegou bem perto de Logum Edé
e levantou o filá de contas que escondia o rosto do rapaz.
Logum Edé ficou desesperado,
pois logo todos saberiam de sua farsa.
Saiu então correndo do salão para esconder-se na floresta.
Foi quando Oxóssi o avistou e o seguiu, sem o reconhecer.
Oxóssi encantou-se com sua beleza e o perseguiu mata adentro.
E, junto do rio, quando o cansaço venceu Logum Edé
e ele caiu, Oxóssi atirou-se sobre ele e o possuiu.
[68]

Otim

Otim

Otim esconde que nasceu com quatro seios

Oquê, rei da cidade de Otã, tinha uma filha.
Ela nascera com quatro seios
 e era chamada Otim.
O rei Oquê adorava a filha e não permitia
que ninguém soubesse de sua deformação.
Este era o segredo de Oquê.
Este era o segredo de Otim.
Quando Otim cresceu, o rei a aconselhou
a nunca se casar.
Pois um marido, por mais que a amasse,
um dia se aborreceria com ela
e revelaria ao mundo seu vergonhoso segredo.
Otim ficou muito triste, mas acatou o conselho do pai.
Por muitos anos Otim viveu em Igbajô, uma cidade vizinha,
onde trabalhava no mercado.
Um dia um caçador chegou ao mercado.
Ficou tão impressionado com a beleza de Otim
que insistiu em casar-se com ela.
Otim recusou seu pedido por diversas vezes,
mas, diante da insistência do caçador,
concordou,
impondo uma condição:
o caçador nunca deveria mencionar seus quatro seios
a ninguém.
O caçador concordou

MITOLOGIA DOS ORIXÁS / 144

e impôs também a sua condição:
Otim jamais deveria pôr mel de abelhas na comida dele.
Porque isso era seu tabu, seu *euó*.

Por muitos anos Otim viveu feliz com o marido.
Mas como ela era a esposa favorita,
as outras esposas do caçador sentiam-se muito enciumadas.
Um dia as outras esposas reuniram-se
e tramaram contra Otim.
Era o dia de Otim cozinhar para o marido
e ela preparava um prato de milho amarelo cozido
enfeitado com fatias de coco,
o predileto do caçador.
Quando Otim deixou a cozinha por alguns minutos,
as outras sorrateiramente puseram mel na comida.

Quando o caçador chegou em casa
e sentou-se para comer,
percebeu imediatamente o sabor do ingrediente proibido.
Furioso, bateu em Otim
e lhe disse as coisas mais cruéis,

revelando seu segredo:
"Tu, com teus quatro seios, sua filha de uma vaca!,
como ousaste quebrar o meu tabu?".
A novidade espalhou-se pela cidade como fogo.
Otim, a mulher de quatro seios, era ridicularizada por todos.
Sentindo-se coberta de vergonha,
Otim fugiu de casa e deixou a cidade do marido.
Voltou para sua cidade Otã
e refugiou-se no palácio do pai.
O velho rei a confortou, mas ele sabia
que a notícia chegaria também à sua cidade.
Em desespero,
Otim fugiu para a floresta.
Ao correr na mata, tropeçou e caiu.
Nesse momento
Otim transformou-se num rio
e o rio correu para o mar.
Seu pai, que a seguia,
viu que havia perdido a filha.
Lá ia o rio fugindo para o mar.
Querendo impedir o rio de continuar a fuga,
desesperado, ele atirou-se ao chão
e, ali onde caiu, transformou-se na montanha.
Ali estava Oquê, a montanha,
impedindo o caminho do rio Otim para o mar.
Mas Otim contornou a montanha
e seguiu seu curso.
Oquê, a montanha, e Otim, o rio,
são cultuados até hoje em Otã.
Odé, o caçador, nunca se esqueceu de sua mulher.
[69]

Otim aprende a caçar com Oxóssi

Otim era um rapaz cheio de segredos.
Misterioso e arredio, vivia escondido no palácio.
Não tinha amigos, nem amores,
nem mesmo uma ocupação que o alegrasse para a vida.
Ninguém no palácio deixava Otim em paz,
convidando-o para festas,
obrigando-o a conhecer gente
que não lhe interessava.
Um dia Otim montou em seu cavalo
e fugiu.
Deixou para trás tudo o que era seu
e embrenhou-se na mata que cercava a cidade,
pensando que ali poderia, finalmente,
viver solitário, como era seu desejo.
Mas Otim fora um filho mimado
e nunca tinha tido que trabalhar para viver.
Logo descobriu que estava sozinho, sim,
como sempre desejara estar,
mas que tinha fome
e não sabia como preparar comida
e muito menos como obter o que comer.
Otim estava cansado, faminto e sedento.
Deitou-se junto a um tronco,
dormiu e sonhou.
Sonhou que um caçador mandava que fizesse um *ebó*,
oferecendo suas roupas e sua faca,
tudo o que ele tinha para defender-se na floresta.
Otim acordou assustado e fez o que lhe fora recomendado.
Tirou suas roupas
e as depositou junto com a faca

sob uma densa moita de arbustos
à beira dum riacho.
Tudo o que Otim sempre escondera
agora estava à mostra,
mas, por alguma razão, ele não se envergonhou
de seu corpo de donzela,
o segredo que o fazia tão infeliz e solitário.

Foi neste exato momento que surgiu da mata o caçador.
Era Oxóssi, com seu *ofá*, carregando preás recém-caçados.
Oxóssi tomou a faca do *ebó*
e com ela abriu os animais.
Com as peles cobriu Otim.
Com as carnes o alimentou.
Nunca perguntou nada a Otim.
O novo habitante da floresta passou a acompanhar o caçador
e com ele foi aprendendo a arte de caçar.
Como sentir no ar a presença da caça,
como preparar uma tocaia,
ali ficando imóvel e atento por horas a fio,
como escolher a flecha certa para cada animal,

como decidir o momento do disparo,
como abrir o animal e separar a pele,
as carnes, o resto,
como acondicionar e cozinhar a presa.
E assim por diante.
Quando Otim já era um caçador completo,
partiu em busca de seus próprios caminhos.
Mas até hoje eles às vezes se juntam para caçar.
Quando passa um bando de *odés* pelas cidades,
carregando seus *ofás*, suas peles
e seus bichos abatidos,
há quem reconheça, entre eles,
as figuras de Otim e de Oxóssi.
Há até mesmo quem confunda os dois,
tomando um pelo outro.
Mas só Oxóssi conhece o segredo de Otim.
[70]

Ossaim

Ossaim

Ossaim recusa-se a cortar as ervas miraculosas

Ossaim era o nome de um escravo que foi vendido a Orunmilá.
Um dia ele foi à floresta e lá conheceu Aroni,
que sabia tudo sobre as plantas.
Aroni, o gnomo de uma perna só, ficou amigo de Ossaim
e ensinou-lhe todo o segredo das ervas.
Um dia, Orunmilá, desejoso de fazer uma grande plantação,
ordenou a Ossaim
que roçasse o mato de suas terras.
Diante de uma planta que curava dores,
Ossaim exclamava:
"Esta não pode ser cortada, é a erva que cura as dores".
Diante de uma planta que curava hemorragias, dizia:
"Esta estanca o sangue, não deve ser cortada".
Em frente de uma planta que curava a febre, dizia:
"Esta também não, porque refresca o corpo".
E assim por diante.
Orunmilá, que era um babalaô muito procurado por doentes,
interessou-se então pelo poder curativo das plantas
e ordenou que Ossaim ficasse junto dele nos momentos de consulta,
que o ajudasse a curar os enfermos com o uso das ervas miraculosas.
E assim Ossaim ajudava Orunmilá a receitar
e acabou sendo conhecido como o grande médico que é.
[71]

Ossaim dá uma folha para cada orixá

Ossaim, filho de Nanã e irmão de Oxumarê, Euá e Obaluaê,
era o senhor das folhas, da ciência e das ervas,
o orixá que conhece o segredo da cura e o mistério da vida.
Todos os orixás recorriam a Ossaim
para curar qualquer moléstia, qualquer mal do corpo.
Todos dependiam de Ossaim na luta contra a doença.
Todos iam à casa de Ossaim oferecer seus sacrifícios.
Em troca Ossaim lhes dava preparados mágicos:
banhos, chás, infusões, pomadas,
abô, beberagens.
Curava as dores, as feridas, os sangramentos;
as disenterias, os inchaços e fraturas;
curava as pestes, febres, órgãos corrompidos;
limpava a pele purulenta e o sangue pisado;
livrava o corpo de todos os males.
Um dia Xangô, que era o deus da justiça,
julgou que todos os orixás deveriam compartilhar o poder de Ossaim,
conhecendo o segredo das ervas e o dom da cura.
Xangô sentenciou
que Ossaim dividisse suas folhas com os outros orixás.
Mas Ossaim negou-se a dividir suas folhas com os outros orixás.
Xangô então ordenou
que Iansã soltasse o vento e trouxesse ao seu palácio
todas as folhas das matas de Ossaim
para que fossem distribuídas aos orixás.
Iansã fez o que Xangô determinara.
Gerou um furacão que derrubou as folhas das plantas
e as arrastou pelo ar em direção ao palácio de Xangô.
Ossaim percebeu o que estava acontecendo e gritou:
"Euê uassá!".

"As folhas funcionam!"
Ossaim ordenou às folhas que voltassem às suas matas
e as folhas obedeceram às ordens de Ossaim.
Quase todas as folhas retornaram para Ossaim.
As que já estavam em poder de Xangô perderam o *axé*,
perderam o poder de cura.

O orixá-rei, que era um orixá justo,
admitiu a vitória de Ossaim.
Entendeu que o poder das folhas devia ser exclusivo de Ossaim
e que assim devia permanecer através dos séculos.
Ossaim, contudo, deu uma folha para cada orixá,
deu uma *euê* para cada um deles.
Cada folha com seus *axés* e seus *ofós*,
que são as cantigas de encantamento,
sem as quais as folhas não funcionam.
Ossaim distribuiu as folhas aos orixás
para que eles não mais o invejassem.
Eles também podiam realizar proezas com as ervas,
mas os segredos mais profundos ele guardou para si.
Ossaim não conta seus segredos para ninguém,
Ossaim nem mesmo fala.
Fala por ele seu criado Aroni.
Os orixás ficaram gratos a Ossaim
e sempre o reverenciam quando usam as folhas.
[72]

Ossaim cobra por todas as curas que realiza

Desde pequeno Ossaim andava metido mata adentro.
Conhecia todas as folhas e seus segredos.

De cada qual sabia o encantamento apropriado.
Sabia empregá-las na cura de doenças e outros males
e com elas preparava beberagens, banhos e unguentos,
que carregava consigo em miraculosas cabacinhas.
Um dia Ossaim resolveu partir pelo mundo,
sempre portando seus mágicos *atós*, as cabacinhas.
Sua fama o antecipava.
Por onde andava era aclamado o grande curandeiro.
Certa vez salvou a vida de um rei,
que em troca quis lhe dar muitas riquezas.
Ossaim não aceitou nada daquilo,
somente recebia os honorários justos
que eram pagos a qualquer médico ou feiticeiro.

Tempos depois sua mãe caiu enferma
e seus irmãos foram buscá-lo para tratar dela.
Ossaim chegou com suas folhas e *atós* de remédios,
mas estipulou um pagamento de sete búzios pela cura.
Os irmãos se espantaram com a exigência,
porém, mesmo a contragosto, pagaram a quantia pedida
e a mãe foi salva.
O dinheiro era parte da magia,
que tem seus encantamentos, fórmulas e preceitos,
que nem mesmo Ossaim pode mudar.
Ossaim curou a mãe e seguiu o seu caminho,
como a folha que é livre e o vento leva.

[73]

Ossaim imita um pássaro e casa com a filha do rei

Um rei decidiu casar a sua filha mais velha.
Dá-la-ia em casamento ao pretendente
que adivinhasse o nome de suas três filhas.
Ossaim aceitou o desafio.
À tarde, Ossaim saiu sorrateiro por trás do palácio.
Subiu no pé de *obi* e se escondeu entre seus galhos.
Quando as três princesinhas saíram para brincar,
foram surpreendidas por um canto que vinha daquela árvore.
Era o canto de pássaro irresistível,
de um passarinho das matas de Ossaim.
Mas o canto era de Ossaim, imitando o pássaro.
O passarinho brincou com as três princesas
e conseguiu assim saber o nome delas.
Aió Delê, Omi Delê e Onã Inã,
eram estes os nomes das filhas do rei.
Sua esperteza havia dado certo.
No dia seguinte Ossaim foi ao rei
e declamou a ele o nome das princesas.
Ossaim então casou-se com a mais velha.
Sua esperteza havia dado certo.
Ossaim desde então é identificado com o pássaro.
[74]

Ossaim vinga-se dos pais por o deixarem nu

Quando Ossaim nasceu, seus pais não lhe deram roupa alguma,
de modo que ele foi criado andando sempre nu.
Ossaim foi crescendo e com ele seu ressentimento.
Logo que pôde, Ossaim fugiu de casa,

embrenhando-se na floresta, onde podia esconder sua nudez,
cobrindo suas vergonhas com folhas do mato.
No mato Ossaim aprendeu muitos encantamentos,
que aplicou contra o pai, desejoso de vingança.
O pai ficou doente, não podendo respirar.
Como ninguém conseguia curar o homem,
foram procurar Ossaim, para saber o que fazer com o velho.
Ossaim disse que o pai tinha uma roupa,
uma calça e um gorro, que devia dar a ele, Ossaim.
Assim foi feito e o velho se curou,
depois que Ossaim manipulou o seu *ebó*.
Ossaim podia então andar vestido,
não tendo mais que se cobrir com folhas.

Então foi a vez da mãe.
Ossaim fez um trabalho no mato
e sua mãe foi acometida de incuráveis dores de barriga.
Ossaim saiu pelo mundo e mensageiros foram procurá-lo.
Aos mensageiros que queriam saber o que fazer com a mãe,
disse Ossaim ter ela um pano que devia dar a ele,
um pano de listras brancas, pretas e vermelhas.
Assim foi feito e a mulher sarou.
Tempo depois, Ossaim teve um filho
e pensou que seu filho poderia fazer a ele
o que ele fizera com seus pais.
Ele matou o filho e queimou seu corpo,
guardando o pó preto que sobrou da combustão.
Foi com esse pó que, anos mais tarde, o rei foi curado por Ossaim.
E o rei, em sinal de gratidão e apreço,
pediu a Ossaim que ficasse a seu lado para sempre,
dividindo com ele suas riquezas.
[75]

Ossaim vem dançar na festa dos homens

Houve um tempo em que os deuses não atendiam mais
aos pedidos dos homens.
Tudo o que era pedido saía às avessas.
Os homens, então, organizaram festas para os orixás.
Cada semana um orixá era homenageado.
Assim andavam as coisas quando um babalaô advertiu:
"Nós teremos uma surpresa vinda do mundo dos orixás".
Certa noite, quando estavam homenageando Ossaim,
a festa foi interrompida pela chegada
de um homem estranho, de traje e modos nobres,
montado em um antílope.
Os homens não o reconheceram,
mas o receberam muito bem,
pois parecia ser alguém importante, apesar de ter uma perna só.
Os sacerdotes mostraram-lhe todo o lugar
e contaram-lhe seus problemas em relação aos deuses.
A festa recomeçou muito animada
e o estranho homem era o que mais dançava.
Ele parecia nunca se cansar.
Quando ele já havia dançado toda a noite
e todos já estavam exaustos, a montaria do homem falou:
"Vamos, já está na hora de voltarmos".
Ele foi embora e todos ficaram admirados em ver um animal falar.
Os homens, então, descobriram
que aquele homem que viera dançar era Ossaim.
Ossaim gosta de passar despercebido.
Ossaim também gosta de fazer surpresas.
Ele viera dançar com os homens
e quem sabe levaria os seus pedidos aos outros orixás.
[76]

Ossaim tem as suas oferendas rejeitadas por Orunmilá

Era o dia da grande festa em homenagem a Orunmilá.
Ossaim, que recebeu de Orunmilá o poder sobre as folhas,
estava na porta de sua casa, muito triste e preocupado.
Por ali passou Xangô,
que perguntou a Ossaim o que estava acontecendo,
qual o motivo de tanta tristeza.
Ossaim respondeu que estava triste
porque não poderia ir à festa de Orunmilá.
Naquele ano sua plantação só tinha dado abóboras.
E os inhames, que era o que ele deveria levar para Orunmilá,
eram muito poucos, quase nada.
Xangô disse que isso não tinha importância
e que ele deveria ir assim mesmo.
Ossaim, desolado, disse que não queria ir,
mas pediu a Xangô
que entregasse seus inhames e suas abóboras para Orunmilá.
Quando Xangô chegou ao palácio de Orunmilá,
todos os orixás lá estavam.
Eles haviam trazido grandes quantidades de inhame,
o suficiente para abarrotar muitas tulhas.
Xangô descarregou os dele e fez o seu monte,
juntando aos seus os inhames de Ossaim.
Depois pegou só as abóboras de Ossaim e fez um outro monte.
Orunmilá viu a pilha de inhames que Xangô havia trazido
e ficou muito satisfeito.
Depois viu o monte de abóboras ao lado
e perguntou a Xangô de quem vinham.
Xangô, com mal disfarçada expressão de reprovação,
respondeu que as abóboras eram presente de Ossaim.
Orunmilá recusou a oferenda

e mandou devolver as abóboras a Ossaim.
Ossaim ficou muito triste quando viu as abóboras de volta.
Desde o episódio da devolução das abóboras,
Ossaim começou a passar por necessidade.
Quase nem tinha o que comer.
Alguns dias depois, Ossaim estava com tanta fome
que resolveu cozinhar uma das abóboras rejeitadas por Orunmilá.
Quando abriu a abóbora, Ossaim tomou um grande susto:
em vez de sementes, seu interior estava recheado de dinheiro.
Ossaim, então, partiu outra abóbora e outra e mais outra,
e todas estavam repletas de dinheiro.
Ossaim, que era pobre, tinha a riqueza dentro de casa e não sabia.
Com as suas abóboras Ossaim tornou-se rico e respeitado.
[77]

Ossaim é mutilado por Orunmilá

Ossaim vivia numa guerra não declarada contra Orunmilá,
procurando sempre enganá-lo,
preparando armadilhas, para transtorno do velho.
Um dia Orunmilá foi consultar Xangô para descobrir
quem seria aquele inimigo oculto que o atormentava.
Xangô aconselhou-o a fazer oferendas.
Devia oferecer doze mechas de algodão em chamas
e doze pedras de raio, *edum ará*.
Se isso fosse feito, seria desvendado o segredo.
Ao iniciar o ritual, Orunmilá invocou o poder do fogo.
No mesmo momento, Ossaim andava pela mata procurando
novamente algo para enfeitiçar Orunmilá.
Ossaim foi surpreendido por um raio,
que lhe mutilou o braço e a perna

e o cegou de um olho.
Orunmilá seguiu para o local onde se via o fogo
e ouviu gemidos do aleijado.
Ao tentar ajudar a vítima, encontrou Ossaim,
descobrindo por fim quem era seu misterioso inimigo.
[78]

Iroco

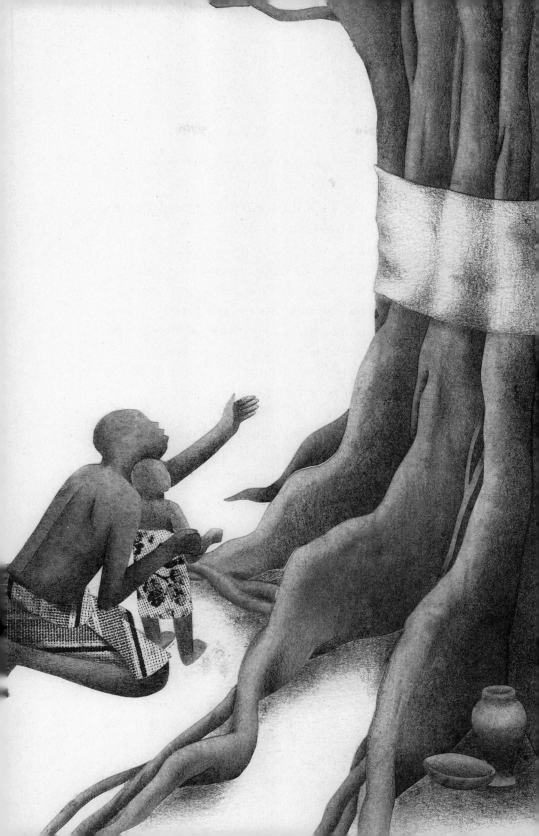

Iroco

Iroco castiga a mãe que não lhe dá o filho prometido

No começo dos tempos, a primeira árvore plantada foi Iroco.
Iroco foi a primeira de todas as árvores,
mais antiga que o mogno, o pé de *obi* e o algodoeiro.
Na mais velha das árvores de Iroco, morava seu espírito.
E o espírito de Iroco era capaz de muitas mágicas e magias.
Iroco assombrava todo mundo, assim se divertia.
À noite saía com uma tocha na mão, assustando os caçadores.
Quando não tinha o que fazer, brincava com as pedras
que guardava nos ocos de seu tronco.
Fazia muitas mágicas, para o bem e para o mal.
Todos temiam Iroco e seus poderes
e quem o olhasse de frente enlouquecia até a morte.

Numa certa época, nenhuma das mulheres da aldeia engravidava.
Já não havia crianças pequenas no povoado
e todos estavam desesperados.
Foi então que as mulheres tiveram a ideia
de recorrer aos mágicos poderes de Iroco.
Juntaram-se em círculo ao redor da árvore sagrada,
tendo o cuidado de manter as costas voltadas para o tronco.
Não ousavam olhar para a grande planta face a face,
pois os que olhavam Iroco de frente enlouqueciam e morriam.
Suplicaram a Iroco, pediram a ele que lhes desse filhos.
Ele quis logo saber o que teria em troca.
As mulheres eram, em sua maioria, esposas de lavradores

e prometeram a Iroco milho, inhame, frutas, cabritos e carneiros.
Cada uma prometia o que o marido tinha para dar.
Uma das suplicantes, chamada Olurombi, era a mulher do
    entalhador
e seu marido não tinha nada daquilo para oferecer.
Olurombi não sabia o que fazer e, no desespero,
prometeu dar a Iroco o primeiro filho que tivesse.

Nove meses depois a aldeia alegrou-se
com o choro de muitos recém-nascidos.
As jovens mães, felizes e gratas, foram levar a Iroco suas prendas.
Em torno do tronco de Iroco depositaram suas oferendas.
Assim Iroco recebeu milho, inhame, frutas, cabritos e carneiros.
Olurombi contou toda a história ao marido,
mas não pôde cumprir sua promessa.
Ela e o marido apegaram-se demais ao menino prometido.
No dia da oferenda, Olurombi ficou de longe,
segurando nos braços trêmulos, temerosa, o filhinho tão querido.
E o tempo passou.
Olurombi mantinha a criança longe da árvore
e, assim, o menino crescia forte e sadio.
Mas, um belo dia, passava Olurombi pelas imediações do Iroco,
entretida que estava, vindo do mercado,
quando, no meio da estrada, bem na sua frente,
saltou o temível espírito da árvore.
À apavorada mulher do entalhador disse Iroco:
"Tu me prometeste o menino
e não cumpriste a palavra dada.
Transformo-te então num pássaro,
para que vivas sempre aprisionada em minha copa".
E transformou Olurombi num pássaro
e ele voou para a copa de Iroco
para ali viver para sempre.

Olurombi nunca voltou para casa,
e o entalhador a procurou em vão por toda parte.
Ele mantinha o menino em casa, longe de todos.
Mas os que passavam perto da árvore
ouviam sempre um pássaro cantar
uma estranha cantiga sobre oferenda feita a Iroco.

Até que um dia, quando o artesão se aproximou dali,
ele próprio escutou o tal pássaro, que cantava assim:
"Uma prometeu milho e deu o milho,
outra prometeu inhame e trouxe inhames,
uma prometeu frutas e entregou as frutas,
outra deu o cabrito e outra, o carneiro,
sempre conforme a promessa que foi feita.
Só quem prometeu a criança
não cumpriu o prometido".
Ouvindo o relato de uma história que julgava esquecida,
o marido de Olurombi entendeu tudo imediatamente.
Sim, só podia ser Olurombi, enfeitiçada por Iroco.
Ele tinha que salvar sua mulher!
Mas como, se amava tanto seu pequeno filho?
Ele pensou e pensou e teve uma grande ideia.
Foi à floresta, escolheu o mais belo lenho de Iroco,
levou-o para casa e começou a entalhar.

Da madeira entalhada fez uma cópia do rebento,
o mais perfeito boneco que jamais havia esculpido.
Fez o boneco com os doces traços do filho,
sempre alegre, sempre sorridente.
Depois poliu e pintou o boneco com esmero,
preparando-o com a água perfumada das ervas sagradas.
Vestiu a figura de pau com as melhores roupas do menino
e a enfeitou com ricas joias de família e raros adornos.
Quando pronto, ele levou o menino de pau a Iroco
e o depositou aos pés da árvore sagrada.
Iroco gostou muito do presente.
Era o menino que ele tanto esperava!
E o menino sorria sempre, uma imutável expressão de alegria.
Iroco apreciou sobremaneira o fato
de que o garoto jamais se assustava quando seus olhos se cruzavam.
Não fugia dele como os demais mortais,
não gritava de pavor
nem lhe dava as costas, com medo de o olhar de frente.
Iroco estava feliz.
Embalando a criança,
seu pequeno menino de pau,
batia ritmadamente com os pés no solo
e cantava animadamente.
Tendo sido paga, enfim, a velha promessa,
Iroco devolveu a Olurombi a forma de mulher.
Aliviada e feliz, ela voltou para casa,
voltou para o marido artesão
e para o filho, já crescido e enfim livre da promessa.

Alguns dias depois, os três levaram para Iroco muitas oferendas.
Levaram *ebós* de milho, inhame, frutas, cabritos e carneiros,
laços de tecido de estampas coloridas para adornar o tronco da árvore.

Eram presentes oferecidos por todos os membros da aldeia,
felizes e contentes com o retorno de Olurombi.
Até hoje todos levam oferendas a Iroco.
Porque Iroco dá o que os devotos pedem.
E todos dão para Iroco o prometido.
[79]

Iroco ajuda a feiticeira a vingar o filho morto

Iroco era um homem bonito e forte
e tinha duas irmãs.
Uma delas era Ajé, a feiticeira,
a outra era Ogboí, que era uma mulher comum.
Ajé era feiticeira, Ogboí, não.
Iroco e suas duas irmãs vieram juntos do Orum
para habitar no Aiê.
Iroco foi morar numa frondosa árvore
e suas irmãs, em casas comuns.
Ogboí teve dez filhos
e Ajé teve só um, um passarinho.

Um dia, quando Ogboí teve que se ausentar,
deixou os dez filhos sob a guarda de Ajé.
Ela cuidou bem das crianças até a volta da irmã.
Mais tarde, quando Ajé teve também que viajar,
deixou o filho-pássaro com Ogboí.
Foi então que os filhos de Ogboí pediram à mãe
que queriam comer um passarinho.
Ela lhes ofereceu uma galinha,
mas eles, de olhos no primo, recusaram.
Gritavam de fome, queriam comer,

mas tinha que ser um pássaro.
A mãe foi então à floresta caçar passarinhos,
que seus filhos insistiam em comer.
Na ausência da mãe, os filhos de Ogboí mataram,
cozinharam e comeram o filho de Ajé.
Quando Ajé voltou e se deu conta da tragédia,
partiu desesperada à procura de Iroco.
Iroco a recebeu em sua árvore, onde mora até hoje.
E de lá, Iroco vingou Ajé,
lançando golpes sobre os filhos de Ogboí.
Desesperada com a perda de metade de seus filhos
e para evitar a morte dos demais,
Ogboí ofereceu sacrifícios para o irmão Iroco.
Deu-lhe um cabrito e outras coisas
e mais um cabrito para Exu.
Iroco aceitou o sacrifício e poupou os demais filhos.
Ogboí é a mãe de todas as mulheres comuns,
mulheres que não são feiticeiras,
mulheres que sempre perdem filhos
para aplacar a cólera de Ajé e de suas filhas feiticeiras.
Iroco mora na gameleira-branca
e trata de oferecer a sua justiça
na disputa entre as feiticeiras e as mulheres comuns.
[80]

Iroco engole a devota que não cumpre a interdição sexual

Era uma vez uma mulher sem filhos,
que ansiava desesperadamente por um herdeiro.
Ela foi consultar o babalaô
e o babalaô lhe disse como proceder.

Ela deveria ir à árvore de Iroco
e a Iroco oferecer um sacrifício.
Comidas e bebidas que ele prescreveu
a mulher concordou em oferecer.
Com panos vistosos ela fez laços
e com os laços enfeitou o pé de Iroco.
Aos seus pés depositou o seu *ebó*,
tudo como mandara o adivinho.
Mas de importante preceito ela se esqueceu.
A mulher que queria ter um filho
deu tudo a Iroco, quase tudo.
O babalaô mandara que nos três dias antes do *ebó*
ela deixasse de ter relações sexuais.
Só então, assim, com o corpo limpo,
deveria entregar o *ebó* aos pés da árvore sagrada.
A mulher disso se esqueceu
e não negou deitar-se com o marido
nos três dias que precediam o *ebó*.

Iroco irritou-se com a ofensa,
abriu uma grande boca em seu grosso tronco
e engoliu quase totalmente a mulher,
deixando de fora só os ombros e a cabeça.
A mulher gritava feito louca por ajuda
e toda a aldeia correu para o velho Iroco.
Todos assistiam ao desespero da mulher.
O babalaô foi também até a árvore e fez seu jogo
e o jogo que o babalaô fez para a mulher
revelou sua ofensa, sua oferta com o corpo sujo,
porque para fazer oferenda a Iroco
é preciso ter o corpo limpo
e isso ela não tinha.

Mas a mulher estava arrependida
e a grande árvore deixou que ela fosse libertada.
Toda a aldeia ali reunida regozijou-se pela mulher.
Todos cantaram e dançaram de alegria.
Todos deram vivas a Iroco.

Tempos depois a mulher percebeu que estava grávida
e preparou novos laços de vistosos panos
e enfeitou agradecida a planta imensa.
Tudo ofereceu-lhe do melhor,
antes resguardando-se para ter o corpo limpo.
Quando nasceu o filho tão esperado,
ela foi ao babalaô e ele leu o futuro da criança:
deveria ser iniciada para Iroco.
Assim foi feito e Iroco teve muitos devotos.
E seu tronco está sempre enfeitado
e aos seus pés não lhe faltam oferendas.
[81]

Orixá Ocô

Orixá Ocô

Orixá Ocô cria a agricultura com a ajuda de Ogum

No princípio, havia um homem que se chamava Ocô.
Mas Ocô não fazia nada o dia todo,
não havia o que fazer, simplesmente.
Quando os alimentos na Terra escassearam,
Olorum encarregou Ocô de fazer plantações.
Que plantasse inhame, pimenta, feijão
e tudo o mais que os homens comem.
Ocô gostou de sua missão, ficou todo orgulhoso,
mas não tinha a menor ideia de como executá-la.
Até que viu, debaixo de uma palmeira,
um rapaz que brincava na terra.
Com um graveto ele revolvia a terra
e cavava mais fundo.
Ocô quis saber o que fazia o rapaz.
"Preparando a terra para plantar,
para plantar as sementes que darão as plantas",
explicou o rapaz de pele reluzente.
"Que sementes, se nem plantas ainda há?",
perguntou, incrédulo, Ocô.
"Nada é impossível para Olodumare", foi a resposta.
Começaram então a cavar juntos a terra.
O graveto que usavam como ferramenta quebrou-se
e passaram então a usar lascas de pedra.
O trabalho, entretanto, não rendia
e Ocô saiu à procura de alguma maneira mais prática.

Outro dia, quando Ocô voltou sem solução,
o rapaz tinha feito fogo, protegendo-o com lascas de pedra.
Viram então que a pedra se derretia no fogo.
A pedra líquida escorria em filetes que se solidificavam.
"Que ótimo instrumento para cavar!",
descobriu efusivamente o inventivo rapaz.
Ele pôde então usar o fogo e fazer lâminas daquela pedra,
e modelar objetos cortantes
e ferramentas pontiagudas.
Ele fez a enxada, a foice,
e fez a faca e a espada
e tudo o mais que desde então o homem faz de ferro
para transformar a natureza e sobreviver.
O rapaz era Ogum, o orixá do ferro.
Juntos revolveram a terra e plantaram
e os alimentos foram abundantes.
E a humanidade aprendeu a plantar com eles.
Cada família fez a sua plantação, sua fazenda,
e na Terra não mais se padeceu de fome.
E Ocô foi festejado como Orixá Ocô,
o Orixá da Fazenda, da plantação,
pois fazenda é o significado do nome Ocô.
E Ogum e Orixá Ocô foram homenageados
e receberam sacrifícios como os patronos da agricultura,
pois eles ensinaram o homem a plantar
e assim superar a escassez de alimentos
e derrotar a fome.
[82]

Orixá Ocô é condenado a trabalhar a terra

Orixá Ocô era filho de Iemanjá e Obatalá.
Obatalá partiu e deixou o filho com Iemanjá.
Quando ele tinha oito anos,
Iemanjá o pôs na escola dos babalaôs.
Ele aprendeu todos os versos de Ifá,
aprendeu a cantar todas as cantigas de orixá.
Era um exímio cantador, grande poeta.
Ninguém cantava tão lindo como ele.
Além de tudo era rico,
não precisava nunca trabalhar.
Pela beleza de sua voz todos lhe davam tudo.

Quando Orixá Ocô chegou à juventude,
transformou-se num farrista sem escrúpulos.
Bebia, varava as noites em badernas,
só tinha amigos de má fama e índole pior.
Adorava divertir-se às custas dos outros.
Um dia foi a uma festa onde estavam todos.
No meio do salão ele pôs um pote de dendê
e junto ao pote uma caneca de latão.

Ele disse:
"Quem beber uma caneca de dendê sem respirar,
quem beber tudo e não se afogar,
comerá para sempre às custas de Orixá Ocô".
Todos se entusiasmaram com a proposta do orixá.
Brigavam entre si para serem os primeiros
a beber a caneca de azeite de dendê.
Mas, ao beber, dificilmente não engasgavam.
Quando engasgavam, Orixá Ocô batia em suas cabeças
com uma vara de Iroco, para reanimá-los.
Muitos, porém, morriam desses golpes.
Orixá Ocô divertia-se a valer com tudo isso.
A festa transformou-se em tragédia.
O povo ficou tão enfurecido com tal despautério
que chamou Orixá Ocô a julgamento.
Orixá Ocô foi expulso da cidade.
Orixá Ocô, o exímio cantador, grande poeta.
Orixá Ocô foi para sempre para o campo,
condenado a trabalhar a terra.
Perdeu a riqueza e a fama e a vida boa.
Orixá Ocô agora tinha que trabalhar no campo,
não era mais o cantor, que só vivia de alegrias.
Agora era o lavrador, o que tira seu sustento da terra.
Por isso o chamam Orixá Ocô, o Orixá-Agricultor.
[83]

Orixá Ocô é expulso de seu reino

Orixá Ocô era um fazendeiro que vivia em Iraô.
Ele era conhecido por todos como aquele
que mais entendia de remédios e preparados de ervas.

Certa vez, três enormes pássaros negros apareceram em Iraô
e destruíram todas as plantações.
Houve fome aquele ano.
No ano seguinte, os pássaros retornaram
e ninguém conseguia detê-los.
O povo se reuniu e foi pedir ajuda a Orixá Ocô.
Orixá Ocô preparou uma poção muito poderosa
e com ela afugentou os pássaros.
As plantações cresceram e, quando veio a colheita,
o povo estava tão feliz e tão agradecido
que fez de Orixá Ocô o seu rei.
Logo que Orixá Ocô se instalou como rei de Iraô,
o povo começou a desconfiar dele.
Eles temiam que Orixá Ocô pudesse usar seus poderes contra eles,
como os havia usado contra os pássaros negros.
Ainda que Orixá Ocô não tivesse dado motivo para tal preocupação,
o medo desses súditos cresceu e eles se rebelaram
e expulsaram Orixá Ocô da cidade.
No ano seguinte, os pássaros negros voltaram
e destruíram as plantações.
Arrependidos, os moradores de Iraô foram à floresta
à procura de Orixá Ocô e imploraram a sua ajuda,
prometendo devolver a coroa a Orixá Ocô
e nunca mais rebelar-se.
Mas Orixá Ocô estava decepcionado com a ingratidão
e a falta de lealdade de seu povo
e negou ajuda, decidindo deixá-lo para sempre.
Orixá Ocô disse:
"Eu partirei para sempre,
mas deixarei meu cajado com vocês.
Todas as vezes que estiverem em perigo,
vocês devem afundá-lo na terra

e eu virei e protegerei suas plantações.
Mas nunca usem o cajado em vão".
Com essas palavras,
Orixá Ocô desapareceu para sempre sob a terra.
[84]

Orixá Ocô tira joias da barriga de suas caças

Um dia, um caçador chamado Olagbirim
sentiu-se na miséria e foi consultar os babalaôs.
Estes o aconselharam a fazer oferendas aos deuses.
Devia oferecer um *ebó* que incluía galinhas-d'angola,
coelhos e muitos búzios.
Olagbirim saiu em caçada aos animais, com grande sucesso.
Fez as oferendas.
Retornou ao seu trabalho de caçador, matando elefantes.
Inúmeras vezes, ao destrinçar o animal,
sacava de seus intestinos muitas joias e objetos de valor.
Todas as vezes que Olagbirim sacrificava galinhas-d'angola,
elas cantavam louvores de sorte.
Olagbirim é por nós chamado de Orixá Ocô, o caçador de riquezas.
Sempre que lhe oferecemos galinhas-d'angola,
elas gritam louvores de sorte,
anunciando filhos e dinheiro.
Orixá Ocô é aquele que traz a riqueza aos campos.
Orixá Ocô, Orixá-Agricultor.
[85]

Orixá Ocô julga os praticantes de feitiçaria

Era Orixá Ocô um velho e solitário caçador,
que vivia na companhia de seu cão,
sempre andando pelos campos tocando pífaro,
cuja melodia encantava a todos.
Quando Orixá Ocô se perdia na floresta,
ele tocava seu pífaro e o cão, inebriado pela doce melodia,
conduzia-o de volta à sua casa.
Todos o achavam estranho e misterioso por seus modos.

Quando ficou demasiado velho para caçar,
Ocô retirou-se a uma caverna, onde foi viver com seu cachorro.
Todos o achavam mais misterioso ainda,
mas, como reconheciam que era um homem sábio e prestativo,
todos iam à caverna para ouvir seus conselhos.
Logo tornou-se o mais prestigiado dos videntes.
Naquele tempo, a feitiçaria era proibida
e ninguém podia fazer mal a ninguém usando poderes mágicos.
Quando alguém era acusado de feitiçaria,
era levado à presença do velho caçador, que o julgava.
Se o acusado fosse considerado culpado,
era condenado à morte.
No fundo da caverna de Ocô morava uma criatura
e a criatura cortava a cabeça do condenado
e a fazia rolar da caverna morro abaixo.

Orixá Ocô, o velho caçador, vive sozinho,
mas tem seu pífaro e um cão por companhia.
Todos o consideram um homem misterioso e sábio
e vão sempre à sua procura em busca de conselhos.
[86]

Orixá Ocô recebe de Obatalá o poder sobre as plantações

Obatalá tinha grandes plantações de inhame.
O inhame era fruto sagrado, tinha poderes mágicos:
de noite falava como gente
e também podia fazer com que homens e mulheres
falassem durante o sono, revelando suas intimidades.
Obatalá precisava de alguém que cuidasse
e supervisionasse os cultivos de inhame.
Teria que ser alguém muito discreto,
pois essa atividade deveria ser feita
mediante uma fórmula secreta.
O escolhido não poderia ser festeiro nem mulherengo.
Obatalá se decidiu por Orixá Ocô.
Era um jovem conhecido por ser muito sério,
e conhecido também por ser casto.
Mas, antes disso, ele conhecera a vida dos prazeres
e experimentara tudo o que faz um homem se perder.
Orixá Ocô cuidou dos inhames de Obatalá
e não deixou que lhes revelassem os mistérios.
Foi assim que os inhames cresceram debaixo da terra
sem que ninguém soubesse como.
Obatalá ficou feliz com a tarefa cumprida por Ocô
e deu a ele todo o domínio da agricultura.
[87]

Orixá Ocô desaparece e deixa o cajado em seu lugar

Tempos atrás,
nos campos próximos à cidade de Iraô,
vivia um homem muito velho.

Ele não havia nascido na Terra;
havia descido do Céu.
Esse homem extremamente velho tinha muitos filhos
e descendentes que não viviam como ele nos campos cultivados.
Viviam na cidade de Iraô.
Quando os seus vieram ao campo visitá-lo,
eles o viam algumas vezes e outras vezes não conseguiam vê-lo.
Isso acontecia porque o velho
às vezes queria ser visto e às vezes não.
Ele era tão velho.
Para caminhar necessitava da ajuda de um cajado.
Caminhava lentamente com seu cajado, passo a passo.
Quando se cansava, ele se agachava para descansar
e ao recuperar suas forças continuava caminhando muito
        lentamente,
olhando à direita e à esquerda.
Assim ele percorria lentamente todos os campos
para ver se tudo estava em ordem.
Quando ele ficou velho e debilitado demais,
seus descendentes vieram da cidade e lhe disseram:
"A vida não é boa para ti no campo,
vem conosco para a cidade,
nós cuidaremos bem de ti".
De início, o velho recusou,
mas depois eles o convenceram
e ele seguiu muito lentamente para a cidade,
onde passou a morar com seus filhos.

Um dia, chegou à cidade um homem,
vinha das terras que o velho percorria outrora.
Chegou à cidade com uma carga:
um cesto cheio de frutos da terra e galinhas.
O homem perguntou à gente da cidade:

"Teria vindo para esta cidade um homem muitíssimo velho?
Onde ele mora?".
Os moradores da cidade mostraram onde ele morava.
Pouco tempo depois, outro homem veio do campo.
Trazia presentes, procurando pelo velho.
Assim, foram vindo cada vez mais homens do campo
para trazer presentes para o velho na cidade.
Os moradores da cidade começaram a dizer:
"Que homem impressionante este
a quem a gente do campo traz tantos presentes!
Nós também queremos vê-lo!".
E assim, alguns moradores da cidade foram visitar o velho
e levaram para ele muitas oferendas.
Logo, mais e mais pessoas levavam presentes para ele,
até que o velho passou a ser homenageado
por todos os habitantes da cidade.
Um dia, o velho morreu.
Quando quiseram enterrá-lo,
descobriram que seu corpo havia desaparecido.
Restava apenas o cajado em que se apoiara por toda a sua vida.
O povo passou, então, a dedicar ao cajado todas as homenagens
que antes eram rendidas ao velho.
O velho homem era o Orixá Ocô
e a partir de então
todas as pessoas da cidade e do campo
depositam suas oferendas no local onde ficou seu cajado.
Todos os anos
uma grande festa é realizada em sua homenagem.
Muitos presentes e iguarias para o orixá da agricultura.
[88]

Orô

Orô

Orô é traído pela mulher e se afasta do mundo

Era uma vez um grande caçador,
que gostava de andar pelo mundo sem parar.
Seu nome era Orô
e era filho de Iemanjá.
Orô viajava, caçava
e conquistava seus amores.
Todas as mulheres tinham uma queda por Orô
e ele adorava estar em sua companhia.
Um dia Orô achou que era hora de assentar na vida.
Orô casou-se.
Era então o caçador pacato,
que esperava ansioso o nascimento do seu primogênito.
Mas sua mulher o traiu
e abortou seu filho.
Orô não a perdoou
e desde então odiou as mulheres.
Retirou-se para as matas que cercavam a cidade
e nunca mais mulher alguma o viu.

Quem de Orô se aproxima, de dia ou de noite,
pode escutar sua voz cavernosa e horripilante,
grave como o som dos berrantes.
Vive na mata como um *egum*,
como um *egum* perdido e solitário,
longe do mundo que tanto mal lhe fez.
É o senhor da floresta,
que guarda e assombra,
e todos o temem e o evitam.
Evitam até mesmo ouvir o pavoroso som de sua garganta,
especialmente as mulheres, que ele odeia
e culpa por sua triste sina.
Vive na mata, onde aplica sua justiça,
devorando feiticeiros,
criminosos condenados
e mulheres adúlteras que os homens lhe entregam.
Só os homens dele se aproximam.
Nem as mulheres podem ver Orô,
nem Orô quer ver as mulheres.
[89]

Orô assusta o povo com seus gritos

Uma vez, numa antiga cidade africana,
estava para acontecer um grande festival,
em que os antepassados egunguns desfilavam pelas ruas.
Foi recomendado a todos
que fizessem sacrifícios,
que oferecessem carneiros e galos.
Dizem que Xangô fez sete vezes o *ebó* designado,
enquanto Orô nem pensou em tal assunto.

Assim, quando Orô saiu a dançar pelas ruas,
todos o acharam muito bonito,
mas dele fugiram aterrorizados,
logo que ele começou a berrar.
Sua voz era profunda,
rouca,
cavernosa,
como o som saído de um berrante.
Seu grito era insuportavelmente apavorante.
A cidade ficou deserta,
sem uma só pessoa na rua.
Todos se esconderam de Orô.

Com Xangô, o único que fez o *ebó*, foi o contrário:
quando saía à rua era um sucesso.
Todas as mulheres do local o festejavam,
presenteando-o com *ojás*
e muitas roupas finas,
até que por fim resolveram coroá-lo
e pô-lo no trono como rei,
depois de ele ter conquistado
quase todas as mulheres do local.
Orô, coitado, a partir daquele dia viveu sempre escondido,

viveu sempre longe dos demais,
sempre temido pelo som horrendo de sua garganta.
Vive desde então sozinho na floresta
e quando sai à rua todas as mulheres se escondem,
com medo de sua visão e de sua voz.
[90]

Oquê

Oquê

Oquê surge do fundo do mar

No princípio, Olocum reinava só no mundo.
Olofim fez o mundo de água e Olocum o governava.
No princípio, tudo era o mar, tudo era Olocum.
E Olofim andava entediado com a vastidão sem fim das águas.
Foi então que Oraniã, com a força que lhe dera Olofim,
fez surgir do fundo do oceano o primeiro monte de terra,
a primeira colina sobre as águas, a montanha Oquê.
Oquê, que quer dizer montanha na língua dos antigos,
surgiu das profundezas dos mares para o prazer de Olofim
e desde então, além das águas, passou a existir a terra de Oquê.
Assim nasceu Oquê, o orixá do monte,
e sobre o monte a vida do homem foi possível,
porque antes estava tudo submerso
e todo o poder era do mar, de Olocum.
Logo depois, tendo o homem já se espalhado na Terra,
Olofim-Olodumare reuniu os demais orixás em cima de Oquê
e indicou a cada um onde seria seu domínio nesse mundo novo.
Os orixás tornaram-se então muito poderosos,
mas muitos daqueles que vieram depois dos orixás
se esqueceram de Oquê.
Sem Oquê nenhum dos orixás teria podido fazer nada
e é por isso que sempre se deve fazer oferendas a ele.
O que aconteceria se Oquê voltasse para o fundo das águas
e deixasse Olocum dominando o mundo sozinha?
[91]

Oquê salva seus súditos dos invasores

Logo no começo do mundo, quando toda a Terra era plana,
Oquê era o rei de um pacato povo que habitava uma feliz aldeia.
Um dia um feroz exército estrangeiro
veio em direção à cidade de Oquê.
Por onde passavam, os invasores matavam todos os que encontravam,
não poupando homens, mulheres ou crianças.
Destruindo, saqueando e incendiando tudo,
os inimigos já estavam prestes a alcançar as portas da cidade.
Nem Oquê nem seu povo tinha armas.
O rei Oquê foi à casa do babalaô em busca de conselho.
Foi recomendado a ele que fizesse um *ebó*,
que deveria colocar nos quatro cantos da cidade.
Assim fez Oquê e ficou esperando,
sentado em seu trono bem no centro da praça,
com todo seu povo reunido silenciosamente em torno dele.
Quando os invasores chegaram bem perto da entrada da aldeia,
ouviu-se um estrondo surpreendente.
A terra tremeu e se agitou.
Oquê foi crescendo e crescendo,
até numa montanha transformar-se,
levando consigo, no seu cimo, todo o seu povo.
Os inimigos ficaram lá embaixo
e o povo de Oquê no alto da montanha em segurança.
Agora a Terra já não era mais uma vastíssima planície.
Morros, colinas e serras faziam parte deste mundo.
[92]

Nanã

Nanã

Nanã fornece a lama para a modelagem do homem

Dizem que quando Olorum encarregou Oxalá
de fazer o mundo e modelar o ser humano,
o orixá tentou vários caminhos.
Tentou fazer o homem de ar, como ele.
Não deu certo, pois o homem logo se desvaneceu.
Tentou fazer de pau, mas a criatura ficou dura.
De pedra ainda a tentativa foi pior.
Fez de fogo e o homem se consumiu.
Tentou azeite, água e até vinho de palma, e nada.
Foi então que Nanã Burucu veio em seu socorro.
Apontou para o fundo do lago com seu *ibiri*, seu cetro e arma,
e de lá retirou uma porção de lama.
Nanã deu a porção de lama a Oxalá,
o barro do fundo da lagoa onde morava ela,
a lama sob as águas, que é Nanã.

Oxalá criou o homem, o modelou no barro.
Com o sopro de Olorum ele caminhou.
Com a ajuda dos orixás povoou a Terra.
Mas tem um dia que o homem morre
e seu corpo tem que retornar à terra,
voltar à natureza de Nanã Burucu.
Nanã deu a matéria no começo
mas quer de volta no final tudo o que é seu.
[93]

Nanã esconde o filho feio e exibe o filho belo

Conta-se que Nanã teve dois filhos.
Oxumarê era o filho belo e Omulu, o filho feio.
Nanã tinha pena do filho feio
e cobriu Omulu com palhas, para que ninguém o visse
e para que ninguém zombasse dele.

Mas Oxumarê era belo,
tinha a beleza do homem
e tinha a beleza da mulher.
Tinha a beleza de todas as cores.
Nanã o levantou bem alto no céu
para que todos admirassem sua beleza.
Pregou o filho no céu com todas as suas cores
e o deixou lá para encantar a Terra para sempre.
E lá ficou Oxumarê, à vista de todos.
Pode ser admirado em seu esplendor de cores,
sempre que a chuva traz o arco-íris.
[94]

Nanã tem um filho com Oxalufã

Nanã era considerada grande justiceira.
Qualquer problema que ocorresse,
todos a procuravam para ser a juíza das causas.
Mas sua imparcialidade era duvidosa.
Os homens temiam a justiça de Nanã,
pois se dizia que Nanã só castigava os homens
e premiava as mulheres.
Nanã tinha um jardim com um quarto para os *eguns*,
que eram comandados por ela.
Se alguma mulher reclamava do marido,
Nanã mandava prendê-lo.
Batia na parede chamando os *eguns*.
Os *eguns* assustavam e puniam o marido.
Só depois Nanã o libertava.

Ogum foi reclamar a Ifá sobre o que ocorria.
Segundo Exu, conhecido como bisbilhoteiro,
Nanã queria dizimar os homens.
Os orixás reunidos resolveram dar um amor para Nanã,
para que ela se acalmasse
e os deixasse em paz.
Os orixás enviaram Oxalufã nessa missão.

Chegando à casa de Nanã,
Oxalufã foi servido com ricos alimentos.
Mas o velho pediu-lhe que fizesse um suco de *igbins*, de caracóis.
Oxalufã, muito sábio, fez Nanã beber com ele o suco.
Nanã bebeu do *omi eró*, a água que acalma.
Assim Nanã foi se acalmando.
Cada dia que passava Nanã se afeiçoava mais a Oxalufã.

Pouco a pouco Nanã foi cedendo aos pedidos de Oxalá.
Mas até então Nanã não havia mostrado a ele seu jardim.
Um dia uma mulher queixosa do marido procurou Nanã,
e ela, aconselhada por Oxalufã, quis ouvir ambos os cônjuges,
não só a mulher, mas também o seu marido.

Nanã tinha se acalmado.
Mostrou de vez todo o seu reino a Oxalufã.
Mostrou também como comandava os *eguns*.
Oxalá observou tudo.
Um dia, quando Nanã se ausentou de casa,
Oxalá vestiu-se de mulher e foi ter com os *eguns*.
Com a voz mansa como a da velha,
Oxalá ordenou aos *eguns* que dali em diante
eles atenderiam aos pedidos do homem que vivia na casa dela.

Em sua volta Nanã foi surpreendida com a afirmação de Oxalá,
que ele também mandaria nos *eguns*.
Mesmo contrariada, Nanã acatou o dito,
pois estava enamorada do velho,
queria ter com ele um filho.
Mas Oxalá disse a Nanã
que não poderiam ter esse filho,
pois ambos tinham o mesmo sangue.
Nanã estava inconformada
e não aceitou o interdito.
Nanã preparou uma comida contendo um pó mágico
e o pó fez com que Oxalá adormecesse.
Aproveitando-se do sono de Oxalufã,
Nanã deitou-se com ele e engravidou.
Quando acordou,
Oxalá ficou muito contrariado.

Não podia mais confiar em Nanã,
pois Nanã se aproveitara do sono de Oxalá.
E Oxalá teve que abandonar Nanã.
Abandonou Nanã e foi viver com Iemanjá.
[95]

Nanã proíbe instrumentos de metal no seu culto

A rivalidade entre Nanã Burucu e Ogum data de tempos.
Ogum, o ferreiro guerreiro,
era o proprietário de todos os metais.
Eram de Ogum os instrumentos de ferro e aço.
Por isso era tão considerado entre os orixás,
pois dele todas as outras divindades dependiam.
Sem a licença de Ogum não havia sacrifício;
sem sacrifício não havia orixá.
Ogum é o Oluobé, o Senhor da Faca.
Todos os orixás o reverenciavam.
Mesmo antes de comer pediam licença a ele
pelo uso da faca, o *obé* com que se abatiam os animais
e se preparava a comida sacrificial.
Contrariada com essa precedência dada a Ogum,

Nanã disse que não precisava de Ogum para nada,
pois se julgava mais importante do que ele.
"Quero ver como vais comer,
sem faca para matar os animais", disse Ogum.
Ela aceitou o desafio e nunca mais usou a faca.
Foi sua decisão que, no futuro,
nenhum de seus seguidores se utilizaria de objetos de metal
para qualquer cerimônia em seu louvor.
Que os sacrifícios feitos a ela
fossem feitos sem a faca,
sem precisar da licença de Ogum.
[96]

Obaluaê — Omulu — Xapanã — Sapatá

Obaluaê — Omulu — Xapanã — Sapatá

Obaluaê desobedece à mãe e é castigado com a varíola

Obaluaê era um menino muito desobediente.
Um dia, ele estava brincando perto de um lindo jardim
repleto de pequenas flores brancas.
Sua mãe lhe havia dito que ele não deveria pisar as flores,
mas Obaluaê desobedeceu à sua mãe e pisou as flores de propósito.
Ela não disse nada, mas quando Obaluaê deu-se conta
estava ficando com o corpo todo coberto por pequeninas flores brancas,
que foram se transformando em pústulas, bolhas horríveis.
Obaluaê ficou com muito medo.
Gritava pedindo à sua mãe que o livrasse daquela peste, a varíola.
A mãe de Obaluaê lhe disse que aquilo acontecera
como castigo porque ele havia sido desobediente,
mas ela iria ajudá-lo.
Ela pegou um punhado de pipocas e jogou no corpo dele
e, como por encanto, as feridas foram desaparecendo.
Obaluaê saiu do jardim tão bom como quando havia entrado.
[97]

Omulu cura todos da peste e é chamado Obaluaê

Quando Omulu era um menino de uns doze anos,
saiu de casa e foi para o mundo para fazer a vida.
De cidade em cidade, de vila em vila,
ele ia oferecendo seus serviços,

procurando emprego.
Mas Omulu não conseguia nada.
Ninguém lhe dava o que fazer, ninguém o empregava.
E ele teve que pedir esmola,
mas ao menino ninguém dava nada,
nem do que comer, nem do que beber.
Tinha um cachorro que o acompanhava e só.
Omulu e seu cachorro retiraram-se no mato
e foram viver com as cobras.
Omulu comia o que a mata dava:
frutas, folhas, raízes.
Mas os espinhos da floresta feriam o menino.
As picadas de mosquito cobriam-lhe o corpo.
Omulu ficou coberto de chagas.
Só o cachorro confortava Omulu,
lambendo-lhe as feridas.
Um dia, quando dormia, Omulu escutou uma voz:
"Estás pronto. Levanta e vai cuidar do povo".
Omulu viu que todas as feridas estavam cicatrizadas.
Não tinha dores nem febre.
Obaluaê juntou as cabacinhas, os *atós*,
onde guardava água e remédios
que aprendera a usar com a floresta,
agradeceu a Olorum e partiu.

Naquele tempo uma peste infestava a Terra.
Por todo lado estava morrendo gente.
Todas as aldeias enterravam os seus mortos.
Os pais de Omulu foram ao babalaô
e ele disse que Omulu estava vivo
e que ele traria a cura para a peste.
Todo lugar aonde chegava, a fama precedia Omulu.

Todos esperavam-no com festa, pois ele curava.
Os que antes lhe negaram até mesmo água de beber
agora imploravam por sua cura.
Ele curava todos, afastava a peste.
Então dizia que se protegessem,
levando na mão uma folha de dracena, o *peregum*,
e pintando a cabeça com *efum*, *ossum* e *uági*,
os pós branco, vermelho e azul usados nos rituais e encantamentos.
Curava os doentes e com o *xaxará* varria a peste para fora da casa,
para que a praga não pegasse outras pessoas da família.
Limpava casas e aldeias com a mágica vassoura de fibras de coqueiro,
seu instrumento de cura, seu símbolo, seu cetro, o *xaxará*.

Quando chegou em casa, Omulu curou os pais
e todos estavam felizes.
Todos cantavam e louvavam o curandeiro
e todos o chamaram de Obaluaê,
todos davam vivas ao Senhor da Terra, Obaluaê.
[98]

Obaluaê tem as feridas transformadas em pipoca por Iansã

Chegando de viagem à aldeia onde nascera,
Obaluaê viu que estava acontecendo
uma festa com a presença de todos os orixás.
Obaluaê não podia entrar na festa,
devido à sua medonha aparência.
Então ficou espreitando pelas frestas do terreiro.
Ogum, ao perceber a angústia do orixá,
cobriu-o com uma roupa de palha que ocultava sua cabeça
e convidou-o a entrar e aproveitar a alegria dos festejos.

Apesar de envergonhado, Obaluaê entrou,
mas ninguém se aproximava dele.
Iansã tudo acompanhava com o rabo do olho.
Ela compreendia a triste situação de Omulu
e dele se compadecia.

Iansã esperou que ele estivesse bem no centro do barracão.
O *xirê* estava animado.
Os orixás dançavam alegremente com suas *equedes*.
Iansã chegou então bem perto dele
e soprou suas roupas de *mariô*,
levantando as palhas que cobriam sua pestilência.
Nesse momento de encanto e ventania,
as feridas de Obaluaê pularam para o alto,
transformadas numa chuva de pipocas,
que se espalharam brancas pelo barracão.
Obaluaê, o deus das doenças, transformou-se num jovem,
num jovem belo e encantador.
Obaluaê e Iansã Igbalé tornaram-se grandes amigos
e reinaram juntos sobre o mundo dos espíritos,
partilhando o poder único de abrir e interromper
as demandas dos mortos sobre os homens.
[99]

Obaluaê conquista o Daomé

Um dia Obaluaê saiu com seus guerreiros.
Ia em direção à terra dos mahis, no Daomé.
Obaluaê era conhecido como um guerreiro sanguinário,
atingindo a todos com as pestes,
quando estes se opunham a seus desejos.

Os habitantes do lugar, quando souberam de sua chegada,
foram em busca de ajuda de um adivinho.
Ele recomendou que fizessem oferendas,
com muita pipoca, inhame pilado, dendê
e todas as comidas de que o guerreiro gostasse.
Pipocas acalmam Obaluaê.
Disse que seria aconselhável que todos se prostrassem diante dele,
que se prostrassem em total submissão.
Assim o fizeram.
"Totô hum! Totô hum! Atotô! Atotô!"
"Respeito! Silêncio!"

Obaluaê, satisfeito com a sujeição daquele povo, o poupou.
Declarou que a partir daquele dia viveria naquele reino.
Assim o fez e em pouco tempo
o país tornou-se próspero e rico.
Obaluaê recebeu nas terras mahis o nome de Sapatá.
Mesmo assim era preferível chamá-lo de Ainon,
Ainon, Senhor da Terra,
ou Jeholu, Senhor das Pérolas.

Esses diferentes nomes foram adotados por famílias importantes,
mas infelizmente provocaram desentendimentos
entre elas e os reis do Daomé.
Muitas vezes as famílias de Sapatá foram expulsas do reino
e, em represália, muitos reis daomeanos morreram de varíola.
Tanta discórdia provocou seu nome,
que hoje ninguém sabe mais
qual o melhor nome para se chamar Obaluaê.
[100]

Xapanã ganha o segredo da peste na partilha dos poderes

Olodumare, um dia, decidiu distribuir seus bens.
Disse aos seus filhos que se reunissem
e que eles mesmos repartissem entre si as riquezas do mundo.
Ogum, Exu, Orixá Ocô, Xangô, Xapanã
e os outros orixás deveriam dividir
os poderes e mistérios sobre as coisas na Terra.
Num dia em que Xapanã estava ausente,
os demais se reuniram e fizeram a partilha,
dividindo todos os poderes entre eles,
não deixando nada de valor para Xapanã.
Um ficou com o trovão, o outro recebeu as matas,
outro quis os metais, outro ganhou o mar.
Escolheram o ouro, o raio, o arco-íris;
levaram a chuva, os campos cultivados, os rios.
Tudo foi distribuído entre eles,
cada coisa com os seus segredos,
cada riqueza com o seu mistério.
A única coisa que sobrou sem dono, desprezada, foi a peste.
Ao voltar, nada encontrou Xapanã para si,
a não ser a peste, que ninguém quisera.

Xapanã guardou a peste para si,
mas não se conformou com o golpe dos irmãos.
Foi procurar Orunmilá, que lhe ensinou a fazer sacrifícios,
para que seu enjeitado poder fosse maior que os dos outros.
Xapanã fez os sacrifícios e aguardou.
Um dia, uma doença muito contagiosa
começou a espalhar-se pelo mundo.
Era a varíola.
O povo, desesperado, fazia sacrifícios para todos os orixás,

mas nenhum deles podia ajudar.
A varíola não poupava ninguém, era uma mortandade.
Cidades, vilas e povoados ficavam vazios,
já não havia espaço nos cemitérios para tantos mortos.
O povo foi consultar Orunmilá para saber o que fazer.
Ele explicou que a epidemia acontecia
porque Xapanã estava revoltado,
por ter sido passado para trás pelos irmãos.
Orunmilá mandou fazer oferendas para Xapanã.
Só Xapanã poderia ajudá-los a conter a varíola,
pois só ele tinha o poder sobre as pestes,
só ele sabia os segredos das doenças.
Tinha sido essa a sua única herança.
Todos pediram proteção a Xapanã
e sacrifícios foram realizados em sua homenagem.
A epidemia foi vencida.
Xapanã então era respeitado por todos.
Seu poder era infinito, o maior de todos os poderes.
[101]

Sapatá se esquece de trazer água para a Terra

Sapatá e Sobô eram irmãos.
Depois da Criação, o Criador se cansou de trabalhar
e determinou que Sapatá e Sobô governassem por ele.
Mas os irmãos se desentenderam
e Sapatá, o mais velho, resolveu deixar o Céu
e vir residir na Terra.
Seu pai, o Criador, lhe deu todas as suas riquezas
e ele levou para a Terra tudo o que conseguiu carregar.
Sobô continuou a morar com o pai.

Com toda sua riqueza,
Sapatá teve muito sucesso junto aos humanos
e foi feito o rei da humanidade.
Mas, logo depois, a chuva parou de cair
e os humanos foram reclamar com Sapatá.
Ele disse que não se preocupassem,
que logo voltaria a chover.
Mas um ano se passou, e mais um,
e logo três anos e nada de chuva.
Nessa época, haviam descido à Terra dois homens,
que andavam de lugar em lugar,
divulgando as maravilhas de Ifá.
Eles falavam com todos os homens e mulheres,
que então já eram poucos,
pois a seca já matara de fome quase toda a população.
Quando os dois homens falaram com Sapatá,
ele reconheceu o jeito de se falar no Céu
e quis saber o que estava acontecendo.
Por que não chovia?
Eles disseram que não sabiam,
mas que portavam os instrumentos de adivinhação de Ifá
e que Ifá poderia tudo revelar.
Eles jogaram os dezesseis caroços de dendê
e disseram que havia uma discórdia,
uma discórdia entre dois irmãos
que desejavam ter as mesmas coisas.
Eles disseram que ele fizesse um sacrifício,
para assim acalmar Sobô, seu irmão mais novo.
Assim foi feito e um pássaro foi levar as oferendas.
Quando o pássaro chegava ao Céu,
avisaram Sobô que alguém se aproximava.
Para ver quem era, Sobô lançou um relâmpago,

que iluminou todo o espaço,
e ele viu o pássaro de Sapatá.
Ele recebeu o sacrifício e mandou dizer a Sapatá
que havia sido muito ambicioso,
levando com ele quase todas as riquezas do pai deles.
Mas tinha igualmente sido muito tolo,
pois não levara nem o fogo nem a água.
De fato, Sapatá deixara essas coisas para trás,
pois elas não couberam em seu saco de riquezas.
"Sem água e sem fogo ninguém pode governar,
ainda que tenha muitas riquezas",
mandou dizer Sobô a Sapatá.
O pássaro disse que Sapatá deixava
todo o governo do universo para o irmão Sobô,
que era o dono do fogo e o dono da água.
Naquele momento, uma chuva forte e benfazeja
caiu sobre a Terra e o mundo voltou à vida normal.
Os dois irmãos se reconciliaram.
De vez em quando, Sobô faz sua visita
em forma de relâmpago.
[102]

Sapatá é proibido de viver junto com os outros orixás

Quando viviam na Terra,
os orixás tinham uma convivência fraterna.
Eles se divertiam e celebravam.
A vida prosseguia e era boa.
Um ano, no tempo da colheita de batata-doce,
os orixás realizaram um festival.
Uma grande quantidade de vinho de palma foi preparada.

Os orixás comeram, beberam vinho de palma e dançaram.
Somente Sapatá, que detinha o segredo da varíola, não dançou.
Tinha uma perna de madeira e movia-se com a ajuda de uma bengala.
Então ele sentou-se quieto enquanto as festividades prosseguiam.
Mas, como todos os outros, bebeu bastante vinho de palma.
Eles começaram a rir, falar alto e gargalhar.
Alguém percebeu que Sapatá estava sentado solitário,
isolado e silencioso perto do vinho de palma,
e convidou-o a dançar com eles.
Mas Sapatá não quis dançar, preferia estar sozinho,
pois se envergonhava de sua perna de pau.
Os outros continuaram dançando e bebendo.
Eles começaram a insultar Sapatá
porque ele não se juntava a eles.
Sapatá não podia mais tolerar os insultos dos orixás.
Com a ajuda de sua bengala ele se levantou.
Arrumou sua roupa de modo que cobrisse a perna de pau
e cuidadosamente se uniu aos dançarinos.
Ele começou a dançar, mas dançava trôpego.
Além do mais, tinha bebido muito vinho de palma.
Os outros também estavam bêbados
e ao dançar esbarravam uns nos outros.
Um dos orixás esbarrou em Sapatá
e Sapatá caiu estatelado no chão.
Sua perna de madeira foi exposta e todos viram.
Os orixás riram e começaram a zombar dele.
Sapatá sentiu-se profundamente humilhado
e a cólera tomou conta dele.
Então começou a golpear e golpear com seu bastão,
atingindo vários dos convivas.
Os orixás foram tomados de surpresa e susto,
mas tão embriagados estavam

que não sabiam como proceder.
Só quando sentiram nas costas os golpes de Sapatá
é que começaram a correr.
Eles fugiram em todas as direções.
A dança acabou e Sapatá ficou sozinho no salão.
Os orixás foram para suas casas.

Todos os que foram tocados pelo bastão de Sapatá adoeceram.
Seus olhos ficaram vermelhos e bexigas espocaram em sua pele.
As notícias do incidente chegaram aos ouvidos de Obatalá.
Obatalá ficou bravo.
Sim, os orixás tinham humilhado Sapatá indevidamente
e não deviam ter se comportado assim grosseiramente,
mas Sapatá não devia ter feito justiça com as próprias mãos,
punindo-os com a varíola.
Por isso Sapatá devia ser punido também.
Obatalá foi até a casa de Sapatá para julgá-lo.
Sapatá viu Obatalá se aproximando e fugiu para dentro da mata.
Ao saber que Sapatá havia fugido para a mata,
Obatalá sentenciou que ele devia permanecer lá para sempre,
pois não era uma pessoa confiável para viver na comunidade.

Daquela ocasião em diante, Sapatá viveu sozinho na mata.
Uma vez ou outra ele causa varíola em orixás e humanos.
Ele é tão temido que as pessoas evitam pronunciar seu nome.
Elas o insinuam indiretamente, chamando-o "Ile Gbigona",
que significa Chão Quente,
ou "Ile Titu", o mesmo que Chão Frio,
ou "Olode", Senhor da Vastidão do Mundo.
Ou simplesmente o chamam Babá, isto é, Pai.
Mesmo os seus devotos o temem,
e quem sabe quem ele tocará com seu bastão,

seu temido *xaxará*?
Por isso, diz-se de Sapatá:
"Ele faz festa ao pai que está dentro da casa
e enquanto isso mata o filho que está na entrada".
[103]

Omulu ganha as pérolas de Iemanjá

Omulu foi salvo por Iemanjá
quando sua mãe, Nanã Burucu, ao vê-lo doente,
coberto de chagas, purulento,
abandonou-o numa gruta perto da praia.
Iemanjá recolheu Omulu e o lavou com a água do mar.
O sal da água secou suas feridas.
Omulu tornou-se um homem vigoroso,
mas ainda carregava as cicatrizes, as marcas feias da varíola.
Iemanjá confeccionou para ele uma roupa toda de ráfia.
E com ela ele escondia as marcas de suas doenças.
Ele era um homem poderoso.
Andava pelas aldeias e por onde passava
deixava um rastro ora de cura, ora de saúde, ora de doença.
Mas continuava sendo um homem pobre.
Iemanjá não se conformava com a pobreza do filho adotivo.
Ela pensou:
"Se eu dei a ele a cura, a saúde,
não posso deixar que seja sempre um homem pobre".
Ficou imaginando quais riquezas poderia dar a ele.
Iemanjá era a dona da pesca, tinha os peixes,
os polvos, os caramujos, as conchas, os corais.
Tudo aquilo que dava vida ao oceano
pertencia a sua mãe, Olocum,

e ela dera tudo a Iemanjá.
Iemanjá resolveu então ver suas joias.
Tinha algumas, mas enfeitava-se mesmo era com algas.
Ela enfeitava-se com a água do mar, vestia-se de espuma.
Ela adornava-se com o reflexo de Oxu, a Lua.
Mas Iemanjá tinha uma grande riqueza
e essa riqueza eram as pérolas,
que as ostras fabricavam para ela.
Iemanjá, muito contente com a sua lembrança,
chamou Omulu e lhe disse:
"De hoje em diante, és tu quem cuidas das pérolas do mar.
Serás assim chamado de Jeholu, o Senhor das Pérolas".
Por isso as pérolas pertencem a Omulu.
Por baixo de sua roupa de ráfia,
enfeitando seu corpo marcado de chagas,
Omulu ostenta colares e mais colares de pérola,
belíssimos colares.
[104]

Xapanã é proclamado o Senhor da Terra

Em terras iorubás havia um homem chamado Xapanã.
Avesso aos preceitos morais, levava uma vida dissoluta.
Acabou contagiado por várias enfermidades que assolavam a Terra.
Não obedecia aos conselhos das divindades e dos adivinhos.
Teve varíola, doenças venéreas, males de todo tipo.
Por determinação dos orixás,
Xapanã foi sendo mutilado mais e mais pelas doenças,
não sendo acolhido nem mesmo por seus filhos.
No entanto, foi visto com misericórdia por Exu.
Os orixás determinaram que Xapanã não falaria mais no oráculo,

para não mais se saber das epidemias e doenças.
Ficaria encerrado em uma panela de barro
com a tampa emborcada, escondendo todos os segredos das epidemias.
Xapanã foi expulso do reino.
Dizia-se que com ele também a morte havia partido.
E todos festejaram.

No seu caminho para o exílio, Xapanã encontrou Exu,
que, penalizado, levou-o até Orunmilá.
O sábio leu o futuro de Xapanã e o mandou fazer *ebós*.
Recomendou que sempre andasse acompanhado por cachorros,
pois era isso o que dizia seu *odu*.
Assim seria respeitado e louvado em uma terra a que enfim chegaria.
Xapanã fez as oferendas como foi recomendado.
Acompanhado pelos cães que adotou,
continuou seguindo seu caminho.

Um dia chegou ao Daomé, onde reinava um cruel tirano.
O rei sem coração estava morrendo de peste.
Todos já sabiam que a peste e Xapanã eram a mesma coisa.
O rei mandou que levassem Xapanã a seu palácio.
Ao ver Xapanã, o rei prostrou-se a seus pés
e pediu perdão por todas as suas atrocidades.
Xapanã fez oferendas e Olofim mandou a chuva.
E a chuva cavou um buraco aos pés do governante
e o buraco tragou todas as más ações do enfermo rei.
O rei foi curado de seus males.
Xapanã foi adorado e respeitado nas terras do Daomé,
onde é sempre precedido por Exu.
Lá ele ocupa lugar importante no tabuleiro de Ifá.
Lá Xapanã foi chamado Obaluaê, o Senhor da Terra.
[105]

Obaluaê morre e é ressuscitado a pedido de Oxum

Obaluaê era muito mulherengo,
um galanteador incansável, um conquistador contumaz.
Mas era um homem sem disciplina
e não obedecia a mando algum que fosse.
Durante o período de um rito, Orunmilá advertiu
que todos se abstivessem de sexo, também Obaluaê.
Mas ele não cumpriu a interdição.
Pensava estar acima dos *euós*, dos tabus.
Naquela mesma noite possuiu uma de suas mulheres.
Na manhã seguinte Obaluaê tinha o corpo coberto de chagas.
As mulheres de Obaluaê foram à casa de Orunmilá
e lhe pediram que intercedesse junto a Olofim-Olodumare
para que ele desse o perdão a Obaluaê.
O grande rei não concedeu o perdão.
Obaluaê morreu.

Orunmilá não se deu por vencido.
Espalhou o mel de Oxum em todo o palácio de Olofim
e Olofim ficou deliciado com a oferenda.
Quem havia despejado tal iguaria em sua casa?,
perguntou Olofim a Orunmilá.
Havia sido uma mulher, foi a resposta.
Olofim mandou chamar todas as mulheres.
A última a chegar foi Oxum
e ela confirmou:
Sim, era dela, de Oxum, aquele doce e farto mel.
Olofim pediu-lhe mais doçura, mais mel.
Para isso tinha ele convocado as mulheres.
Oxum disse que sim,
que lhe daria o mel, tanto quanto ele quisesse,

mas tinha também o seu pedido:
Olofim devia ressuscitar Obaluaê.
Olofim aceitou a condição de Oxum.
Mas Obaluaê viveu para sempre com o corpo em chagas.
Esse castigo Olofim não retirou.
[106]

Xapanã ganha seu culto entre os iorubás

Xapanã vivia no Daomé.
Ele conhecia um grande número de feitiços,
que usava para promover muitas guerras.
Por isso o povo do Daomé o expulsou.
Xapanã, então, partiu para Oió com toda sua família.
Quando chegou a Oió, ele foi procurar o Alafim, o rei,
para persuadi-lo a guerrear contra o povo do Daomé.
Após Xapanã ter falado bastante, o Alafim disse:
"Já causaste muitas guerras.
Não precisamos de ti no meu país".
Xapanã partiu furioso do palácio.
Levava nas mãos uma tesoura presa a uma corrente.
Tirou do bolso grãos de sésamo e os espalhou pelo solo.
Com a tesoura e a corrente tocou o solo.
Então uma fenda se abriu e Xapanã desceu terra adentro.
No momento em que Xapanã desapareceu sob a terra,
a varíola se alastrou pela população de Oió.

Muitos ficaram doentes e muitos morreram.
O povo de Oió pediu ao Alafim
que fizesse algo para combater a peste,
ou todos morreriam.

O Alafim consultou seu babalaô.
O Alafim deveria levar um pote cheio de água
ao local onde Xapanã havia desaparecido.
Ali ele encontraria a tesoura e a corrente de Xapanã,
as quais deveriam ser depositadas no pote.
Aspergindo a água do pote nos enfermos, eles se recuperariam.
Assim foi feito e os enfermos foram curados.
Para que a enfermidade não voltasse a atacar,
deveriam ser realizados sacrifícios para Xapanã.
Todas as espécies de animais deveriam ser oferecidas,
mas não se poderia usar instrumento de metal no sacrifício.
Os animais deveriam ser esticados até a morte
e cortados em pedaços com facas de madeira.
Quando se realizava o sacrifício pela primeira vez,
um besouro apareceu voando em torno do pote de Xapanã.
Ninguém conseguia espantar, prender ou matar o besouro.
Sem saber o que fazer, foram procurar o babalaô,
que disse ser aquele inseto o mensageiro de Xapanã.
Xapanã deve receber sempre sacrifícios e oferendas,
para que não volte a mandar pestes e doenças.
[107]

Sapatá torna-se rei na terra dos jejes

Quando se formou o mundo,
Sapatá levava uma vida desregrada
e não cumpria com os mandatos de Olofim.
Sapatá foi muito mulherengo
e contraiu terríveis doenças contagiosas.
Um dia, chegou a peste às terras iorubás.
Os sacerdotes consultaram os deuses no jogo de búzios

e o jogo revelou um *odu* ameaçador.
Eles guardaram os búzios em uma panela de barro
e a tamparam com uma outra.
Imaginavam controlar a enfermidade,
aprisionando-a naquele recipiente.
Sapatá foi acusado de ter atraído a peste.
Para que pudesse reabilitar-se do terrível crime,
deveria cumprir a tarefa que lhe foi designada:
jogar água na panela que continha a peste,
enquanto eram pronunciados os encantamentos.

Assim fez ele, mas continuava malvisto pelo povo.
Abatido sob o peso do público desapreço,
Sapatá saiu vagando pelo mundo.
No caminho encontrou seu irmão Xangô,
que vinha da terra dos jejes,
onde também medrava uma grande pestilência.
Sapatá contou suas mazelas a Xangô
e disse que estava cansado de ser mal recebido.
Xangô, então, ensinou o irmão a praticar a cura,
usando azeite de dendê, pão, milho tostado e pipoca,
além de dar muitas receitas de magia curativa,
segredos que ganhara de Ossaim.
Xangô disse a Sapatá que ele deveria ir curar os jejes,
que estavam esperando por alguém que os salvasse.
Sapatá aceitou o conselho de Xangô,
foi e curou os doentes daquele país.
Em retribuição, Sapatá foi muito bem tratado pelos jejes
e mais tarde por eles aclamado seu rei, seu senhor.
[108]

Oxumarê

Oxumarê

Oxumarê desenha o arco-íris no céu para estancar a chuva

Conta-se que Oxumarê não tinha simpatia pela Chuva.
Toda vez que ela reunia suas nuvens
e molhava a terra por muito tempo,
Oxumarê apontava para o céu ameaçadoramente
com sua faca de bronze
e fazia com que Chuva desaparecesse, dando lugar ao arco-íris.

Um dia Olodumare contraiu uma moléstia que o cegou.
Chamou Oxumarê, que da cegueira o curou.
Olodumare temia, entretanto, perder de novo a visão
e não permitiu que Oxumarê voltasse à Terra para morar.
Para ter Oxumarê por perto, determinou que morasse com ele,
e que só de vez em quando viesse à Terra em visita, mas só em visita.
Enquanto Oxumarê não vem à Terra,
todos podem vê-lo no céu com sua faca de bronze,
sempre se fazendo no arco-íris para estancar a Chuva.
[109]

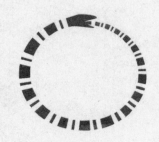

Oxumarê fica rico e respeitado

Oxumarê era um babalaô que atendia o rei de Ifé.
Porém não era um homem de fama,
não tinha riquezas nem poder.
Sentia-se humilhado, como humilhado vivera seu pai,
conhecido pelo nome de Senhor do Xale Colorido.
Oxumarê estava triste e foi consultar um adivinho.
Ele ensinou-lhe um ritual para tornar-se rico e poderoso.
Deveria oferecer uma faca de bronze e quatro pombos,
bem como oferecer búzios em boa quantidade.

Oxumarê, obediente, pôs-se a fazer a oferenda,
mas, nessa mesma hora, o rei mandou chamá-lo.
Oxumarê recusou-se a atender à ordem,
dizendo que iria depois de terminada a cerimônia.
O rei ficou enfurecido com a ousadia
e deixou de pagar uma dívida a Oxumarê.

Quando Oxumarê retornou à sua casa,
recebeu um chamado de Olocum, rainha de um país vizinho,
que necessitava de sua sabedoria para a cura de seu filho.
Ifá foi consultado por Oxumarê,
que fez as oferendas necessárias
e curou o filho de Olocum.
Em gratidão ela ofereceu-lhe riquezas,
cavalos, escravos e um lindo pano azul.

Retornando à casa com um inestimável tesouro,
Oxumarê foi saudar o rei, que muito se admirou
ao ver a opulência do babalaô antes tão pobre.
Quis saber sobre os presentes recebidos.

Oxumarê contou da cura do filho de Olocum.
O rei, que tinha uma rivalidade nata com quem quer que fosse,
não queria ficar abaixo de Olocum.
Então ofereceu a Oxumarê uma roupa vermelha muito preciosa
e muitos e muitos outros presentes.
Foi assim que Oxumarê tornou-se rico e respeitado.
[110]

Oxumarê transforma-se em cobra para escapar de Xangô

Oxumarê era um rapaz muito bonito e invejado.
Suas roupas tinham todas as cores do arco-íris
e suas joias de ouro e bronze faiscavam de longe.
Todos queriam aproximar-se de Oxumarê,
mulheres e homens, todos queriam seduzi-lo
e com ele se casar.
Mas Oxumarê era também muito contido e solitário.
Preferia andar sozinho pela abóbada celeste,
onde todos costumavam vê-lo em dia de chuva.

Certa vez, Xangô viu Oxumarê passar,
com todas as cores de seu traje e todo o brilho de seus metais.
Xangô conhecia a fama de Oxumarê
de não deixar ninguém dele se aproximar.
Preparou então uma armadilha para capturar o Arco-Íris.
Mandou chamá-lo para uma audiência em seu palácio
e, quando Oxumarê entrou na sala do trono,
os soldados de Xangô fecharam as portas e janelas,
aprisionando Oxumarê junto com Xangô.
Oxumarê ficou desesperado e tentou fugir,
mas todas as saídas estavam trancadas pelo lado de fora.

Xangô tentava tomar Oxumarê nos braços
e Oxumarê escapava, correndo de um canto para outro.
Não vendo como se livrar, Oxumarê pediu ajuda a Olorum
e Olorum ouviu sua súplica.
No momento em que Xangô imobilizava Oxumarê,
Oxumarê foi transformado numa cobra,
que Xangô largou com nojo e medo.
A cobra deslizou pelo chão em movimentos rápidos e sinuosos.
Havia uma pequena fresta entre a porta e o chão da sala
e foi por ali que escapou a cobra,
foi por ali que escapou Oxumarê.
Assim livrou-se Oxumarê do assédio de Xangô.
Quando Oxumarê e Xangô foram feitos orixás,
Oxumarê foi encarregado de levar água
da Terra para o palácio de Xangô no Orum,
mas Xangô não pode nunca aproximar-se de Oxumarê.
[111]

Oxumarê usurpa a coroa de sua mãe Nanã

Oxumarê era filho de Nanã.
No seu destino estava inscrito que ele deveria ser
seis meses um monstro e seis meses uma linda mulher.
Aos poucos, a mulher Oxumarê revoltou-se com a mãe,
pois não conseguia nunca uma relação de amor estável.
Quando estava tudo bem com ela e seu amante,
ela virava o monstro e afastava o companheiro.

Um dia Oxumarê encontrou-se com Exu.
Exu semeou um conflito maior entre o Arco-Íris e a velha Nanã.
Exu convenceu Oxumarê que a velha deusa deveria pagar

pelos males que atormentavam o seu filho.
Exu aconselhou Oxumarê
a tomar a coroa da nação jeje, que pertencia a Nanã.
Oxumarê foi ao palácio de Nanã
e aterrorizou a todos na sua forma de serpente.
Nanã suplicou-lhe que não matasse ninguém,
tentando dissuadi-lo de seu objetivo.
Mas acabou entregando a Oxumarê sua coroa
e Oxumarê foi coroado rei dos jejes.
[112]

Oxumarê é morto por Xangô

Oxum era mulher de Xangô,
mas vivia enrabichada por Oxumarê.
Oxumarê era o mais bonito e atraente moço do lugar
e Xangô ficou embriagado de ciúme.
Um dia, não suportando mais a ideia
de perder Oxum para Oxumarê,
Xangô chamou o possível rival para um duelo.

Lutaram por três dias e três noites.
Xangô era o mais hábil dos guerreiros
e já ganhara muitas guerras e vencera muitas lutas.
Oxumarê usava seu poder de dominar as cobras.
Às vezes transformava-se em uma delas
e escapava dos golpes mortais do machado de Xangô.
Mas Xangô venceu.
Xangô matou Oxumarê.
Muitos choraram a morte do moço tão bonito.
Nanã, a inconformada mãe de Oxumarê,

foi procurar a ajuda de Olodumare.
Tão bonito era Oxumarê que o Senhor Supremo se condoeu
e transformou Oxumarê no arco-íris.
Oxumarê, o rei dos astros,
ficou para sempre vivo lá no céu.
[113]

Euá

Euá

Euá transforma-se numa fonte e sacia a sede dos filhos

Havia uma mulher que tinha dois filhos,
aos quais amava mais do que tudo.
Levando as crianças, ela ia todos os dias à floresta
em busca de lenha, lenha que ela recolhia
e vendia no mercado para sustentar os filhos.
Euá, seu nome era Euá e esse era seu trabalho,
ia ao bosque com seus filhos todo dia.

Uma vez, os três estavam no bosque entretidos
quando Euá percebeu que se perdera.
Por mais que procurasse se orientar,
não pôde Euá achar o caminho de volta.
Mais e mais foram os três se embrenhando na floresta.
As duas crianças começaram a reclamar de fome,
de sede e de cansaço.
Quanto mais andavam, maior era a sede, maior a fome.
As crianças já não podiam andar
e clamavam à mãe por água.
Euá procurava e não achava nenhuma fonte,
nenhum riacho, nenhuma poça d'água.
Os filhos já morriam de sede
e Euá se desesperava.
Euá implorou aos deuses,
pediu a Olodumare.
Ela deitou-se junto aos filhos moribundos

e, ali onde se encontrava,
Euá transformou-se numa nascente d'água.
Jorrou da fonte água cristalina e fresca
e as crianças beberam dela.
E a água matou a sede das crianças.
E os filhos de Euá sobreviveram.
Mataram a sede com a água de Euá.
A fonte continuou jorrando
e as águas se juntaram e formaram uma lagoa.
A lagoa extravasou
e as águas mais adiante originaram um novo rio.
Era o rio Euá, o Odô Euá.
[114]

Euá transforma-se na névoa

Euá era filha de Nanã.
Também filhos de Nanã eram Obaluaê, Oxumarê e Ossaim.
Esses irmãos regiam o chão da Terra.
A terra, o solo, o subsolo, era tudo propriedade
de Nanã e sua família.
Nanã queria o melhor para seus filhos,
queria que Euá casasse com alguém que a amparasse.
Nanã pediu a Orunmilá bom casamento para Euá.
Euá era linda e carinhosa.
Mas ninguém se lembrou de oferecer sacrifício algum
para garantir a empreitada.
Vários príncipes ofereceram-se prontamente a desposar Euá.
E eram tantos os pretendentes
que logo uma contenda entre eles se armou.
A concorrência pela mão da princesa transformou-se

em pugna incessante e mortal.
Jovens se digladiavam até a morte.
Vinham de muito longe,
lutavam como valentes para conquistar sua beleza.
Mas a cada vencedor, Euá não se decidia.
Euá não aceitava o pretendente.
Vinham novos candidatos e outros combates.
Euá não conseguia decidir-se,
ainda que tão ansiosa estivesse para casar-se
e acabar de vez com o sangrento campeonato.

Tudo estava feio e triste no reino de Nanã;
a terra seca, o sol quase se apagara.
Só a morte dos noivos imperava.
Euá foi então à casa de Orunmilá
para que ele a ajudasse a resolver aquela situação desesperadora
e pôr um fim àquela mortandade.
Euá fez os *ebós* encomendados por Ifá.
Os ventos mudaram, os céus se abriram, o sol escaldava a terra
e, para o espanto de todos,
a princesa começou a desintegrar-se.
Foi desaparecendo, perdendo a forma,
até evaporar-se completamente e transformar-se
em densa e branca bruma.
E a névoa radiante de Euá espalhou-se pela Terra.
E na névoa da manhã Euá cantarolava feliz e radiante.
Com força e expressões inigualáveis cantava a bruma.
O Supremo Deus determinou então que Euá
zelasse pelos indecisos amantes,
olhasse seus problemas, guiasse suas relações.
[115]

Euá livra Orunmilá da perseguição da Morte

Orunmilá era um babalaô
que estava com um grande problema.
Orunmilá estava fugindo da Morte, de Icu,
que o queria pegar de todo jeito.
Orunmilá fugiu de casa para se esconder.
Correu pelos campos
e ela sempre o perseguia obstinada.
Correndo e correndo, Orunmilá chegou ao rio.
Viu uma linda mulher lavando roupa.
Era Euá lavando roupa junto à margem.
"Por que corres assim, senhor?
De quem tentas escapar?"
Orunmilá só disse: "Hã, hã".
"Foges da Morte?", adivinhou Euá.
"Sim", respondeu ele.
Euá então o acalmou. Ela o ajudaria.
Euá escondeu Orunmilá sob a tábua de lavar roupa,
que na verdade era um tabuleiro de Ifá,
com o fundo virado para cima.
E continuou lavando e cantando alegremente.
Então chegou Icu, esbaforida.
Feia, nojenta, moscas envolvendo-lhe o corpo,
sangue gotejando pela pele,
um odor de matéria putrefata empestando o ar.
A Morte cumprimentou Euá e perguntou por Orunmilá.
Euá disse que ele atravessara o rio
e que àquela hora devia estar muito, muito longe,
muito além de outros quarenta rios.
A Morte desistiu e foi-se embora resmungando.
Euá tirou Orunmilá de sob a tábua

e o levou para casa são e salvo.
Preparou um cozido de preás e gafanhotos
servido com inhames bem pilados.
À noite Orunmilá dormiu com Euá
e Euá engravidou.
Euá ficou feliz pela sua gravidez
e fez muitas oferendas a Ifá.
Euá era uma mulher solteira
e Orunmilá com ela se casou.
Foi uma grande festa e todos cantavam e dançavam.
Todos estavam felizes.
Euá cantava: "Orunmilá me deu um filho".
Orunmilá cantava: "Euá livrou-me da Morte".
Todos cantavam: "Euá livra de Icu!".
Todos cantavam: "Euá livra da Morte!".
[116]

Euá casa-se com Oxumarê

Euá andava pelo mundo,
procurando um lugar para viver.
Euá viajou até a cabeceira dos rios
e aí junto às fontes e nascentes escolheu sua morada.
Entre as águas Euá foi surpreendida
pelo encanto e maravilha do Arco-Íris.
E dele Euá loucamente se enamorou.
Era Oxumarê que a encantava.
Euá casou-se com Oxumarê
e a partir daí vive com o Arco-Íris,
compartilhando com ele os segredos do universo.
[117]

Euá é expulsa de casa e vai viver no cemitério

Euá era filha de Obatalá
e vivia com o pai em seu palácio.
Era uma jovem linda, inteligente e casta.
Euá nunca havia demonstrado interesse por homem algum.
Um dia, chegou ao reino um jovem de nome Boromu.
Dias depois todos já cochichavam
que Euá estava enamorada do forasteiro.
Obatalá riu-se da história pois confiava em sua filha.
Obatalá garantiu que ela ainda era uma flor nova
e não queria experimentar desse encanto.

Passado algum tempo, Euá mudou.
Tornou-se Euá triste, distante, distraída.
Obatalá fez tudo para fazer a filha novamente feliz.
Obatalá enviou a filha à terra dos homens.
Ele não sabia que Euá carregava um filho em seu ventre.
Uma noite, Euá sentiu as dores do parto e fugiu do palácio.
Refugiou-se na mata, onde teve o filho.
O rei foi informado do sumiço de Euá
e mobilizou todo o reino para encontrar a filha.
Boromu soube da fuga e partiu para procurá-la.
Acabou por encontrar Euá desfalecida no chão de terra,
coberta apenas por uma saia bordada com búzios.
Euá despertou e contou-lhe o ocorrido.
Fugira com vergonha de apresentar-se ao rei.
Euá sentiu então a falta do rebento
e perguntou por ele a Boromu.
Boromu, querendo que Euá retornasse ao palácio,
escondera o recém-nascido na floresta.
Mas quando o procurou já não mais o encontrou.

Pois, perto do lugar onde deixou o filho, vivia Iemanjá.
E Iemanjá escutou o pranto do bebê,
recolheu-o e prometeu criá-lo como se fosse filho seu.
Euá nunca mais encontrou seu filho.

Tempos depois, Euá foi ao palácio pedir perdão ao pai,
mas o rei ainda estava irado e a expulsou de casa.
Naquele dia Euá partiu envergonhada.
Cobriu seu rosto com a mesma saia bordada de búzios
e foi viver no cemitério,
longe de todos os seres vivos.
Nunca mais viu seu filho.
Ele foi criado por Iemanjá,
que deu a ele o nome de Xangô.
Ninguém sabe quem é a mulher do cemitério.
De onde vem e por que ali está.
Tudo o que ocorreu é o seu segredo.
[118]

Euá é escondida por seu irmão Oxumarê

Filha de Nanã também é Euá.
Euá é o horizonte, o encontro do céu com a terra.
É o encontro do céu com o mar.
Euá era bela e iluminada,
mas era solitária e tão calada.
Nanã, preocupada com sua filha,
pediu a Orunmilá que lhe arranjasse um amor,
que arranjasse um casamento para Euá.
Mas Euá desejava viver só,
dedicada à sua tarefa de fazer cair a noite no horizonte,

matando o sol com a magia que guarda na cabaça *adô*.
Nanã, porém, insistia em casar a filha.

Euá pediu então ajuda a seu irmão Oxumarê.
O Arco-Íris escondeu Euá
no lugar onde termina o arco de seu corpo.
Escondeu Euá por trás do horizonte
e Nanã nunca mais pôde alcançá-la.
Assim os dois irmãos passaram a viver juntos,
para sempre inatingíveis no horizonte,
lá onde o céu encontra a terra.
Onde ela faz nascer a noite com seu *adô*.
[119]

Euá é presa no formigueiro por Omulu

Euá era uma caçadora de grande beleza,
que cegava com veneno quem se atrevesse a olhar para ela.
Euá casou-se com Omulu,
que logo demonstrou ser marido ciumento.
Um dia, envenenado pelo ciúme doentio,
Omulu desconfiou da fidelidade da mulher
e a prendeu num formigueiro.
As formigas picaram Euá quase até a morte
e ela ficou deformada e feia.
Para esconder sua deformação, sua feiura,
Omulu então a cobriu com palha da costa vermelha.
Assim todos se lembrariam ainda
como Euá tinha sido uma caçadora de grande beleza.
[120]

Euá atemoriza Xangô no cemitério

Numa manhã coberta de neblina,
sem suspeitar onde se encontrava,
Xangô dançava com alegria ao som de um tambor.
Xangô dançava alegremente em meio à névoa
quando apareceu uma figura feminina
enredada na brancura da manhã.
Ela perguntou-lhe por que dançava e tocava naquele lugar.
Xangô, sempre petulante, respondeu-lhe que fazia o que queria
e onde bem lhe conviesse.
A mulher escutou e respondeu-lhe
que ali ela governava
e desapareceu aos olhos de Xangô.
Mas ela lançou sobre Xangô os seus eflúvios
e a névoa dissipou-se, deixando ver as sepulturas.
Xangô era poderoso e alegre,
mas temia a morte e os mortos, os *eguns*.
Xangô sentiu-se aterrorizado e saiu dali correndo.

Mais tarde Xangô foi à casa de Orunmilá se consultar
e o velho disse-lhe que aquela mulher era Euá,
a dona do cemitério.
Ele estava dançando na casa dos mortos.
Xangô sentia pavor da morte
e desde então nunca mais entrou num cemitério,
nem ele nem seus seguidores.
[121]

Euá se desilude com Xangô e abandona o mundo dos vivos

Euá, filha de Obatalá, vivia enclausurada em seu palácio.
O amor de Obatalá por ela era possessivo.
A fama de sua beleza chegava a toda parte,
inclusive aos ouvidos de Xangô.
Mulherengo como era, Xangô planejou seduzir Euá.
Empregou-se no palácio para cuidar dos jardins.
Um dia Euá apareceu na janela e deslumbrou-se com o jardineiro.
Euá nunca vira um homem assim tão fascinante.

Xangô deu muitos presentes a Euá.
Deu-lhe uma cabaça enfeitada com búzios,
com uma cobra por fora e mil mistérios por dentro,
um pequeno mundo de segredos, um *adô*.
E Euá entregou-se a Xangô.
Dizem que o amor de Xangô fez Euá muito infeliz
e que ela renegou sua paixão.
Decidiu se retirar do mundo dos vivos
e pediu ao pai que a enviasse a um lugar distante,
onde homem algum pudesse vê-la novamente.
Obatalá deu então a Euá o reino dos mortos,
que os vivos temem e evitam.
Desde então é ela quem domina o cemitério.
Ali ela entrega a Oiá os cadáveres dos humanos,
os mortos que Obaluaê conduz a Orixá Ocô
e que Orixá Ocô devora para que voltem novamente à terra,
à terra de Nanã de que foram um dia feitos.
Ninguém incomoda Euá no cemitério.
[122]

Xangô

Xangô

Xangô é escolhido rei de Oió

Antes de se tornar rei de Oió,
Xangô foi consultar o oráculo.
O adivinho lhe disse que fizesse um sacrifício.
Que oferecesse búzios, dois galos, duas galinhas e dois pombos.
Xangô Afonjá devia oferecer também a roupa que estava usando
e dar alguma coisa para seus parentes e amigos.

Ele assim o fez e todos se reuniram
para comer e beber do sacrifício.
Todos se fartaram e cantaram.
Então se perguntou:
"Quem escolheremos para nosso rei?".
"Que tal o homem em cuja casa comemos e bebemos?",
alguém propôs.
"Quem, senão Afonjá?
Só pode ser Afonjá!",
aclamou a multidão em coro.
"Quem mais pode ser feito rei?"
"Só temos Afonjá",
alguém propôs.
"Que seja Afonjá",
aclamou a multidão em coro.
E escolheram Afonjá e o fizeram rei de Oió.
E Xangô reinou em Oió.
[123]

Xangô é reconhecido como o orixá da justiça

Xangô e seus homens lutavam com um inimigo implacável.
Os guerreiros de Xangô, capturados pelo inimigo,
eram mutilados e torturados até a morte, sem piedade ou compaixão.
As atrocidades já não tinham limites.
O inimigo mandava entregar a Xangô seus homens aos pedaços.
Xangô estava desesperado e enfurecido.
Xangô subiu no alto de uma pedreira perto do acampamento
e dali consultou Orunmilá sobre o que fazer.
Xangô pediu ajuda a Orunmilá.
Xangô estava irado e começou a bater nas pedras com o *oxé*,
bater com seu machado duplo.
O machado arrancava das pedras faíscas,
que acendiam no ar famintas línguas de fogo,
que devoravam os soldados inimigos.
A guerra perdida foi se transformando em vitória.

Xangô ganhou a guerra.
Os chefes inimigos que haviam ordenado
o massacre dos soldados de Xangô
foram dizimados por um raio que Xangô disparou no auge da fúria.
Mas os soldados inimigos que sobreviveram
foram poupados por Xangô.
A partir daí, o senso de justiça de Xangô
foi admirado e cantado por todos.
Através dos séculos,
os orixás e os homens têm recorrido a Xangô
para resolver todo tipo de pendência,
julgar as discordâncias e administrar justiça.
[124]

Xangô torna-se rei de Cossô

Xangô era filho de Oraniã.
Em suas viagens, Oraniã passou por Empê, em território tapa.
Elempê, o rei, ofereceu-lhe a filha em casamento,
uma princesa de nome Iamassê.
Dessa união nasceu Xangô.
Xangô foi criado na terra de sua mãe.
Desde menino Xangô não escondia o temperamento forte
e já comandava um exército de brinquedo.
Fazia traquinagens e amedrontava os habitantes do lugar.

Crescido, Xangô partiu em busca de aventuras.
Levou consigo seu *oxé*, o machado de duas lâminas,
e um saco de couro onde guardava seus segredos:
o poder de cuspir fogo e lançar as pedras de raio,
o poder de lançar *edum ará*.
Xangô visitou a cidade e o povo de Cossô,
mas em Cossô os habitantes não o quiseram como rei,
por causa de seu caráter intranquilo.
Magoado com a rejeição, Xangô usou de seus poderes
e castigou com crueldade o povo de Cossô.
Com trovões e pedras de raio Xangô atacou a cidade
e logo a população caiu a seus pés, rogando clemência:
"Kabiyesi Xangô, Kawô Kabiyesi Obá Kossô".
"Viva Sua Majestade Xangô, Rei de Cossô."
A cidade se rendia e a coroa lhe oferecia.
Xangô foi feito rei e realizou grandes obras.
Por seu governo justo, nunca foi esquecido o grande Obá Cossô.
Todos os seus súditos o aclamavam:
"Kabiyesi Xangô, Kawô Kabiyesi Obá Kossô".
[125]

Xangô é reconhecido por Aganju como seu filho legítimo

Aganju era pai de Xangô,
mas não se conheciam.
Aganju era tão temido e respeitado
que deixava a porta da casa sempre aberta
e ninguém jamais se atrevera a entrar.
Aganju tinha a casa sempre abarrotada de frutas,
pois o rio, as terras e as grandes savanas lhe pertenciam.
Um dia, Xangô entrou na casa de Aganju,
comeu de tudo, se fartou
e depois deitou para dormir na esteira de Aganju.

Quando Aganju chegou,
encontrou aquele negro atrevido
descansando na maior tranquilidade.
Aganju fez uma fogueira e atirou Xangô ao fogo.
Mas o fogo Xangô não queimava.
Como iria se queimar se ele próprio era o fogo?
Então, Aganju tomou Xangô em seus ombros
e o levou até o mar para afogá-lo.
Do mar saiu Iemanjá Conlá, a mãe de Xangô.
Iemanjá intercedeu:
"O que estás fazendo, Aganju?
Não podes matar nosso filho".

Aganju olhou admirado para Xangô
e se deu conta de como eram parecidos.
O filho era tal qual o pai. E disse:
"Eu, Aganju, sou o homem mais valente e bravo.
Mais valente e bravo em todo o mundo.
Tu, Xangô, és tão valente e bravo quanto eu.
Estou certo de que és realmente filho meu".
E eles cantaram e dançaram em regozijo.
[126]

Xangô rouba Iansã de Ogum

Xangô um dia cansou-se da monotonia da corte
e partiu em busca de novas aventuras.
Chegou a Irê, onde morava Ogum, nobre guerreiro, senhor da forja.
Ogum vivia com Iansã, senhora dos ventos e das tempestades.
Xangô apreciava ver o trabalho de Ogum na forja
e sempre arriscava olhar para a mulher,
driblando a vigilância do ferreiro.
Iansã por sua vez encantava-se com o porte e a nobreza de Xangô.
Um dia, fugiram e chegaram a Oió.
Lá reinava o meio-irmão de Xangô, Dadá Ajacá.
Dadá deixou que Xangô o ajudasse no comando do reino.
Nas terras de Oió, Xangô fundou Cossô, seu reino próprio,
sendo chamado Obá Cossô, rei de Cossô.
Assim, o reino de Dadá expandiu-se por força de Xangô.
Um dia Xangô destronou seu irmão.
Tornou-se o senhor absoluto e o povo aclamava:
"Kabiyesi Xangô, Alafin Oió Alayeluwa!".
"Viva Sua Majestade Xangô,
dono do palácio de Oió e Senhor da Terra."

Xangô ergueu seu palácio com esplendor,
teve mulheres e muitos filhos.
Sempre acompanhado de Iansã.
Oxum foi a segunda mulher, seguida de Obá.
[127]

Xangô ordena que primeiro saúdem seu irmão mais velho

Dadá Baiani Ajacá era o irmão mais velho de Xangô.
De caráter pacífico, deixava para seu irmão Xangô
o poder de enfrentar as lutas e maledicências que o incomodavam.
Xangô defendia o irmão com gana furiosa.
Xangô dava grandes festas no palácio de Oió
e a elas todo o povo acorria.
Quando todos se prostravam no chão para saudar Xangô,
ele os impedia e os mandava saudarem primeiro seu irmão mais velho.
Até hoje, quando se louva Xangô, é por hábito saudar Dadá Baiani.
Assim Xangô sempre estará satisfeito.
E Dadá também é senhor de muitas riquezas
e propicia tudo isso a seus devotos.
[128]

Xangô faz oferendas e vence os inimigos

Xangô vivia entre inimigos.
O que podia fazer para derrotá-los?
Foi-lhe dito que fizesse um *ebó*.
Qual sacrifício oferecer?
O babalaô disse que oferecesse muitos búzios.
Ele devia oferecer dois galos,

dois pombos, doze pedras,
doze pavios de lamparina e doze bastões.
Xangô reuniu essas coisas e fez o sacrifício,
que apaziguou os deuses.
Xangô terminou o sacrifício e voltou à guerra com os inimigos.
No pavio da lamparina, Xangô acendeu o fogo que jorrou de sua boca.
Ele trazia na mão o machado duplo de fazer trovão
e ninguém mais podia enfrentá-lo.
Xangô venceu.
Quando Xangô chegou da guerra, todos o aclamavam:
"Kawô, Xangô! Salve Xangô!".
"Kabyesi, kawô! Abram alas para Sua Majestade!"
"E kabó! Bem-vindo! Bem-vindo!"
Todos aqueles que nunca haviam saudado Xangô
também agora o faziam com muito entusiasmo.
Eles o saudavam.
Xangô dançava em regozijo.
[129]

Xangô mata o monstro e lança chamas pela boca

Certa vez, em Tácua, apareceu um animal feroz,
que estava devorando os homens e as mulheres do lugar.
Devorava velhos, adultos e crianças.

O pavor se espalhou
e a notícia chegou aos ouvidos de Xangô.
Xangô foi de Mina a Tácua para matar o animal.
O animal era um ser monstruoso, terrível criatura,
que ninguém conseguia vencer.
Quando viram Xangô chegar, lhe perguntaram:
"Para que vieste? Para perder a vida?".
Ao que Xangô respondeu:
"Eu vim para acabar com este monstro".
O ser monstruoso rugia e toda a terra tremia.
Ele devorava homens e mulheres.
Xangô não quis soldados para vencer o animal.
Só, e no corpo a corpo, Xangô lutou e matou o monstro.
Xangô vitorioso cantava e lançava chamas pela boca.
Xangô estava feliz.
Xangô cantava e dançava de contentamento.
[130]

Xangô foge de seus perseguidores vestido de mulher

Xangô estava fugindo dos inimigos.
Os inimigos queriam acabar com ele a qualquer custo.
Se caísse em suas mãos, lhe cortariam a cabeça.
Xangô foi se esconder na casa de Oiá.
Os inimigos sitiaram a casa;
não havia como escapar.
Oiá vestiu Xangô com as roupas dela.
Cortou os cabelos e com eles cobriu a cabeça de Xangô.
Ornou-o com apuro, com muitos colares, anéis e pulseiras.
Então Oiá anunciou que ia sair para um passeio.
E Xangô saiu à rua com toda a elegância de Oiá.

Era Oiá, todos acreditaram,
formosa e deslumbrante em seus ricos trajes.
Os inimigos de Xangô abriram respeitosamente o caminho para Oiá.

Quando, mais tarde, Oiá saiu à rua,
todos se deram conta do engodo, mas era tarde demais.
Xangô escapara e da morte se livrara.
A astúcia de Oiá livrou Xangô dos inimigos.
[131]

Xangô cai no fogo e brinca com as brasas

Dadá foi quem criou Xangô.
Dadá tinha pena de Xangô porque seu pai, Obatalá,
tinha ordenado que o matassem.
Dadá fazia tudo o que Xangô queria.
Ela cuidava o tempo todo de Xangô,
dava-lhe todas as atenções
e o advertia para que não brincasse com fogo,
não brigasse com os outros,
nem montasse cavalo,
porque poderia acabar se machucando.
Mas Xangô, muito teimoso, fazia o que queria.
Lutava e ganhava sempre, andava a cavalo e jamais caía.

Certa vez, Xangô estava brincando na cozinha
e caiu dentro do fogão.
Dadá ficou muito assustada,
mas Xangô queria continuar brincando com as brasas,
porque ele gostava de ver como elas brilhavam.
E elas não lhe causavam nenhum dano.

Xangô era um menino muito malcriado
e, adulto, só fazia o que queria.
Xangô não escutava conselhos de ninguém.
Culpa de Dadá, que o mimou demais.
[132]

Xangô foge de Oiá com a ajuda de Oxum

Oiá tinha muito ciúme de Xangô e o queria só para si.
Ardilosa, pôs em prática um plano
a fim de aprisionar Xangô na casa dela.
Chamou os mortos, de quem era a rainha,
e os pôs de sentinela pela casa toda.
Cada vez que Xangô tentava sair da casa,
os *eguns* se aproximavam dele,
que, amedrontado, desistia do intento.
Um dia Oiá ausentou-se e Oxum foi visitar Xangô.
Xangô contou-lhe o que estava se passando.
Oxum buscou uma garrafa de aguardente,
uma garrafa de mel e *efum*.
Com o *otim* embebedou o morto que guardava a porta.
Com mel adoçou um outro,
fazendo com que por ela se apaixonasse.
Enquanto isso, Xangô, pintado com o *efum*,
todo coberto de giz, branco como um *egum*,
saiu da casa, passou despercebido por entre os mortos
e fugiu.
[133]

Xangô é vencido pelo Carneiro

Um dia houve grande contenda entre Xangô
e seu Carneiro por causa de ciúme de mulher.
Os dois se bateram intensamente.
O Carneiro, como se visse muito cansado,
correu para càsa, armou-se de chifres e,
depois de ter descansado,
voltou novamente para bater-se com Xangô
e o venceu.
Xangô, então, foi-se embora com o vento,
subindo ao Céu por meio de uma corda.
Todos blasfemaram pela fuga de Xangô
diante do poder e violência temíveis do Carneiro.
Os amigos de Xangô, porém, apesar de decepcionados,
fizeram um *ebó* com muitas pedras miúdas.
Feito o *ebó*, o firmamento se fechou em trovões e raios.
Assim, todos acreditaram que Xangô estivesse no Céu,
e, vez ou outra, lembravam-se do acontecido.
[134]

Xangô usurpa a coroa de Ogum

Xangô e Ogum eram irmãos, mas rivais,
porque Xangô tinha tomado o trono de Ogum.
Xangô causava muita perturbação
e Iemanjá não o queria como rei,
pois era violento e traquinas.
Iemanjá queria que Ogum fosse o rei,
pois ele tinha qualidades que Xangô não tinha.
Era mais velho, confiável, mais calmo e responsável.

Era também o primogênito de Iemanjá e Orixalá.
Xangô era mimado, era o filho preferido de Iemanjá e Orixalá.
Ainda assim, sua mãe escolheu Ogum para rei.

Então, quando Iemanjá preparou a festa para coroar Ogum,
Xangô disse a si mesmo:
"De maneira alguma posso deixar de ser rei".
E Xangô traiu Ogum.
Misturou um preparado na bebida de Ogum
e Ogum dormiu a noite inteira por conta do feitiço.
Então Xangô cobriu-se com uma pele de carneiro,
disfarçando-se de Ogum, que era peludo.
Quando as luzes foram apagadas para o ritual,
Xangô sentou-se silenciosamente no trono.
Ele recebeu a coroa das mãos de Iemanjá.
Enquanto Ogum dormia,
fizeram todas as coisas
que tinham de ser feitas na cabeça de Xangô.
Quando as luzes se acenderam,
todos viram que haviam coroado Xangô e não Ogum.
[135]

Xangô seduz o povo e usurpa o trono de Ogum

Nanã, a avó de todos os orixás,
tinha uma cesta de costura e fazia renda e roupas para bonecas.
Um dia Xangô procurou Nanã.
Queria ir a uma festa importante e não tinha roupa adequada.
Nanã tinha feito a roupa de todos os orixás
e tinha muitas sobras de pano nos baús.
Com as sobras de pano, fez uma roupa de festa para Xangô.

Xangô foi à festa vestido com seu saiote multicor.
Ele ficou tão bonito que a todos conquistou.
Assim, todos o aclamaram e o escolheram rei,
só por causa de sua formosura, seu encanto.
Sentou-se com muita graça e beleza na cadeira de Ogum.
Ganhou o trono sem ter o direito de primogenitura,
ludibriando todo mundo com seu charme.
Xangô sentou-se no trono que pertencia a Ogum
e ninguém nunca mais teve coragem de tirá-lo de lá.
[136]

Xangô é salvo por Oiá da perseguição dos eguns

Xangô tinha pavor da morte.
Xangô tinha horror dos mortos.
Xangô temia os *eguns* mais que qualquer coisa.
Certa vez Xangô viu-se perseguido pelos *eguns*.
Sua mulher Oiá foi em seu socorro.
Ela conhecia um meio de acabar com aquela situação.
Deu a Xangô nove espelhos
onde ele faria os *eguns* verem refletidas suas próprias imagens.
Sabia Oiá que a morte
não suporta ver-se frente a frente,
tal sua feiura.
Quando os *eguns* acercaram-se de Xangô,

Xangô os recebeu com seus espelhos.
Os *eguns* se viram e se apavoraram.
A visão era horrível.
Os *eguns* saíram em disparada.
Xangô os perseguiu sem trégua.
Foram vencidos por Xangô com a ajuda de Oiá.
[137]

Xangô ensina ao homem como fazer fogo para cozinhar

Em épocas remotas, havia um homem
a quem Olorum e Exu ensinaram todos os segredos do mundo,
para que pudesse fazer o bem e o mal, como bem entendesse.
Os deuses que governavam o mundo, Obatalá, Xangô e Ifá,
determinaram que, por ter se tornado feiticeiro tão poderoso,
o homem deveria oferecer uma grande festa para os deuses,
mas eles estavam fartos de comer comida crua e fria.
Queriam coisa diferente:
comida quente, comida cozida.
Mas naquele tempo nenhum homem sabia fazer fogo
e muito menos cozinhar.
Reconhecendo a própria incapacidade de satisfazer os deuses,
o homem foi até a encruzilhada e pediu ajuda a Exu.
Esperou três dias e três noites sem nenhum sinal,
até que ouviu uns estalos na mata.
Eram as árvores que pareciam estar rindo dele,
esfregando seus galhos umas contra as outras.
Ele não gostou nada dessa brincadeira e invocou Xangô,
que o ajudou lançando uma chuva de raios sobre as árvores.
Alguns galhos incendiados foram decepados
e lançados no chão, onde queimaram até restarem só as brasas.

O homem apanhou algumas brasas
e as cobriu com gravetos
e abafou tudo colocando terra por cima.
Algum tempo depois, ao descobrir o montinho,
o homem viu pequenas lascas pretas. Era o carvão.
O homem dispôs os pedaços de carvão entre pedras
e os acendeu com a brasa que restara.
Depois soprou até ver flamejar o fogo
e no fogo cozinhou os alimentos.
Assim, inspirado e protegido por Xangô,
o homem inventou o fogão
e pôde satisfazer as ordens dos três grandes orixás.
Os orixás comeram comidas cozidas e gostaram muito.
E permitiram ao homem comer delas também.
[138]

Xangô seduz a mãe adotiva

Filho de Aganju nasceu Xangô.
Abandonado pela mãe, foi adotado por Iemanjá,
que o criou e educou com grande esmero
e fez dele rei.
Xangô casou-se primeiro com Obá,
sua principal esposa.
Sacrificando-se pelos deveres domésticos,
Obá perdeu toda a formosura e Xangô a desprezou.
Xangô então casou-se com Oiá,
que fora sua aliada na guerra contra Ogum.
Foi então que Oxum, que vivia com o babalaô Orunmilá,
deitou-se com Xangô.
O amor deles dois foi o mais perfeito

e ele logo a desposou.
Um dia, porém, Xangô se enamorou de Iemanjá
e a ela declarou sua paixão.
A mãe o esbofeteou e o expulsou de casa sem dinheiro.
Ele tentou uma segunda vez e Iemanjá o repudiou de novo.
Mas Xangô não desistia.
Com a ajuda dos Ibejis, filhos gêmeos que tivera com Oxum,
Xangô fez um feitiço.
E Iemanjá voltou a recebê-lo em casa.
E Xangô possuiu Iemanjá.
[139]

Xangô usa vários nomes para escapar de Iemanjá

Xangô teve muitas mulheres
e com as muitas mulheres teve muitos filhos.
Cada filho que Xangô fazia,
ele deixava com Iemanjá para criar.
Iemanjá criava os filhos que Xangô
fazia com as muitas mulheres que ele tinha.
E Iemanjá não conseguia nunca ver Xangô,
pois ele deixava com ela a criança e ia embora,
ia para longe de Iemanjá.
Então Iemanjá se pôs a procurar Xangô.
Por toda parte, cidade, aldeia,
ia Iemanjá à procura de Xangô.
Mas em cada lugar Xangô usava um nome diferente
e assim Iemanjá não conseguia encontrá-lo.
Aqui chamava-se Badé, além, Obakossô,
mais adiante, Gonocô.
Mas, como Iemanjá perguntava sempre pelo nome Xangô,

nunca ninguém dava notícias dele.
Finalmente, depois de tanta procura,
um dia Iemanjá o encontrou
e nunca mais deixou que ele fugisse dela.
Casou-se com ele.
[140]

Xangô e suas esposas transformam-se em orixás

Xangô era um rei muito poderoso.
Vivia com suas esposas Iansã, Obá e Oxum.
Sempre preocupado em fazer a guerra,
estava à procura de uma nova magia para derrotar os inimigos.
Um dia, pensando ter descoberto finalmente
uma fórmula muito poderosa,
Xangô subiu numa colina e lançou seu experimento.
Era o raio, que maravilha, que poder!
Mas foi muito grande sua decepção.
Com rumor terrível, a invenção precipitou-se sobre seu palácio
e o destruiu,
incendiando também a cidade e matando grande parte de seus súditos.
Desesperado, Xangô fugiu para a terra dos vizinhos tapas,
seguido por Iansã.
Refugiou-se depois na cidade de Cossô.
Mas a dor não o deixava em paz.
Não suportando mais a tristeza que sentia pelo ato impensado,
Xangô bateu fortemente os pés no chão,
desaparecendo terra adentro.
Foi para o Orum.
Iansã o acompanhou e fez o mesmo na cidade de Irá,
sendo seguida por Oxum e Obá.

Desde então Xangô está vivo no trovão,
enquanto Iansã, Oxum e Obá correm como rios.
Assim surgiram novos orixás.
[141]

Xangô ganha o colar vermelho e branco

Xangô foi um filho rebelde,
saía pelo mundo fazendo o que queria.
Seu pai Obatalá era informado de seus atos,
recebendo muitas queixas pelas artes do filho.
Obatalá justificava os atos de Xangô,
alegando que ele não havia sido criado perto dele.
Mas esperava o dia em que Xangô a ele se submeteria.
Uma ocasião, Xangô estava na casa de uma de suas mulheres.
Havia deixado o cavalo amarrado à porta da casa.
Obatalá e Odudua passaram por lá e levaram o cavalo.
Xangô percebeu o roubo e saiu em busca do animal.
Foi informado de que dois velhos que por ali passavam
haviam levado o cavalo.
Xangô saiu em seu encalço
e na perseguição encontrou Obatalá.
Quis enfrentar Obatalá,
que não se intimidou diante do rapaz,
exigindo respeito e submissão.
Obatalá ordenou: "Kunlé! Foribalé!".
"Ajoelhe-se! Prostre-se no chão aos meus pés!"
E Xangô, desarmado, atirou-se ao solo.
Xangô estava dominado por Obatalá.
Xangô já tinha consigo seu colar de contas vermelhas
e então Obatalá desfez o colar de Xangô

e alternou as contas encarnadas de Xangô
com as contas brancas de seu próprio colar.
Obatalá entregou a Xangô o novo colar vermelho e branco.
Agora todos saberiam que aquele era seu filho.
[142]

Xangô mata o touro com seu machado duplo

Xangô era muito engenhoso.
Providenciava todas as coisas para Iemanjá e Orixalá.
Tomava conta de tudo e resolvia o que fosse.
Iemanjá começou a desconfiar.
Ela sabia que quando Xangô cismava com uma coisa
ninguém podia detê-lo.
Iemanjá sabia disso.
Ele era impossível, era capaz de tudo e não recuava.

Uma vez, Xangô foi a uma festa onde havia muitos jogos.
No mais perigoso deles,
os valentes deviam enfrentar a fúria de um touro,
uma fera que já havia matado muitos guerreiros valorosos.
Xangô chegou à festa e foi direto ao encontro do touro.
O touro investiu contra ele e o atirou ao chão.
Iemanjá e Orixalá temeram por sua morte,
pois nunca antes alguém vencera aquele animal.
Iemanjá e Orixalá temiam que ele não pudesse sair vencedor.
Mas Xangô se levantou diante dos olhos da multidão maravilhada.
Correu para sua casa e voltou empunhando o *oxé*, seu machado duplo.
Novamente foi se enfrentar com o touro.
Ninguém acreditava que ele saísse vivo.
Quando o touro chegou bem perto de Xangô, ameaçando-o,

Xangô acertou o bruto com o *oxé*, bem entre os chifres.
Assim derrubou Xangô o touro, com um só golpe entre os cornos.
Todos os que ali estavam aplaudiram festivamente.
Xangô levou o touro abatido para casa e o ofereceu a Iemanjá.
[143]

Xangô dá a Obaluaê os cães de Ogum

Xangô era um homem muito popular.
Um dia, na praça, um leproso de nome Obaluaê o procurou.
"Por que não falas comigo?", perguntou o pestilento.
Xangô respondeu-lhe que seu pai Obatalá
lhe havia dito que naquela terra
ele tinha um irmão de sangue e um irmão adotivo.
E era só com eles que ele queria conversar.
Disse-lhe Obaluaê ser ele o seu irmão por adoção
e que o outro homem ali presente era seu irmão inteiro.
Esse outro era Ogum, que andava sempre acompanhado
de muitos cães.
Xangô disse a Obaluaê que aquela terra não lhe pertencia,
que seguisse para terras distantes, onde encontraria melhor sorte.
Obaluaê retrucou da dificuldade em seguir caminho
naquelas condições de doença em que se encontrava.

Xangô tomou então dois cães de Ogum e os deu a Obaluaê,
para que lhe servissem de guias e guardiões.
Mas Ogum não gostou de perder os cães e atacou Xangô.
Iniciou-se um conflito de grandes proporções entre os dois.
Desde então, Xangô e Ogum, apesar de irmãos,
tornaram-se eternos e irreconciliáveis antagonistas.
Desde então chamam Ogum de Ogunjá,
que na língua da terra quer dizer Ogum dos Cães.
[144]

Xangô conquista Iansã na guerra contra Ogum

Um dia Xangô e Ogum se colocaram frente a frente,
no campo de batalha:
lutavam pela conquista de Iansã.
Ogum veio furioso, vestido em sua armadura metálica
com todo tipo de proteção.
Ele trazia muitas armas, vinha carregado de ferro
e era impossível vencê-lo numa luta corpo a corpo.
Ele era todo armadura.
Xangô veio sem nada,
porque sempre fez tudo por impulso
e nunca soube como se organizar corretamente.
Sua única arma era uma pedra que carregava na mão.
Então Xangô jogou a pedra em Ogum e ele pegou fogo.
A pedra de Xangô era o corisco, um meteorito que solta chamas,
era a pedra de raio, *edum ará*.
Com sua magia Xangô derrotou Ogum e ganhou Iansã.
Ogum foi um orixá guerreiro, feroz,
sempre caçando nas florestas, lutando para sobreviver.
Xangô foi um orixá briguento

e soube brigar tanto como Ogum.
Mas Xangô, ao contrário de Ogum, soube desfrutar da boa vida.
[145]

Xangô incendeia sua cidade acidentalmente

Xangô governava com rigor a cidade de Oió e redondezas.
Era chamado de Jacutá, o Atirador de Pedra.
Xangô era muito prestigiado em seu reino e em reinos vizinhos,
mas desejava algo mais para instilar medo nos corações dos homens.
Para isso convocou os maiores feiticeiros de Oió
e lhes pediu que inventassem novas fórmulas
para aumentar seu poder.
Xangô não ficou satisfeito com o trabalho dos feiticeiros
e pediu ajuda a Exu.
Exu aceitou a tarefa, pediu uma cabra como sacrifício
e ordenou que dentro de sete dias Oiá fosse buscar o preparado.
Quando chegou o dia combinado, lá foi Oiá à casa de Exu.
Lá chegando, ela saudou Exu
e disse que o sacrifício estava a caminho.
O preparado estava embrulhado numa folha.
Oiá pegou o pacote e partiu.

No caminho, Oiá parou para descansar.
Não contendo a crescente curiosidade,
desembrulhou o pacote para ver o que tinha dentro.
Não havia nada além de um pó vermelho
e ela pôs um pouquinho na boca para experimentar.
Não era bom nem ruim; tinha um gosto diferente.
Oiá fechou novamente o pacote e prosseguiu.
Chegou a Oió e deu o remédio a Xangô, que perguntou:

"Que instruções Exu te deu? Como o remédio deve ser usado?".
Quando ela começou a falar, saiu fogo de sua boca.
Xangô entendeu que Oiá tinha provado o remédio.
Ficou irado e tentou bater em Oiá,
mas ela fugiu de casa, com Xangô a persegui-la.
Oiá foi para um lugar onde carneiros pastavam.
Escondeu-se entre os carneiros,
pensando que Xangô não a encontraria.
Mas a ira de Xangô era grande.
Ele arremessava suas pedras de raio em todas as direções.
Arremessou-as entre os carneiros, matando-os.
Oiá ficou escondida embaixo dos corpos dos carneiros mortos
e assim Xangô não pôde encontrá-la.

Xangô voltou para casa.
Muitas pessoas de Oió estavam reunidas lá
e clamavam pedindo que Xangô perdoasse Oiá.
A raiva dele abrandou-se.
Mandou seus empregados procurar Oiá e trazê-la para casa.
Mas ele ainda não sabia como usar o preparado.
Quando anoiteceu, ele pegou o pacote de Exu
e foi a um lugar bem alto, de onde podia ver toda a cidade.
Colocou um pouco do pó vermelho na língua
e, quando expirou o ar dos pulmões,
uma enorme labareda jorrou de sua boca,
depois outra e mais outra, sem parar.
As chamas se estenderam por sobre toda a cidade,
lambendo os telhados de palha das casas de seus súditos
e também as dependências do palácio real.
Um grande incêndio tomou conta de Oió.
Tudo foi consumido pelo fogo até as cinzas.
Oió foi destruída e teve que ser reconstruída.

Depois que a cidade ressurgiu de suas cinzas,
Xangô continuou a governá-la.

Em tempos de guerra,
ou quando as coisas o desagradam,
Xangô arremessa as pedras de raio.
E o fogo da boca de Xangô queima seus desafetos.
Os carneiros que morreram protegendo Oiá
das pedras de raio de Xangô não foram esquecidos.
Os devotos de Oiá não comem mais carne de carneiro.
[146]

Xangô é visitado pelos quinze odus e acaba ficando rico

No princípio do mundo,
Quinze *odus* reunidos foram procurar os babalaôs
para saber o que fazer para melhorar de vida.
Foram todos os *odus* menos Xangô, que era um deles.
Xangô não foi avisado por ninguém dessa reunião.
Os babalaôs receitaram oferendas eficazes,
mas nenhum dos consulentes fez o *ebó* determinado.
Xangô, porém, sabendo que fora menosprezado pelos outros *odus*
e informado da fórmula prescrita pelo oráculo,
correu a preparar sozinho aquele *ebó* que os adivinhos pediram,
arriscando-se muito para realizar a tarefa.

Cinco dias depois desse acontecido,
os quinze *odus* foram à casa de Olofim-Olodumare
e novamente não avisaram Xangô da visita,
porque o consideravam pobre e dele se envergonhavam.
Os quinze *odus* saíram satisfeitos da casa de Olofim.

Então, quando já iam embora, Olofim os chamou
e a cada um deu uma abóbora.
Os quinze *odus*, para não parecerem indelicados,
aceitaram os presentes e se foram.
No caminho, sentiram fome e se lembraram de Xangô.
Rumaram para sua casa, que era perto de onde estavam.
Lá chegando, um deles cumprimentou Xangô, dizendo:
"Obará Meji, como vais de saúde?
O que tens aí para comer,
para mim e para meus companheiros de viagem?".
Todos estavam famintos,
pois nada comeram na casa de Olofim.
Xangô os recebeu muito cordialmente
e os quinze *odus* foram logo entrando e se servindo.
Enquanto eles comiam o que havia na casa,
a mulher de Xangô foi ao mercado
e trouxe muitos cestos de comida.
Assim, os quinze *odus* comeram até se fartar
e após a refeição deitaram-se em esteiras para a sesta.
No fim da tarde, quando foram embora,
deixaram as abóboras para Xangô,
em agradecimento pela boa recepção.

Mais tarde, quando Xangô sentiu fome,
sua mulher o repreendeu por sua generosidade extremada.
Tudo o que havia de comer fora dado aos *odus*,
que nem sequer o trataram com a camaradagem dos colegas.
E por não ter mais o que comer,
Xangô abriu uma das abóboras com a faca
e descobriu que dentro havia muitas pedras preciosas.
Xangô correu todo alegre e ansioso para mostrar aquelas pedras
a um comerciante de joias que as examinou atentamente
e disse tratar-se de brilhantes e outras pedras preciosíssimas, sim.
Xangô foi para casa e abriu cada uma das abóboras
e cada uma continha um tesouro inimaginável.
Xangô tornou-se muito rico, o mais rico habitante do lugar.
Construiu um palácio e comprou cavalos das melhores raças.

Depois de um tempo, os *odus* voltaram à casa de Olofim.
Xangô também se dirigiu à casa do Grande Rei e não foi só.
Foi acompanhado de grande comitiva e muita pompa.
Olofim, vendo todo aquele alvoroço de lacaios, pajens e acompanhantes,
quis saber quem vinha lá com tão majestoso préstito.
Era Xangô e Xangô era agora um homem rico, o mais rico.
Os quinze *odus* estavam embasbacados
com a ostentação do *odu* pobre.
Olofim perguntou então aos quinze *odus*
o que haviam feito das abóboras
e todos se apressaram em responder que as tinham dado a Xangô.
Então Olofim disse que dentro de cada abóbora existia uma fortuna
que ele pessoal e generosamente destinara
para cada um dos seus filhos, os *odus*,
mas que quisera a sorte
que tudo fosse somente de Xangô, o *odu* Obará Meji.
Xangô era então mais rico que qualquer um dos quinze *odus*.

Xangô era então mais rico que os quinze *odus* juntos.
Os *odus* estavam inconsoláveis e pediram que Olofim fizesse justiça.
Queriam de volta as abóboras com suas heranças.
Para a felicidade de Xangô a justiça já tinha sido feita.
Foi esse o veredicto final de Olodumare.
[147]

Xangô oferece mil riquezas a Oxum

Tudo o que Xangô viu e quis ele sempre conseguiu.
Um dia, Xangô viu uma mulher muito bonita
e a desejou ardentemente.
Mesmo já sendo casado com Iansã,
começou a persegui-la.
Era Oxum, mulher de Ogum, um pobre caçador,
que pouco podia oferecer à sua mulher.
Xangô era um negro belo, forte e rico.
E ele foi em seu encalço e lhe falou:
"Se ficares comigo, abro um tapete de ouro sob teus pés,
que é para nunca mais pisares o chão.
E todas as minhas mil riquezas serão tuas".
Logo que ouviu falar em ouro,
Oxum foi embora com Xangô.
Ele era rico, atrevido e charmoso.
É esse o tipo de pessoa que satisfaz Oxum.
E ambos são doidos um pelo outro.
E todas as mulheres que foram de Ogum foram tomadas por Xangô.
[148]

Xangô conquista pela força o amor de Iansã

Um dia Xangô foi ao palácio de Iansã determinado a conquistá-la.
Ele a desejava ardentemente,
mas Iansã era uma mulher difícil
e não queria se render às investidas de Xangô.
Ela pôs todos os seus Exus para lutar contra Xangô.
Xangô disse a si mesmo: "Hei de ter Iansã".
E começou a lutar e a derrubar todos os que surgiam pela frente.
Então, quando Iansã viu que nenhum de seus Exus
poderia deter Xangô, disse:
"Podem deixá-lo entrar, podem deixá-lo entrar".
Xangô venceu a todos,
entrou no palácio
e teve Iansã.
[149]

Xangô depende de Iansã para ganhar a guerra

Xangô arrombou o palácio de Orunmilá,
lutou contra todos os seus Exus
e levou Oxum consigo.
Iansã ficou muito irritada com aquela atitude.
Quando os malês tomaram a terra de Xangô,
Iansã não quis ajudar Xangô a reconquistá-la.
Eles enfrentaram a arrogância de Xangô dizendo-lhe:
"Nós não queremos nem saber quem és,
nós nunca te vimos antes".
Xangô então foi consultar o oráculo de Orunmilá
para saber como deveria proceder.
Orunmilá lhe disse que, para reconquistar sua terra,

iria depender de uma mulher.
Xangô pensou que Orunmilá falava de Oxum,
mas ela se negou a ajudá-lo,
dizendo que era de paz e não de guerra.
Assim, ele teve de buscar ajuda em Iansã
e ela foi com ele para a luta.
Iansã chegou às portas da cidade e ergueu a espada.
Tudo o que havia ao redor foi sacudido
por relâmpagos, ventos e trovões.
O mundo parecia estar prestes a acabar.
Quando a tormenta cessou,
Xangô estava sentado em cima de um morro,
onde havia muitas ovelhas, carneiros e cabras,
e toda a gente dos malês estava prostrada à sua frente.
Enquanto Iansã vai à guerra por Xangô,
Oxum só se preocupa com faceirices e dengos.
Ela se recusou a lutar com ele
só para ficar o tempo todo não fazendo nada.
[150]

Xangô conquista a terra dos malês

Em suas andanças pelo mundo,
Xangô chegou, certo dia, à terra dos malês.
Os malês estavam todos rezando, vestidos de branco
e sentados ao redor de uma mesa cheia de velas acesas.
Xangô bateu na porta, mas eles não atenderam,
tão entretidos que estavam em suas orações.
Ninguém dava atenção a Xangô.
Xangô ficou furioso
porque queria que lhe rendessem homenagens.

Ele derrubou a porta e disse aos malês
que, se não recebesse as honras que merecia,
destruiria aquela terra.
Xangô partiu prometendo voltar no dia seguinte.
Nesse meio tempo, Xangô foi até o reino de Iansã.
Os soldados de Iansã tentaram impedir a entrada de Xangô no palácio,
mas Xangô derrotou a todos, montado em seu cavalo.
Iansã, que viera averiguar qual o motivo de tanta confusão,
foi seduzida pela bravura e coragem de Xangô.
Iansã recebeu Xangô aquela noite em seu palácio
e no dia seguinte os dois partiram para a terra dos malês.
Quando chegaram, encontraram a mesma situação.
Os malês entretidos em suas orações não lhes davam atenção.
Xangô lançou faíscas e labaredas sobre a mesa,
derrubando as velas e assustando os malês.
Mas quando Iansã rasgou o ar com sua espada,
fazendo surgir um relâmpago,
os malês, que não conheciam o relâmpago, ficaram apavorados
e se atiraram ao chão fazendo reverências a Xangô.
Foi assim, com a ajuda de Iansã,
que Xangô conquistou a terra dos malês.
[151]

Xangô vence Exu e conquista Oxum

Xangô vivia se metendo em confusão.
Um dia, quando passeava a cavalo,
passou em frente ao palácio de Orunmilá e viu Oxum.
Xangô ficou apaixonado por Oxum.
Conseguiu enganar Exu, que guardava a porta do palácio,
e encontrou-se com Oxum.

Orunmilá não queria que sua única filha se casasse com Xangô.
Orunmilá deu ordem para que Exu não permitisse mais
a entrada de Xangô no palácio.
Entretanto, Xangô enganou Exu mais uma vez.
Dizendo que trazia um recado de Oxalá para Orunmilá,
entrou no palácio.
Enquanto era conduzido por Exu pelos corredores do palácio,
Xangô, de repente, entrou por uma porta
e foi imediatamente seguido por Exu.
Escondido atrás da porta, Xangô tomou Exu de surpresa
e com sua espada o venceu.
Xangô deixou Exu trancado e foi encontrar-se com Oxum.
Quando Orunmilá descobriu o que estava acontecendo,
já era tarde demais.
Xangô e Oxum já estavam se amando.
Orunmilá, então, consentiu o casamento da filha.
[152]

Xangô deixa de comer carne de porco em honra dos malês

Todas as nações tinham Xangô como rei,
menos os malês, que são muçulmanos.
Um dia, Xangô foi até a cidade deles
para levar alguém de sua família.
Mas os malês não o aceitaram,
porque entre eles só vivia quem tivesse o mesmo sangue deles.
Xangô não gostou nada nada daquilo.
Por todas as partes ele havia deixado gente sua,
só os malês não aceitaram.
Então Xangô voltou para casa
e contou a Iansã o que acontecera.

Ele a chamou para fazerem guerra aos malês
e Iansã concordou prontamente.
Eles partiram no dia seguinte, Iansã na frente.
Ia imensa, colossal, completamente coberta de fogo,
soltando relâmpagos em todas as direções.
Xangô foi atrás, espalhando coriscos à sua volta.
A terra e todas as outras coisas tremiam
e os coriscos de Xangô causavam destruição entre os malês.
Eles pensaram que era o fim do mundo,
viram Iansã lançando todo o seu poder,
mas também viram Xangô
e entenderam o que estava acontecendo.
Xangô chegava para dominar.
Os malês, então, imploraram pelo fim do suplício.
Xangô exigiu que eles se submetessem ao seu poder.
Com muito medo da destruição,
os malês aceitaram o poder de Xangô
e abriram a porta da cidade para que entrasse
quem fosse da vontade de Xangô.
Assim, Xangô também é rei na cidade dos malês.
Só que em homenagem a esse povo muçulmano
Xangô deixou de comer carne de porco,
tão grande era seu desejo de ser respeitado por essa nação.
[153]

Xangô encanta-se juntamente com Iansã e Oxum

Iansã foi mulher de Xangô.
Oxum foi sua concubina.
Ele sempre ficou com elas.
Xangô era famoso por sua maestria com a espada.
Sua fama de grande espadachim corria longe.
Um dia chegaram três desconhecidos para aprender com ele.
Xangô era desconfiado das coisas.
Pressentiu a traição e começou a lutar com os três homens.
Eles haviam acendido um fogo atrás do lugar onde seria a luta,
pois queriam empurrar Xangô para lá.
Xangô se defendia e lutava sem parar,
mas eles o empurravam para o fogo,
porque eram três contra um.
Então Xangô reconheceu finalmente que seria derrotado
e chamou Iansã e Oxum.
Iansã soltou o relâmpago e Oxum deixou que corressem as águas.
E os três subiram para o Orum.
Os três se encantaram, agora eram orixás.
[154]

Xangô é proibido de participar do culto dos eguns

Uma vez os sacerdotes do culto aos mortos
convidaram Xangô a entrar no quarto de *balé*,
onde estão fixados os espíritos dos ancestrais,
e participar de todos os rituais.
Xangô viu e inspecionou tudo o que havia lá dentro.
Tudo o que era feito no secretíssimo espaço dos *eguns*.
Observou como os ritos eram celebrados

e prestou atenção em tudo o que os *ojés* diziam.
Todos lhe recomendaram guardar total segredo
sobre tudo o que ali testemunhou.
Mas Xangô, assim que saiu daquele lugar,
contou tudo o que viu para todo mundo.
Os *ojés* o expulsaram para sempre da sociedade deles
e o proibiram permanentemente de voltar
a pisar no quarto de *balé*,
onde se celebra o espírito dos antepassados ilustres,
onde se cultuam os *eguns*.
Lá dentro o poderio de Xangô não significa nada.
[155]

Xangô é destronado e se torna um orixá

Xangô gostava da guerra mais que de qualquer outra coisa.
Sempre enviava seus exércitos para em seu nome
destruir cidades de outros reinos.
Um dia o seu próprio povo, o povo de Oió, se reuniu e proclamou:
"Nosso rei arruína todos os reinos vizinhos.
Nós queremos ter não apenas um rei que nos dê escravos,
mas sim um rei que nos dê o que comer".
Eles enviaram uma delegação a Xangô e lhe disseram:
"Tu te tornaste rei, mas és um rei muito duro, muito mau.
Por isso é necessário que deixes de ser rei".
E deram cinco dias para Xangô deixar seu reino.
Xangô havia sido destronado por seu povo.
Xangô argumentou que era um grande feiticeiro
e que ninguém poderia contrariá-lo.
Disse que entendia o que estava acontecendo
e que ele mesmo estava cansado dessa vida tão mesquinha.

Mas o povo não o escutava.
Então, Xangô saiu da cidade e entrou na floresta.
Xangô levava uma corda quando entrou na floresta.
E na floresta se enforcou numa árvore.

Alguns homens que passavam por ali viram Xangô
e contaram ao povo o que havia ocorrido.
Quando o povo foi ao local do suposto enforcamento,
nem corpo nem nada encontrou.
Duas correntes haviam descido desde as alturas
e por elas Xangô subira ao Céu.
O povo, então, se perguntava:
"Seria Xangô aquele homem?".
"Seria aquele o rei de Oió?"
"Xangô teria se enforcado?"
Mocuá, o sacerdote de Xangô, que a tudo observava,
disse ao povo que se Xangô escutasse
o que estavam dizendo de sua morte,
ele por certo queimaria as suas casas
com pedras de raio, fogo e trovão.
Xangô não estava morto, não estava não.
Ele havia partido por sua própria vontade.
Ninguém tinha o poder de causar a morte de Xangô.
Mocuá advertiu a todos:
"Quem ousar dizer que o rei se enforcou
terá a casa queimada pela poderosa magia de Xangô.
Com pedras de raio, fogo e trovão".
[156]

Xangô é rejeitado por seus súditos

Quando Xangô foi rejeitado por seus súditos,
ele se retirou para a floresta
e numa árvore se enforcou.
"Oba so!"
"O rei se enforcou!", correu a notícia.
Mas ninguém achou seu corpo
e foi dito que Xangô tinha sido transformado num orixá
e seus sacerdotes proclamaram:
"Oba ko so!".
"O rei não se enforcou!"
Desde então, quando troa o trovão
e o relâmpago risca o céu,
os sacerdotes de Xangô entoam:
"O rei não se enforcou!".
"Oba ko so! Obá Kossô!"
"O rei não se enforcou!"
[157]

Xangô é condenado por Oxalá a comer como os escravos

Xangô Airá, aquele que se veste de branco,
foi um dia às terras do velho Oxalá
para levá-lo à festa que faziam em sua cidade.
Oxalá era velho e lento,
por isso Xangô Airá o levava nas costas.
Quando se aproximavam do destino,
viram a grande pedreira de Xangô,
bem perto de seu grande palácio.
Xangô levou Oxalufã ao cume,

para dali mostrar ao velho amigo
todo o seu império e poderio.
E foi de lá de cima que Xangô avistou
uma belíssima mulher mexendo sua panela.
Era Oiá!
Era o *amalá* do rei que ela preparava!
Xangô não resistiu a tamanha tentação.
Oiá e *amalá*! Era demais para sua gulodice,
depois de tanto tempo pela estrada.
Xangô perdeu a cabeça e disparou caminho abaixo,
largando Oxalufã em meio às pedras,
rolando na poeira, caindo pelas valas.
Oxalufã se enfureceu com tamanho desrespeito
e mandou muitos castigos,
que atingiram diretamente o povo de Xangô.
Xangô, muito arrependido,
mandou todo o povo trazer água fresca e panos limpos.
Ordenou que banhassem e vestissem Oxalá.
Oxalufã aceitou todas as desculpas
e apreciou o banquete de caracóis e inhames,
que por dias o povo lhe ofereceu.
Mas Oxalá impôs um castigo eterno a Xangô.
Ele que tanto gosta de fartar-se de boa comida.
Nunca mais pode Xangô comer em prato de louça ou porcelana.
Nunca mais pode Xangô comer em alguidar de cerâmica.
Xangô só pode comer em gamela de pau,
como comem os bichos da casa e o gado
e como comem os escravos.
[158]

Xangô torna-se o quarto rei de Oió

Odudua, um guerreiro que vinha de uma cidade do Leste,
invadiu com seu exército a capital do povo chamado ifé.
Essa cidade depois se chamou Ifé, ou Ilé-Ifé,
quando Odudua se tornou seu governante.
Ali Odudua conheceu um homem chamado Setilu,
também chamado Adimu,
que foi o primeiro sacerdote de Ifá.
Adimu era filho duma mulher sacrificada a Obatalá
quando dos funerais do rei.
Era conhecido como Oni,
que significa "o filho da mulher sacrificada".
Ele se tornou tão importante em Ifé
que seu título, Oni, foi mais tarde usado pelos reis de Ifé.
Durante uma difícil guerra contra o Leste,
Adimu deu sábios conselhos ao rei,
mandando que ele sacrificasse nove de seus homens.
Odudua seguiu todos os conselhos
e venceu seu poderosíssimo inimigo.
Odudua determinou então que um sacerdote de Ifá
deveria sempre fazer parte do conselho do rei.

Odudua tinha um filho chamado Acambi
e Acambi teve sete filhos
e seus filhos ou netos foram reis de cidades importantes.
A primeira filha deu-lhe um neto que governou Egbá,
a segunda foi mãe do Alaqueto, o rei de Queto,
o terceiro filho foi coroado rei da cidade de Benim,
o quarto foi Orungã, que veio a ser rei de Ifé,
o quinto filho foi soberano de Xabes,
o sexto, rei de Popôs,

e o sétimo foi Oraniã, rei de Oió.
Esses príncipes eram vassalos do rei de Ifé,
que então se transformou no centro de um grande império,
cujo nome era Oió.
Odudua era o grande rei de Oió.
Ele unificou as mais importantes cidades daquela região,
mais tarde conhecida como a terra dos iorubás.
Em cada cidade ele pôs no trono um parente seu.
Ele foi o grande suserano dos reinos iorubás.
Ele foi chamado o primeiro Alafim,
o rei de Oió.

Quando Odudua morreu,
os príncipes fizeram a partilha dos bens do rei entre si
e Acambi ficou como regente do império até sua morte,
nunca tendo sido, contudo, coroado rei do império.
Nunca lhe foi atribuído o título de Alafim.
Com a morte de Acambi, foi feito rei Oraniã,
o mais jovem dos príncipes do império,
que tinha se tornado um homem rico e poderoso.
A ancestral Ifé era a capital dessa vasta região conhecida como Oió.
O Alafim Oraniã foi um grande conquistador
e solidificou o poderio de Oió.
Um dia Oraniã levou seus exércitos para combater
o povo que habitava uma região a leste de seu império.
Era uma guerra muito difícil,
mas, antes de ganhar a guerra,
o oráculo o aconselhou a estacionar com os seus homens,
pois ali ele haveria de muito prosperar.
Assim foi feito
e aquele acampamento a leste de Ifé
tornou-se uma cidade poderosa.

Essa próspera povoação foi chamada cidade de Oió
e veio a ser a grande capital do império fundado por Odudua.

Com a morte de Oraniã, seu filho Ajacá
foi coroado terceiro Alafim de Oió.
Ajacá, que tinha o apelido de Dadá
por causa de seu cabelo encaracolado,
era um homem pacato e sensível,
com pouca habilidade e nenhum tino para governar.
Dadá-Ajacá tinha um irmão que fora criado na terra dos nupes,
um povo vizinho dos iorubás,
filho de Oraniã com a princesa Iamassê,
embora haja quem diga que a mãe dele foi Torossi,
filha de Elempê, o rei dos nupes, também chamados tapas.
Esse filho de Oraniã era Xangô, grande guerreiro,
que fundara uma pequena cidade chamada Cossô,
nas cercanias da capital Oió.

Xangô, que era o rei de Cossô,
uma cidade tributária de Oió,
um dia destronou o irmão Ajacá-Dadá
e o exilou como rei de uma pequena cidade,
onde usava uma pequena coroa de búzios,
chamada coroa de Baiani.
Xangô foi assim coroado o quarto Alafim de Oió,
governando o império de Odudua e Oraniã por sete anos.
Quando Xangô deixou o trono,
Ajacá-Dadá voltou a reinar em Oió.
[159]

Xangô tem seu culto organizado pelos doze obás

Xangô era um simples escravo cortador de capim na terra dos tapas.
Um dia, morreu o rei e o país caiu em anarquia,
porque não se sabia como arrumar o sucessor ao trono.
Então, os dirigentes decidiram tornar rei alguém sem sangue real.
E assim Xangô foi empossado, a contragosto de muita gente.
Xangô procurou a melhor forma de governar
e ter prestígio junto ao povo.
Disseram-lhe que conseguisse algo
que fizesse com que o povo o admirasse
e o temesse ao mesmo tempo.
Assim, Xangô mandou à terra dos baribas, povo vizinho,
uma mulher de sua confiança para fazer um trabalho.
Ela trouxe em sua boca um objeto que soltava fogo.
Xangô, então, passou a usá-lo,
de modo que, quando falava,
soltava fogo pela boca.
Mas, como a mulher também continuava a fazer uso do objeto,
Xangô se zangou e quis expulsá-la,
pois ela diminuía seu prestígio.
Os amigos de Xangô, porém, não o deixaram
expulsar aquela mulher que fazia tantos prodígios,
pois isso seria uma desmoralização.
Ao contrário, Xangô deveria tê-la ao seu lado para sempre.
Xangô aceitou os conselhos de seus amigos
e não mais quis expulsá-la.

Um dia, Gbaca, um dos mais valentes generais do reino,
entrou no palácio e ameaçou o poder de Xangô.
Disse não ter medo do fogo que saía da boca de Xangô,
pois que podia fazer muito melhor.

Chamou Xangô para uma luta de morte em praça pública.
Xangô aceitou o desafio imediatamente,
pois tinha intenção de se livrar do general.
Mas, no duelo, o inimigo foi mais forte e venceu.
Exigiu que Xangô deixasse o trono para não ser morto.
Xangô, então, saiu pelos fundos de seu palácio e,
nos arredores da cidade, sua fiel amiga Oiá
aconselhou-o a enforcar-se,
para que não passasse pelo vexame de se ver deposto.
E assim, Xangô e Oiá desapareceram do mundo.
E todos que passavam viam o cadáver de Xangô,
até que seus amigos deram-lhe um fim.

Desse dia em diante, todos os amigos de Xangô
sofreram terrível perseguição.
Seus amigos, então, foram à terra dos baribas
em busca de algo para restabelecer o respeito à figura de Xangô.
Eles conseguiram um trabalho de Ossaim,
que botaram nas casas e toda a cidade se queimou.
Houve confusão, pois ninguém sabia o que fazer.
Então, um dos partidários de Xangô
disse-lhes ser aquela calamidade um castigo de Xangô,
que agora estava no Céu.
Todos, então, começaram a implorar por misericórdia.
Foi então constituída a sociedade dos *obás* ou ministros de Xangô,
com seis ministros de cada lado,
seis do lado direito
e seis do lado esquerdo.
A sociedade dos *obás* de Xangô
tinha por intuito valorizar o nome de Xangô neste mundo.
Aos doze *obás* cabia zelar pelo culto de Xangô.
E a partir desse dia, em todo o território iorubá,

de um lado do mar e do outro,
Xangô tem sido o orixá mais celebrado,
o mais amado e temido,
até os dias de hoje.
[160]

Xangô vence Ogum na pedreira

Xangô e Ogum sempre lutaram entre si,
ora disputando o amor da mãe, Iemanjá,
ora disputando o amor da amada, Oxum,
ora disputando o amor da companheira, Iansã.
Lutaram no começo do mundo e ainda lutam agora.
Ogum usa da sua força física e das armas que fabrica,
Xangô usa da estratégia e da magia.
Ambos são fortes e valentes,
ambos são guerreiros temidos.
Mas só uma vez Xangô venceu Ogum na luta.
Numa disputa que travaram por Iansã,
ora a batalha pendia para um lado,
ora pendia para o outro.
Ninguém conseguia prever o final,
ninguém podia apostar quem seria o vencedor.
Foi então que Xangô apelou para a astúcia,
como é de seu feitio numa hora dessa.
Conduziu a batalha como quem se retirava
e, sem que Ogum percebesse, Xangô o atraiu para a pedreira.
Foi então que Xangô apelou para a magia,
como é de seu feitio numa hora dessa.
Quando Ogum estava bem no pé da montanha de pedra,
Xangô lançou seu machado *oxé* de fazer raio

e um grande estrondo se ouviu.
Com o trovão veio abaixo uma avalanche de pedras
e as pedras soterraram o desprevenido Ogum.
Xangô vencera Ogum na pedreira,
que desde então foi considerada o elemento de Xangô.
Xangô venceu Ogum naquele dia,
única vez que alguém venceu Ogum.
Mas esses dois filhos de Iemanjá seguem lutando ainda,
ora disputando o amor da mãe, Iemanjá,
ora disputando o amor da amada, Oxum,
ora disputando o amor da companheira, Iansã.
[161]

Xangô deixa a velha Obá e encontra Oxum

Xangô era um negro enorme e conquistador.
Passeava de tribo em tribo, pelos sertões,
apoderando-se das mulheres alheias.
De uma feita, encontrou a velha Obá, da família dos orixás,
sob a ardência do sol, pedindo chuva.
Xangô forçou-a e viveu com ela.
A velha era uma delícia
e a todos recomendava o amor desse varão,
fazendo-lhe o leito de anecrepê e abamudá,
as folhas olentes do manjericão.
Mas Xangô era moço ardente, cheio de seiva,
e logo se aborreceu de Obá.

Uma noite, em que a velha descendente do Céu adormecera,
ameaçando-a com as cóleras de Orixalá,
Xangô fugiu e começou pelo mundo

uma vida de pesares e de lutas.
Em cada canto surgia-lhe um inimigo,
em cada tribo uma guerra.
Xangô corrido pelos vastos sertões,
onde as cobras erguiam as cabeças escamosas,
chegou a limpar o suor no seu saiote de fogo,
dizendo com desespero:
"Baba l'ori mi, ba mi o!".
"Oh, Pai de minha cabeça, valei-me!"
Atirou-se a bandalheiras, a roubos, a traficâncias.
Quando se saía bem de alguma falcatrua,
Xangô bradava:
"Emi Xangô Olu Inã!".
"Eu sou Xangô, o dono do fogo!"

Certa vez chegara ele a uma aldeia, roto,
com o rosto ferido
e perseguido por uma tropa de guerreiros,
quando a rainha Oxum o mandou chamar ao palácio.
Lá chegando, o pobre-diabo ficou pasmo.
Era uma alta casa toda de cristal líquido.
O sol abrasava as enormes colunas
e os repuxos colossais de cores estranhas.
Dentro, a linda Oxum sorria com seu mais doce sorriso.
"Xangô, tu és valente", disse ela. "Eu gosto de ti.
Vem, a minha cama é larga..."
O guerreiro, prudente, perguntou:
"Quem és tu?".
"Eu sou Oxum, neta de Obá,
descendente de Orixalá."
Xangô pensou, de pé na porta, sem querer entrar.
Depois disse:

"Oxum, tu és bonita,
mas és neta de Obá,
a velha que me persegue com seus feitiços.
Vejo que não me queres mal,
mas só entro se mandares abrir uma porta
nos fundos do palácio".
Oxum estendeu o braço.
Ao fundo um pano d'água caiu
e o guerreiro viu a floresta escura.
"Tu és boa", disse e entrou.

Nesse momento chegavam os inimigos
e, receosos de que Xangô tivesse fugido,
foram consultar os babalaôs,
vinte e cinco matemáticos,
dos quais o mais moço, Cancanfô,
era tão sábio que até os orixás o respeitavam.
Os babalaôs amarraram um boneco de gameleira
para mostrar que Xangô não fugira.
Os guerreiros invadiram o palácio
e deram com a estátua do inimigo, de pau,
em atitude hostil.
Saíram então todos a bradar:
"Oba koso.
Oba dô, fo-ó
Yjá lo ri uô".
"O rei não se enforcou.
Pôs a mão na cabeça para a guerra!"
Reboou o céu, cegadoramente azul,
um enorme trovão,
e Xangô, num lampejo de fogo,
surgiu gritando:

"Emi Xangô Olu Inã!".
"Eu sou Xangô, o dono do fogo!"
Era uma divindade!
Os guerreiros estarreceram com as flechas nas mãos
e os broquéis de couro de cobra pendentes.
Os babalaôs alçaram as mãos
e Xangô olhava-os com sobranceiro desprezo.
De repente, no rio formou-se uma névoa
e apareceu a imagem de Oxum.
A sua voz terna dizia:
"Maman, maman, beló ke odô
Oya karile uá".
"Cá estou em cima do rio.
Vamos para casa."
O guerreiro atirou-se mas teve que parar.
Os babalaôs erguiam os *opelês*.
"Tu és mais que um homem,
mas só sais depois de fazer o *ebó* dos orixás."
"Eu sou um guerreiro e não me sujeito.
Ninguém é mais do que eu."
"Porque és grande, só uma opinião ouvirás.
Cancanfô, o mais sábio dos homens e dos deuses,
vai falar!"
Cancanfô apareceu então.
Era muito alto e muito magro.
Olhou os assistentes e olhou o céu.
"Andas mau, Xangô.
Reprovo toda a tua vida.
Fala na minha boca o teu bem.
Se não fizeres um *ebó*,
com um cágado e todos os bichos de quatro pés,
nunca mais deixarás a vida errante

e a vida assim é um tão grande mal
para o teu corpo e para todos nós.
Faze o *ebó*, guerreiro."

Havia uma tão grande doçura na palavra de Cancanfô
que Xangô curvou a cerviz.
"Faço."
"E comerás com os outros o *amalá*,
sem entornares a erva?"
"Comerei."
Cancanfô sorriu e atirou o *opelê* para saber
o futuro daquele instante, mas não teve tempo.
Velha, carcomida, com o fogo da paixão nos olhos,
chegava Obá.
"Estou cansada de perseguir Xangô", bradou ela,
"mas é preciso saber que Xangô não chegaria ao que é
se não fosse eu, Obá, familiar de Orixalá.
O meu *ebó* deve ser feito com o dele."
"Nunca, velha horrível!
Só obedeço aqui à palavra de Cancanfô!"
O jovem babalaô não disse nada,
atirou o *opelê*,
viu nas conchas o futuro e,
depois de longamente refletir, proferiu a sentença:
"O *ebó* de Obá deve ser feito à parte,
pois ela é apenas avó de Oxum...".
Ao mesmo tempo, Xangô atirava-se nos braços da rainha.
Uma nuvem tremenda enchia os céus,
as árvores partiram-se e, ao clangor dos trovões,
toda a terra se embebedou sequiosa no temporal...
Do enlace de Oxum e Xangô nascera a chuva benéfica.
[162]

Oiá — Iansã

Oiá — Iansã

Oiá recebe o nome de Iansã, mãe dos nove filhos

Oiá desejava ter filhos,
mas não podia conceber.
Oiá foi consultar um babalaô
e ele mandou que ela fizesse um *ebó*.
Ela deveria oferecer um carneiro, um *agutã*,
muitos búzios e muitas roupas coloridas.

Oiá fez o sacrifício e teve nove filhos.
Quando ela passava, indo em direção ao mercado, o povo dizia:
"Lá vai Iansã".
Lá ia Iansã, que quer dizer mãe nove vezes.
E lá ia ela orgulhosa ao mercado vender azeite de dendê.

Oiá não podia ter filhos,
mas teve nove,
depois de sacrificar um carneiro.

E em sinal de respeito,
por ter seu pedido atendido,
Iansã, a mãe dos nove filhos, nunca mais comeu carneiro.
[163]

Oiá nasce na casa de Oxum

Um rei tinha uma filha chamada Ala.
Ele queria casá-la com um príncipe poderoso.
No entanto, a princesa tinha um amante
e do amante ela esperava um filho.
Sabedor do fato, o rei resolveu matá-la.
Numa barca, levou a princesa até o meio do rio,
do rio onde vivia Oxum.
Jogou a princesa no meio do rio, a casa de Oxum.
O rei tinha um papagaio que o acompanhava sempre.
O papagaio tudo presenciou.

Tempos depois, alguns pescadores
viram uma caixa boiando no rio.
Foram ver de perto e dentro tinha uma criança.
Assustaram-se com o que viram.
Temerosos, abandonaram seu achado na margem do rio.
Pelo mesmo lugar passou outra embarcação.
Seus ocupantes foram atraídos pelo choro de criança.
Os viajantes recolheram a criança
e a levaram como presente ao rei.
O rei ficou feliz com o presente
e resolveu apresentar a criança ao povo como sendo filha sua.
Ele sentia falta da filha que afogara,
sentia-se sozinho.

Deu uma festa para apresentar a nova filha que adotara.
Quando todos estavam reunidos
o papagaio contou-lhes acerca de todo o sucedido.
Disse que a menina havia nascido na casa de Oxum.
Portanto, deveriam devolvê-la ao rio.
O rei então se deu conta de que a menina era sua neta
e devolveu-a ao rio onde nascera.
A criança cresceu protegida por Oxum.
Essa menina era Oiá.
[164]

Iansã ganha seus atributos de seus amantes

Iansã usava seus encantos e sedução para adquirir poder.
Por isso entregou-se a vários homens,
deles recebendo sempre algum presente.
Com Ogum, casou-se e teve nove filhos,
adquirindo o direito de usar a espada
em sua defesa e dos demais.
Com Oxaguiã, adquiriu o direito de usar o escudo,
para proteger-se dos inimigos.
Com Exu, adquiriu os direitos de usar o poder do fogo e da magia,
para realizar os seus desejos e os de seus protegidos.
Com Oxóssi, adquiriu o saber da caça,
para suprir-se de carne e a seus filhos.
Aprimorou os ensinamentos que ganhou de Exu
e usou de sua magia para transformar-se em búfalo,
quando ia em defesa de seus filhos.
Com Logum Edé, adquiriu o direito de pescar
e tirar dos rios e cachoeiras os frutos d'água
para a sobrevivência sua e de seus filhos.

Com Obaluaê, Iansã tentou insinuar-se, porém, em vão.
Dele nada conseguiu.
Ao final de suas conquistas e aquisições,
Iansã partiu para o reino de Xangô,
envolvendo-o, apaixonando-se e vivendo com ele para a vida toda.
Com Xangô, adquiriu o poder do encantamento,
o posto da justiça e o domínio dos raios.
[165]

Oiá transforma-se num búfalo

Ogum caçava na floresta quando avistou um búfalo.
Ficou na espreita, pronto para abater a fera.
Qual foi sua surpresa ao ver que, de repente,
de sob a pele do búfalo saiu uma mulher linda.
Era Oiá. E não se deu conta de estar sendo observada.
Ela escondeu a pele de búfalo
e caminhou para o mercado da cidade.

Tendo visto tudo, Ogum aproveitou e roubou a pele.
Ogum escondeu a pele de Oiá num quarto de sua casa.
Depois foi ao mercado ao encontro da bela mulher.
Estonteado por sua beleza, Ogum cortejou Oiá.
Pediu-a em casamento.
Ela não respondeu e seguiu para a floresta.
Mas lá chegando não encontrou a pele.
Voltou ao mercado e encontrou Ogum.
Ele esperava por ela, mas fingiu nada saber.
Negou haver roubado o que quer que fosse de Iansã.
De novo, apaixonado, pediu Oiá em casamento.
Oiá, astuta, concordou em se casar

e foi viver com Ogum em sua casa,
mas fez as suas exigências:
ninguém na casa poderia referir-se a ela
fazendo qualquer alusão a seu lado animal.
Nem se poderia usar a casca do dendê para fazer o fogo,
nem rolar o pilão pelo chão da casa.
Ogum ouviu seus apelos e expôs aos familiares as condições
para todos conviverem em paz com sua nova esposa.
A vida no lar entrou na rotina.
Oiá teve nove filhos
e por isso era chamada Iansã, a mãe dos nove.
Mas nunca deixou de procurar a pele de búfalo.

As outras mulheres de Ogum cada vez mais sentiam-se enciumadas.
Quando Ogum saía para caçar e cultivar o campo,
elas planejavam uma forma de descobrir
o segredo da origem de Iansã.
Assim, uma delas embriagou Ogum e este lhe revelou o mistério.
E na ausência de Ogum, as mulheres passam a cantarolar coisas.
Coisas que sugeriam o esconderijo da pele de Oiá
e coisas que aludiam ao seu lado animal.
Um dia, estando sozinha em casa,
Iansã procurou em cada quarto, até que encontrou sua pele.
Ela vestiu a pele e esperou que as mulheres retornassem.

E então saiu bufando, dando chifradas em todas, abrindo-lhes a barriga.
Somente seus nove filhos foram poupados.
E eles, desesperados, clamavam por sua benevolência.
O búfalo acalmou-se, os consolou e depois partiu.
Antes, porém, deixou com os filhos o seu par de chifres.
Num momento de perigo ou de necessidade,
seus filhos deveriam esfregar um dos chifres no outro.
E Iansã, estivesse onde estivesse,
viria rápida como um raio em seu socorro.
[166]

Iansã proíbe Xangô de comer carneiro perto dela

Um dia Xangô passeava a cavalo.
Avistou um palácio e disse:
"Eu vou para lá".
Quando chegou, quis saber do porteiro quem era o dono.
"É de Oiá", respondeu o porteiro.
E Xangô disse: "Eu quero falar com ela".
O porteiro respondeu que era impossível.
"Mas eu quero falar com ela", insistiu Xangô.
Então o porteiro foi até Iansã
e contou que lá fora um cavaleiro, um rei, queria vê-la.
Iansã chamou Xangô para dentro,
mas, quando ele fez reverência na frente dela,
Iansã imediatamente sentiu o cheiro de carneiro.
Então Xangô perguntou se ela queria ser sua esposa.
Iansã perguntou de que lugar ele vinha
e quis saber qual era a comida que ele comia.
"Curi agbô. Carneiro", respondeu Xangô.
"Não, eu não quero me casar contigo

porque comes isso que eu detesto."
Mas Iansã acabou por concordar com o casamento
desde que fosse mantida uma restrição:
toda vez que ele quisesse comer carneiro,
que ele voltasse para sua terra
e por lá ficasse por três meses, antes de regressar.
Xangô aceitou a proposta e eles se casaram.
Casaram-se mas não vivem juntos.
Essa é a razão por que Oxum é concubina de Xangô.
[167]

Iansã é traída pelo Carneiro

Um dia Oxum e outro alguém queriam fazer mal a Iansã.
Colocaram o feitiço num bracelete de Oxum
e o puseram dentro de uma caixa
para que fosse entregue a Iansã.
Agbô, então, foi chamado para levá-lo a Iansã.
Agbô era o dono dos carneiros, dono dos *agbôs*.
Tudo o que ocorria no palácio era espalhado
por meio da língua de Agbô, o Carneiro.
Mas Iansã, com sua arguta intuição,
pressentiu o que lhe vinha por meio de Agbô.
Ela, então, foi ao encontro do Carneiro
e na forma de um vento abriu a caixa
e trocou o bracelete por um pequeno pássaro.
Agbô foi um instrumento contra Iansã,
mas Iansã sentiu-se traída por ele.
Desde então Iansã odeia carneiros
e não aceita nem sequer comê-los.
[168]

Iansã foge ligeira e transforma-se no vento

Iansã tinha muitas joias, que usava com orgulho.
Uma ocasião resolveu sair de casa,
mas foi interpelada por seus pais.
Disseram que era perigoso sair com tantas joias
e a impediram de satisfazer seu desejo.
Oiá, furiosa, entregou suas joias a Oxum
e fugiu voando, rápida, pelo teto da casa,
arrasando tudo o que atravessasse seu caminho.
Oiá tinha se transformado no vento.
[169]

Oiá cria o rio dum pedaço de pano preto

O rei dos nupes andava preocupado com a segurança de seu povo.
Temendo uma invasão iminente,
foi procurar os adivinhos, que consultaram Ifá
e lhe recomendaram que oferecesse uma peça de tecido negro,
que deveria ser rasgada por uma mulher virgem.
O rei escolheu sua filha para o ritual.
A jovem rasgou o pano, cantando "Oiá, ela cortou".
Diante de todos, a filha do rei
atirou ao solo os pedaços rasgados do pano preto.
Os trapos logo transformaram-se em águas negras,
que correram formando o poderoso
e protetor, o rio de águas negras, Odô Oiá.
O rio-orixá garantiu o isolamento da terra e protegeu o reino.
[170]

Oiá transforma-se no rio Níger

Oiá foi aconselhada a prosseguir sua jornada
ao lado de seu marido Xangô.
Enquanto amasse esse homem,
não deveria retornar a Irá, sua terra natal,
onde vivia sua família.
Dividida sentimentalmente, Oiá não seguiu as recomendações
e voltou a Irá.
Um dia recebeu a notícia da morte de Xangô.
Sentindo grande tristeza pelo ocorrido,
usou seus poderes sobrenaturais
e transformou-se em um rio, Odô Oiá, o rio Níger.
[171]

Oiá transforma-se num elefante

Ao dar à luz Oiá, sua mãe morreu
e a menina foi criada por Odulecê,
não se sabendo ao certo se este era seu pai biológico ou adotivo.
Aos doze anos, Oiá já era uma mulher linda e inteligente,
que encantava todos os homens.
Nem mesmo seu pai conseguiu sublimar sua atração por ela.
Numa noite, Odulecê quis possuí-la e ela, desesperada, fugiu de casa.
Quanto mais corria, mais obstáculos lhe surgiam.
Oiá não conseguia escapar de seu pai.
No seu desespero, seus poderes sobrenaturais afloraram
e ela transformou-se em pedra,
em madeira e em cacho de dendê.
Mas seu pai continuava a perseguição.
Desesperada, Oiá transforma-se num grande elefante branco,

que atacou Odulecê.
Odulecê fugiu em disparada, desistindo de agarrar Oiá.
[172]

Oiá sopra a forja de Ogum e cria o vento e a tempestade

Oxaguiã estava em guerra,
mas a guerra não acabava nunca,
tão poucas eram as armas para guerrear.
Ogum fazia as armas, mas fazia lentamente.
Oxaguiã pediu a seu amigo Ogum urgência,
mas o ferreiro já fazia o possível.
O ferro era muito demorado para se forjar
e cada ferramenta nova tardava como o tempo.
Tanto reclamou Oxaguiã que Oiá, esposa do ferreiro,
resolveu ajudar Ogum a apressar o fabrico.
Oiá se pôs a soprar o fogo da forja de Ogum
e seu sopro avivava intensamente as chamas
e o fogo mais forte derretia mais rapidamente o ferro.
Logo Ogum pôde fazer muito mais armas
e com mais armas Oxaguiã venceu logo a guerra.

Oxaguiã veio então agradecer a Ogum.
E na casa de Ogum enamorou-se de Oiá.
Um dia fugiram Oxaguiã e Oiá,
deixando Ogum enfurecido e sua forja fria.

Quando mais tarde Oxaguiã voltou à guerra
e quando precisou de armas muito urgentemente,
Oiá teve que reavivar a forja,
mas não quis voltar para a casa de Ogum.

E lá da casa de Oxaguiã, onde vivia,
Oiá soprava em direção à forja de Ogum.
E seu sopro atravessava toda a terra
que separava a cidade de Oxaguiã da de Ogum.
E seu sopro cruzava os ares
e arrastava consigo pó, folhas e tudo o mais pelo caminho,
até chegar às chamas que com furor atiçava.
E o povo se acostumou com o sopro de Oiá cruzando os ares
e logo o chamou de vento.
E quanto mais a guerra era terrível
e mais urgia a fabricação das armas,
mais forte soprava Oiá a forja de Ogum.
Tão forte que às vezes destruía tudo no caminho,
levando casas, arrancando árvores,
arrasando cidades e aldeias.
O povo reconhecia o sopro destrutivo de Oiá
e o povo chamava a isso tempestade.
[173]

Oiá transforma-se em coral

Um dia Oiá fugiu aos olhos de Xangô,
que saiu em sua busca mata adentro.
Oiá não sabia mais onde se esconder,
temendo que Xangô a encontrasse.
Em fuga, encontrou Exu e pediu-lhe que fizesse um encanto.
Exu aconselhou-a a ficar junto ao mar e voltear-se sobre si mesma.
Exu fez a magia e Xangô passou por ela e não a viu.
Exu havia transformado Oiá num coral.
[174]

Oiá é dividida em nove partes

Antes de tornar-se a esposa de Xangô, Oiá vivia com Ogum.
Ela vivia com o ferreiro e ajudava-o em seu ofício,
principalmente manejando o fole para ativar o fogo na forja.
Certa vez Ogum presenteou Oiá com uma varinha de ferro,
que deveria ser usada num momento de guerra.
A varinha tinha o poder de dividir
em sete partes os homens e em nove partes as mulheres.
Ogum dividiu esse poder com a mulher.

Na mesma aldeia morava Xangô.
Xangô sempre ia à oficina de Ogum apreciar seu trabalho
e em várias oportunidades arriscava olhar para sua bela mulher.
Xangô impressionava Oiá por sua majestade e elegância.
Um dia os dois fugiram para longe de Ogum,
que saiu enciumado e furioso em busca dos fugitivos.
Quando Ogum os encontrou,
houve uma luta de gigantes.
Depois de lutar com Xangô, Ogum aproximou-se de Oiá
e a tocou com a sua varinha.
E nesse mesmo tempo Oiá tocou Ogum também.
Foi quando o encanto aconteceu:
Ogum dividiu-se em sete partes, recebendo o nome de Ogum Mejê,
e Oiá foi dividida em nove partes, sendo conhecida por Iansã,
"Iyámesan", a mãe transformou-se em nove.
[175]

Oiá liberta Xangô da prisão usando o raio

Faziam festas para Xangô em Tákua Tulempe.
As mulheres eram loucas por ele
e os homens o invejavam.
Eram festas de hipocrisia.
Em um desses festejos, prenderam Xangô
e o trancaram num calabouço.
Xangô tinha uma gamela onde via tudo o que acontecia,
mas havia deixado sua gamela na casa de Oiá.
Passaram-se alguns dias e Xangô não voltava para casa.
Foi quando Oiá olhou para a gamela de Xangô
e viu que ele estava preso.
Da prisão Xangô sentiu que alguém mexia na gamela
e pensou: "Ninguém além de Oiá sabe usá-la".
Xangô, então, lançou muitos trovões
para que Oiá ouvisse e o encontrasse.
Oiá recebeu a mensagem, acendeu sua fogueira
e começou a cantar seus encantamentos.
Oiá pronunciou algumas palavras
e cruzou seus braços em direção ao céu.
Nesse momento, o número sete se formou no céu.
Um raio partiu as grades da prisão e Xangô foi libertado.
Ao sair, Xangô viu Oiá, que vinha pelo céu num redemoinho
e levou Xangô para longe da terra Tákua.
Oiá libertou Xangô com o raio.
Oiá libertou Xangô com o vento.
Oiá libertou Xangô.
[176]

Oiá é disputada por Xangô e Ogum

Oiá era uma mulher muito desejada,
que além de bela, sedutora e guerreira
preparava deliciosos acarajés como ninguém.
Um dia Xangô raptou Oiá da casa de Ogum.
Voltando de uma caçada, Ogum ficou ciente do ocorrido
e mandou uma mensagem a Xangô:
iria buscar sua mulher.
Começava a rivalidade pela conquista de Oiá.
Os dois prepararam-se para o litígio.
Cada um consultou Ifá e fez as oferendas necessárias
e ambos colocaram as oferendas numa estrada.
Ogum ofereceu inhames e farofa.
Xangô, por sua vez, ofereceu *amalá* e *orobôs*,
Ogum apresentou-se com sete escravos e Xangô com doze.
Ogum não se amedrontou e ambos partiram para a luta.
Antes, porém, comeram das comidas oferecidas.
Começaram a lutar e nunca mais pararam.
E até hoje dessa guerra muitas aventuras são contadas.
Nessa luta Oiá ganhou de Ogum uma espada
e nunca mais deixou de ser uma guerreira.
Muitas aventuras dessa guerra são contadas
e todas falam de uma Oiá guerreira e amante,
sempre disputada por Xangô e Ogum, os seus amados.
[177]

Oiá usa a poção de Xangô para cuspir fogo

Um dia Oiá foi enviada por Xangô às terras dos baribas.
De lá ela traria uma poção mágica,
cuja ingestão permitia cuspir fogo pela boca e nariz.
Oiá, sempre curiosa, usou também a fórmula,
e desde então possui o mesmo poder de seu marido.
[178]

Oiá ganha de Obaluaê o reino dos mortos

Certa vez houve uma festa com todas as divindades presentes.
Omulu-Obaluaê chegou vestindo seu capucho de palha.
Ninguém o podia reconhecer sob o disfarce
e nenhuma mulher quis dançar com ele.
Só Oiá, corajosa, atirou-se na dança com o Senhor da Terra.
Tanto girava Oiá na sua dança que provocava o vento.
E o vento de Oiá levantou as palhas e descobriu o corpo de Obaluaê.
Para surpresa geral, era um belo homem.
O povo o aclamou por sua beleza.
Obaluaê ficou mais que contente com a festa, ficou grato.
E, em recompensa, dividiu com ela o seu reino.
Fez de Oiá a rainha dos espíritos dos mortos,
Rainha que é Oiá Igbalé, a condutora dos *eguns*.
Oiá então dançou e dançou de alegria.
Para mostrar a todos seu poder sobre os mortos,
quando ela dança agora, agita no ar o *iruquerê*,
o espanta-mosca com que afasta os *eguns* para o outro mundo.
Rainha Oiá Igbalé, a condutora dos espíritos.
Rainha que foi sempre a grande paixão de Omulu.
[179]

Oiá dá à luz Egungum

Oiá não podia ter filhos.
Procurou o conselho de um babalaô.
Ele revelou-lhe que somente teria filhos
quando fosse possuída por um homem com violência.
Um dia Xangô a possuiu assim
e dessa relação Oiá teve nove filhos.
Desses filhos, oito nasceram mudos.
Oiá procurou novamente o babalaô.
Ele recomendou que ela fizesse oferendas.
Tempos depois nasceu um filho que não era mudo,
mas tinha uma voz estranha, rouca, profunda, cavernosa.
Esse filho foi Egungum, o antepassado que fundou cada família.
Foi Egungum, o ancestral que fundou cada cidade.
Hoje, quando Egungum volta para dançar entre seus descendentes,
usando suas ricas máscaras e roupas coloridas,
somente diante de uma mulher ele se curva.
Somente diante de Oiá se curva Egungum.
[180]

Oiá toca o fole de Ogum para os egunguns dançarem

Oiá era esposa de Ogum
e trabalhava com ele na forja.
Ogum pediu a Oxóssi que matasse um touro selvagem,
tirou sua pele e com ela fez um fole.
Oiá manobrava o fole, soprando a chama,
enquanto Ogum usava o martelo e a bigorna.
O fogo da forja mantinha-se aceso o tempo todo.
Um dia, havia uma festa de antepassados

e os egunguns passeavam pela rua.
Cada família ia atrás do egungum
que representava o ancestral de sua linhagem.
Todos ficavam felizes em rever seu pai ou avô
de volta ao convívio dos seus,
cada um belamente envolto em panos soltos e coloridos,
com o adorno de contas e espelhos brilhantes.
O fole de Oiá, manejado com muita força por ela,
emitia um som alto e rítmico.
Os egunguns, passando em frente à oficina de Ogum,
começaram a dançar ao som da música do fole.
Oiá, vendo a alegria dos egunguns,
tocava o fole com mais força e ritmo mais cadenciado,
feliz também com a satisfação dos antepassados.
O povo se reuniu em volta dos ancestrais e os louvou.
Os egunguns dançavam ao som do fole de Oiá.
O povo então a chamou de
"Mulher que Domina o Egungum com o Som do Fole".
Ogum, ao ver o ajuntamento do povo,
ficou orgulhoso de sua mulher.
Ogum tirou a coroa de sua própria cabeça,
tirou sua *acorô* e a colocou na cabeça de Oiá.
Tomou seu lugar no fole
e mandou que ela, com a coroa na cabeça,
fosse para a rua dançar com os egunguns e com o povo.
[181]

Oiá inventa o rito funerário do axexê

Vivia em terras de Queto um caçador chamado Odulecê.
Era o líder de todos os caçadores.

Ele tomou por sua filha uma menina nascida em Irá,
que por seus modos espertos e ligeiros era conhecida por Oiá.
Oiá tornou-se logo a predileta do velho caçador,
conquistando um lugar de destaque naquele povo.
Mas um dia a morte levou Odulecê, deixando Oiá muito triste.
A jovem pensou numa forma de homenagear o seu pai adotivo.
Reuniu todos os instrumentos de caça de Odulecê
e enrolou-os num pano.
Também preparou todas as iguarias que ele tanto gostava de saborear.
Dançou e cantou por sete dias,
espalhando por toda parte, com seu vento, o seu canto,
fazendo com que se reunissem no local todos os caçadores da terra.
Na sétima noite, acompanhada dos caçadores,
Oiá embrenhou-se mata adentro
e depositou ao pé de uma árvore sagrada
os pertences de Odulecê.

Olorum, que tudo via,
emocionou-se com o gesto de Oiá
e deu-lhe o poder de ser a guia dos mortos no caminho do Orum.
Transformou Odulecê em orixá
e Oiá na mãe dos espaços dos espíritos.
Desde então todo aquele que morre
tem seu espírito levado ao Orum por Oiá.
Antes, porém, deve ser homenageado por seus entes queridos,
numa festa com comidas, cantos e danças.
Nasceu assim o funerário ritual do axexê.
[182]

Obá

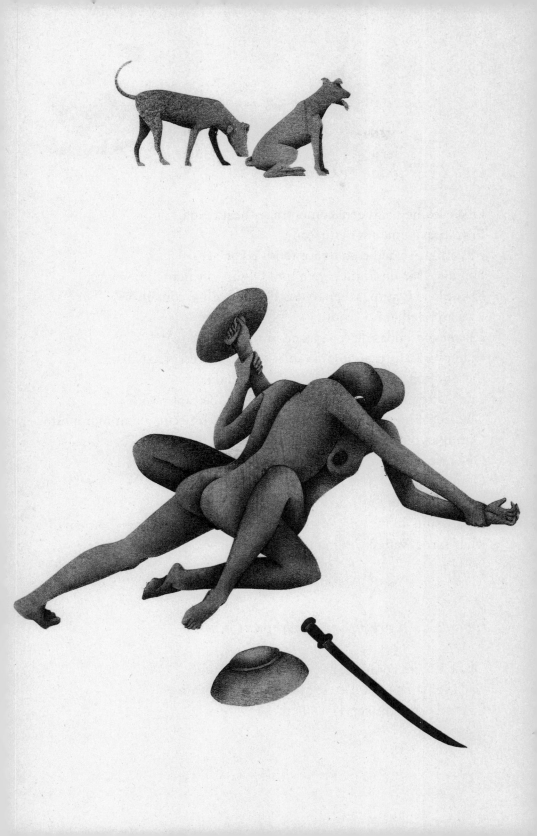

Obá

Obá é possuída por Ogum

Obá escolheu a guerra como prazer nesta vida.
Enfrentava qualquer situação
e assim procedeu com quase todos os orixás.
Um dia, Obá desafiou para a luta Ogum, o valente guerreiro.
O ardiloso Ogum, sabendo dos feitos de Obá, consultou os babalaôs.
Eles aconselharam Ogum
a fazer oferendas de espigas de milho e quiabos,
tudo pilado, formando uma massa viscosa e escorregadia.
Ogum preparou tudo como foi recomendado
e depositou o *ebó* num canto do lugar onde lutariam.
Chegada a hora, Obá, em tom desafiador, começou a dominar a luta.
Ogum levou-a ao local onde estava a oferenda.
Obá pisou no *ebó*, escorregou e caiu.
Ogum aproveitou-se da queda de Obá,
num lance rápido tirou-lhe os panos
e a possuiu ali mesmo, tornando-se, assim, seu primeiro homem.
Mais tarde Xangô roubou Obá de Ogum.
[183]

Obá corta a orelha induzida por Oxum

Obá e Oxum competiam pelo amor de Xangô.
Cada semana, uma das esposas cuidava de Xangô,
fazia sua comida, servia à sua mesa.

Oxum era a esposa mais amada
e Obá imitava Oxum em tudo,
inclusive nas artes da cozinha,
pois o amor de Xangô começava pelos pratos que comia.
Oxum não gostava de ver Obá copiando suas receitas
e decidiu vencer definitivamente a rival.
Um dia convidou Obá à sua casa,
onde a recebeu usando um lenço na cabeça,
amarrado de modo a esconder as orelhas.
Oxum mostrou a Obá o alguidar onde preparava uma fumegante sopa,
na qual boiavam dois apetitosos cogumelos.
Disse à curiosa Obá que eram suas próprias orelhas,
orelhas que ela cortara, segredou cumplicemente.
Xangô havia de se deleitar com a iguaria.
Não tardou para que ambas testemunhassem o sucesso da receita.
O marido veio comer e o fez com gula, se fartou.
Elogiou sem parar os dotes culinários da mulher.
Obá quase morreu de ciúme.

Na semana seguinte, Obá preparou a mesma comida,
cortou uma de suas orelhas e pôs para cozinhar.
Xangô, ao ver a orelha no prato, sentiu engulhos.
Enojado, jogou tudo no chão e quis bater na esposa, que chorava.
Oxum chegou nesse momento, exibindo suas intactas orelhas.
Obá num segundo entendeu tudo, odiou a outra mais que nunca.
Envergonhada e enraivecida, precipitou-se sobre Oxum
e ambas se envolveram numa briga que não tinha fim.
Xangô já não suportava tanta discórdia em casa
e esse incidente só fez aumentar a sua raiva.
Ameaçou de morte as briguentas esposas, perseguiu-as.
Ambas tentaram fugir da cólera do esposo.
Xangô procurou alcançá-las, lançou o raio contra elas,

mas elas corriam e corriam, embrenhando-se nos matos,
ficando cada vez mais distantes, mais inalcançáveis.
Conta-se delas que acabaram por ser transformadas em rios.
E de fato, onde se juntam o rio Oxum e o rio Obá,
a correnteza é uma feroz tormenta
de águas que disputam o mesmo leito.
[184]

Obá provoca a morte do cavalo de Xangô

Xangô era um conquistador de terras e de mulheres.
Vivia sempre de um lugar a outro.
Em Cossô fez-se rei e casou-se com Obá.
Obá era sua primeira e mais importante esposa.
Obá passava o dia cuidando da casa de Xangô.
Moía a pimenta, cozinhava e deixava tudo limpo.
Xangô era um conquistador de terras e de mulheres.
Uma vez Xangô viu Oiá lavando roupa na beira do rio
e dela se enamorou perdidamente.
Com Oiá se casou.
Mas Xangô era um conquistador de terras e de mulheres
e logo se casou de novo.
Oxum foi a terceira mulher.
As três viviam às turras pelo amor do rei.
Para deixar Xangô feliz,
Obá presenteou-lhe um cavalo branco.
Xangô gostou muito do cavalo.
Tempos depois Xangô saiu para guerrear levando Oiá consigo.
Seis meses se passaram e Xangô continuava longe.
Obá estava desesperada e foi consultar Orunmilá.
Orunmilá aconselhou Obá

a oferecer em sacrifício um *iruquerê*,
espanta-mosca feito com o rabo de um cavalo.
Mandou pôr o *iruquerê* no teto da casa.
Para fazer a oferta prescrita pelo oráculo,
Obá encomendou a Eleguá um rabo de cavalo.
E Eleguá, induzido por Oxum, mais que depressa
cortou o rabo do cavalo branco de Xangô.
Mas não cortou somente os pelos e sim a cauda toda
e o cavalo sangrou até morrer.
Quando Xangô voltou da guerra,
procurou o cavalo e não o encontrou.
Deparou então com o *iruquerê* amarrado no teto da casa
e reconheceu o rabo do cavalo desaparecido.
Soube pelas outras mulheres da oferenda feita pela primeira esposa.
Xangô ficou irado e repudiou Obá.
[185]

Oxum

Oxum

Oxum é concebida por Iemanjá e Orunmilá

Um dia, Orunmilá saiu de seu palácio
para dar um passeio acompanhado de todo o seu séquito.
Em certo ponto deparou com outro cortejo,
do qual a figura principal era uma mulher muito bonita.
Orunmilá ficou impressionado com tanta beleza
e mandou Exu, seu mensageiro, averiguar quem era ela.
Exu apresentou-se ante a mulher com todas as reverências
e falou que seu senhor, Orunmilá, gostaria de saber seu nome.
Ela disse que era Iemanjá, rainha das águas e esposa de Oxalá.
Exu voltou à presença de Orunmilá
e relatou tudo o que soubera da identidade da mulher.
Orunmilá, então, mandou convidá-la ao seu palácio,
dizendo que desejava conhecê-la.
Iemanjá não atendeu de imediato ao convite,
mas um dia foi visitar Orunmilá.
Ninguém sabe ao certo o que se passou no palácio,
mas o fato é que Iemanjá ficou grávida após a visita a Orunmilá.
Iemanjá deu à luz uma linda menina.
Como Iemanjá já tivera muitos filhos com seu marido,
Orunmilá enviou Exu para comprovar se a criança
era mesmo filha dele. Ele devia procurar sinais no corpo.
Se a menina apresentasse alguma marca,
mancha ou caroço na cabeça seria filha de Orunmilá
e deveria ser levada para viver com ele.
Assim foi atestado, pelas marcas de nascença,

que a criança mais nova de Iemanjá era de Orunmilá.
Foi criada pelo pai, que satisfazia todos os seus caprichos.
Por isso cresceu cheia de vontades e vaidades.
O nome dessa filha é Oxum.
[186]

Oxum dança para Ogum na floresta e o traz de volta à forja

Perante Obatalá, Ogum havia condenado a si mesmo
a trabalhar duro na forja para sempre.
Mas ele estava cansado da cidade e da sua profissão.
Queria voltar a viver na floresta,
voltar a ser o livre caçador que fora antes.
Ogum achava-se muito poderoso,
sentia que nenhum orixá poderia obrigá-lo a fazer o que não quisesse.
Ogum estava cansado do trabalho de ferreiro
e partiu para a floresta, abandonando tudo.
Logo que os orixás souberam da fuga de Ogum,
foram a seu encalço para convencê-lo a voltar à cidade e à forja,
pois ninguém podia ficar sem os artigos de ferro de Ogum,
as armas, os utensílios, as ferramentas agrícolas.
Mas Ogum não ouvia ninguém, queria ficar no mato.
Simplesmente os enxotava da floresta com violência.
Todos lá foram, menos Xangô.
E como estava previsto, sem os ferros de Ogum,
o mundo começou a ir mal.
Sem instrumentos para plantar, as colheitas escasseavam
e a humanidade já passava fome.

Foi quando uma bela e frágil jovem veio à assembleia dos orixás
e ofereceu-se a convencer Ogum a voltar à forja.

Era Oxum a bela e jovem voluntária.
Os outros orixás escarneceram dela,
tão jovem, tão bela, tão frágil.
Ela seria escorraçada por Ogum
e até temiam por ela, pois Ogum era violento,
poderia machucá-la, até matá-la.
Mas Oxum insistiu, disse que tinha poderes
de que os demais nem suspeitavam.
Obatalá, que tudo escutava mudo,
levantou a mão e impôs silêncio.
Oxum o convencera, ela podia ir à floresta e tentar.

Assim, Oxum entrou no mato
e se aproximou do sítio onde Ogum costumava acampar.
Usava ela tão somente cinco lenços transparentes
presos à cintura em laços, como esvoaçante saia.
Os cabelos soltos, os pés descalços,
Oxum dançava como o vento
e seu corpo desprendia um perfume arrebatador.
Ogum foi imediatamente atraído,
irremediavelmente conquistado pela visão maravilhosa,
mas se manteve distante.
Ficou à espreita atrás dos arbustos, absorto.
De lá admirava Oxum embevecido.
Oxum o via, mas fazia de conta que não.
O tempo todo ela dançava e se aproximava dele
mas fingia sempre que não dera por sua presença.
A dança e o vento faziam flutuar os cinco lenços da cintura,
deixando ver por segundos a carne irresistível de Oxum.
Ela dançava, o enlouquecia.
Dele se aproximava e com seus dedos sedutores
lambuzava de mel os lábios de Ogum.

Ele estava como que em transe.
E ela o atraía para si e ia caminhando pela mata,
sutilmente tomando a direção da cidade.
Mais dança, mais mel, mais sedução,
Ogum não se dava conta do estratagema da dançarina.
Ela ia na frente, ele a acompanhava inebriado,
louco de tesão.
Quando Ogum se deu conta,
eis que se encontravam ambos na praça da cidade.
Os orixás todos estavam lá
e aclamavam o casal em sua dança de amor.
Ogum estava na cidade, Ogum voltara!
Temendo ser tomado como fraco,
enganado pela sedução de uma mulher bonita,
Ogum deu a entender que voltara por gosto e vontade própria.
E nunca mais abandonaria a cidade.
E nunca mais abandonaria sua forja.
E os orixás aplaudiam e aplaudiam a dança de Oxum.
Ogum voltou à forja e os homens voltaram a usar seus utensílios
e houve plantações e colheitas
e a fartura baniu a fome e espantou a morte.
Oxum salvara a humanidade com sua dança de amor.
[187]

Oxum Apará tem inveja de Oiá

Vivia Oxum no palácio em Ijimu.
Passava os dias no seu quarto olhando seus espelhos.
Eram conchas polidas
onde apreciava sua imagem bela.
Um dia saiu Oxum do quarto e deixou a porta aberta.

Sua irmã Oiá entrou no aposento,
extasiou-se com aquele mundo de espelhos,
viu-se neles.
As conchas fizeram espantosa revelação a Oiá.
Ela era linda! A mais bela!
A mais bonita de todas as mulheres!
Oiá descobriu sua beleza nos espelhos de Oxum.
Oiá se encantou, mas também se assustou:
era ela mais bonita que Oxum, a Bela.
Tão feliz ficou que contou do seu achado
a todo mundo.

E Oxum Apará remoeu amarga inveja,
já não era a mais bonita das mulheres.
Vingou-se.
Um dia foi à casa de Egungum e lhe roubou o espelho,
o espelho que só mostra a morte,
a imagem horrível de tudo o que é feio.
Pôs o espelho do Espectro no quarto de Oiá e esperou.
Oiá entrou no quarto, deu-se conta do objeto.
Oxum trancou Oiá pelo lado de fora.
Oiá olhou no espelho e se desesperou.
Tentou fugir, impossível.

Estava presa com sua terrível imagem.
Correu pelo quarto em desespero.
Atirou-se no chão.
Bateu com a cabeça nas paredes.
Não logrou escapar nem do quarto
nem da visão tenebrosa da feiura.
Oiá enlouqueceu.
Oiá deixou este mundo.

Obatalá, que a tudo assistia, repreendeu Apará
e transformou Oiá em orixá.
Decidiu que a imagem de Oiá nunca seria esquecida por Oxum.
Obatalá condenou Apará a se vestir para sempre
com as cores usadas por Oiá,
levando nas joias e nas armas de guerreira
o mesmo metal empregado pela irmã.
[188]

Oxum seduz Iansã

Uma vez Oxum passou pela casa de Iansã e a viu na porta.
Ela era linda, atraente, elegante.
Oxum então pensou: "Vou me deitar com ela".
Oxum era muito decidida e muito independente.
Oxum resolveu roubar a coroa de Iansã.
E assim, muitas e muitas vezes, passou na frente daquela casa.
Levava uma quartinha de água na cabeça,
e ia cantando, dançando, provocando.
No começo Iansã não se deu conta do assédio,
mas depois acabou por se entregar.
Mas logo Oxum se dispôs a nova conquista

e Iansã a procurou para castigá-la.
Oxum teve de fugir para dentro do rio,
lá se escondeu e lá vive até hoje.
[189]

Oxum Navezuarina cega seus raptores

Um dia houve uma grande guerra entre as tribos.
Nessa guerra os soldados aprisionaram diversas moças.
Uma delas era uma virgem chamada Navezuarina.
Quando os raptores levavam as moças aprisionadas,
Navezuarina invocou sua força mágica
e fez surgir um intensíssimo clarão.
O clarão cegou os guerreiros que levavam as prisioneiras.
Os soldados ficaram perambulando no mato, sem direção.
Como eles já nada enxergavam,
elas pensaram em fugir e voltar para sua aldeia.
Navezuarina, que é outro nome de Oxum,
pegou uma cuia e preparou uma poção com ervas.
Ela passou a mistura nos olhos dos guerreiros
e eles recobraram a visão.
Agradecidos, soltaram todas as prisioneiras.
Elas voltaram ao seu lar no país dos nagôs.
Navezuarina voltou para casa com as amigas,
voltou em companhia de Dantã e as outras.
Todas voltaram para sua aldeia,
onde são sacerdotisas da casa de Queviossô.
E elas andam juntas até hoje,
usando sempre roupas cor-de-rosa.
[190]

Oxum mata o caçador e transforma-se num peixe

Oxum morava perto da lagoa, perto da *ossá*.
Todos os dias Oxum ia à lagoa se banhar;
todos os dias ia polir suas pulseiras, seus *indés*;
todos os dias lavava na lagoa seu *idá*.
Oxum caminhava junto às margens,
sobre as pedras cobertas pelas águas rasas da beira da lagoa.
E as pedras brutas alisavam os seus pés
e seus pés nas pedras ficavam mais formosos, tão macios.
Oxum ia à lagoa sempre esperando um amor,
que viria um dia, espreitando, apreciar sua beleza.
Oxum caminhava nua pelas pedras.
Caminhava nua, esperando pelo homem
que viria um dia espiar sua exuberância.
Oxum ia à lagoa brunir os seus *indés*
e na lagoa lavava seu punhal, seu *idá*.
Ia banhar seu corpo arredondado, lavar os seus cabelos,
lixar seus pés nas rochas ásperas da *ossá*.
Oxum ia desnuda, pensando num amor a conquistar.

Tanto foi Oxum à *ossá*
que as pedras se gastaram com seu caminhar.
Viraram seixos rolados pelo tempo,
modelados e alisados sob os pés do orixá.
Aí um dia aproximou-se da lagoa um belo caçador
e Oxum logo por ele se enamorou.
Dentro da lagoa Oxum dançou suas danças,
dançou para o jovem caçador danças de amor, de sedução.
E o caçador deixou-se atrair por tanto encanto.
O caçador perdidamente enamorou-se de Oxum.
Não via o rosto dela, encoberto pela cascata de contas

que escondia sua face do olhar dos curiosos,
mas podia antecipar sua formosura.
E chamou Oxum à terra, ao prazer do amor.
Quando Oxum saía da água para entregar-se ao caçador,
as contas que lhe cobriam o rosto voaram com o vento
e a face de Oxum se descobriu para ele.
Terrível surpresa!
Oxum, a que gastara com os pés as pedras
de tanto caminhar para o zelo da beleza,
transformando pedras brutas em lisíssimos *otás*,
a que não sentira passar o tempo que foi necessário
para rochas brutas transformarem-se em seixos rolados,
Oxum, sim, Oxum estava velha.
Muito velha. Muito feia.
Olhos desbotados e sem viço
na face gasta e enrugada pelo tempo.
Era uma mulher muito velha e muito feia.
A mais feia e velha de todas as mulheres;
o caçador nem podia acreditar.
Não era a mulher bela que o extasiara.
Não era a mais doce das belezas que quisera arrebatar.
Assustado e ofendido pelo espetáculo,
ferido pela decepção, temeroso da feia visão,
gritou o caçador:
"É a mulher-pássaro, a velha feiticeira!
É a terrível mulher-pássaro, Iá Mi Oxorongá!".
O caçador havia confundido Oxum envelhecida
com uma das temidas feiticeiras, as Iá Mi Oxorongá.
E mais clamava o ainda assustado caçador:
"Preciso ir à aldeia avisar a todos.
Que é aqui que mora então a terrível velha-mãe.
Aquela cujo nome já é ruim pronunciar!".

Oxum estava pasma. Surpresa. Enfurecida.
O ardil do tempo fora mais do que funesto.
O tempo se esgotara e Oxum não percebera,
todo o tempo apurando sua beleza.
Todo o tempo banhando seus cabelos,
polindo seu punhal, lavando seus *indés*.
Oxum não podia deixar a aldeia saber desse segredo.
Que Oxum envelhecera. Oxum Ijimu. Velha e feia.
Oxum não podia deixar ir-se o caçador.
Oxum matou o caçador com seu *idá*
e depois lançou-se atormentada ao lago.
E nas águas da *ossá* Oxum se transformou num peixe.
Mas a memória de sua beleza ficou inscrita
em cada um dos seixos polidos por seus pés.
A beleza de Oxum
ficou para sempre nos *otás*.

Quando as águas estão altas na lagoa,
Oxum, o peixe, nada para as bordas da *ossá*
e ali junto aos seus *otás*
rememora vaidosa sua beleza.
[191]

Oxum transforma sangue menstrual em penas de papagaio

Oxalá tinha três mulheres.
A esposa principal era uma filha de Oxum,
e como tal era a encarregada de zelar pelos alvos paramentos
e pelas ferramentas que usava Oxalá nas grandes celebrações.
As outras mulheres invejavam a posição da filha de Oxum
e muitas vezes criaram situações embaraçosas para prejudicá-la.

Um dia, a filha de Oxum limpava as ferramentas de Oxalá
e as deixou no sol para secar enquanto cuidava de outras coisas.
Vieram as duas outras mulheres e jogaram os objetos do orixá no mar.
A filha de Oxum não encontrou as ferramentas do Grande Orixá
e julgou, desesperada, que por conta disso pagaria caro demais.
Nem da cama levantou-se no dia da festa, tal o seu estado d'alma.
Sabia que na festa Oxalá haveria de querer usar os seus símbolos.
Uma meninazinha que ela criava lhe pediu para que se levantasse,
mas ela se recusou a fazê-lo, tão grande o desânimo que a possuía.
Foi quando passou na rua um pescador vendendo peixes
e a mulher mandou a meninazinha comprar alguns para a festa.
Ao abrir os peixes, encontrou as ferramentas dentro deles.

As outras duas não desistiram de prejudicar a rival esposa.
No dia da festa, no ponto privilegiado da sala,
ocupava seu trono Oxalá.
Sentada numa cadeira, à sua direita, encontrava-se a esposa principal,
enquanto as duas outras acomodavam-se em cadeiras do lado esquerdo.
Aproveitando-se de um momento
em que a primeira esposa se ausentou,
retirando-se da sala para providenciar a coroa de Oxalá,
as duas outras puseram na sua cadeira um preparado mágico.
No momento em que ela voltou à sala e se sentou,

sentiu o assento pegajoso, quente, estranho.
Ela sangrava, deu-se conta com horror!
Saiu correndo em desespero,
sabendo que infringira um tabu do marido.
Oxalá indignou-se
por ela ter se apresentado diante dele em estado de impureza
e a expulsou de casa por quebra do tabu.

A triste esposa correu para a casa de sua mãe em busca de socorro.
Oxum a recebeu carinhosamente e cuidou dela.
Triturou folhas e preparou-lhe um banho na bacia.
Banhou seu corpo, lavou o sangue, envolveu-a em panos limpos
e a deixou repousando numa esteira sob a sombra de uma árvore.
Quando Oxum tirou a filha do banho, o fundo da água era vermelho
e não era sangue, eram penas vermelhas do papagaio-da-costa.
No fundo da bacia penas vermelhas estavam depositadas,
penas da cauda do papagaio-da-costa, que os iorubás chamam *edidé*.
Penas raríssimas e muito apreciadas que os iorubás chamam *ecodidé*.
Penas que o próprio Oxalá considerava
um riquíssimo objeto de adorno,
das quais os caçadores não conseguiam
arranjar-lhe sequer um exemplar.

A filha de Oxum passou a ir às festas enfeitada com tais penas
e um rumor de que Oxum tinha muitos *ecodidés*
chegou aos ouvidos de Oxalá.
Como ele não conseguia as penas de papagaio
pelas mãos dos caçadores,
foi um dia à casa de Oxum perguntar por elas e surpreendeu-se.
Lá estava sua mulher, a filha de Oxum,
coberta com as preciosas plumas.
Oxalá acabou perdoando a esposa e a levou de volta para casa.

Com a filha reabilitada e Oxalá satisfeito,
Oxum completara seu prodígio.
Oxalá ornou com uma das penas vermelhas sua própria testa
e determinou que a partir daquele dia
as sacerdotisas dos orixás, as *iaôs*, quando iniciadas,
deveriam também usar o *ecodidé*
enfeitando suas cabeças raspadas e pintadas,
pois assim seriam mais facilmente reconhecidas pelos orixás
que tomam seus corpos em possessão para dançar nas festas.
[192]

Oxum transforma-se em pombo

Oxum, filha de Orunmilá, casou-se com Xangô
e foi viver em seu palácio.
Logo Xangô percebeu o desinteresse de Oxum
em cuidar dos afazeres domésticos.
Oxum vivia preocupada apenas com suas joias e caprichos.
Xangô se aborreceu e mandou prendê-la numa torre.
Xangô voltou a ser livre para gozar a vida.

Exu viu a situação de Oxum
e foi contar para seu pai Orunmilá.
Fazendo Exu seu mensageiro,
Orunmilá mandou que ele soprasse um pó na cabeça de Oxum.
Feito isso, Oxum transformou-se em um pombo,
ganhando a liberdade
e voltando para a casa paterna.
Voltou para suas joias e caprichos.
[193]

Oxum recupera o báculo de Orixalá que Iansã joga no mar

Uma vez Iansã pegou o báculo de Orixalá e o jogou no mar.
Ela sempre fora revoltada e má para com Orixalá.
Oxum veio e perguntou por que Orixalá estava amolado.
Ele disse que Iansã era má,
que havia jogado seu *opaxorô* no mar
e ele nada pôde fazer senão vê-lo indo embora.

Oxum, então, com grande rapidez,
entrou no mar e recuperou o bastão de Orixalá.
Ela lavou o cajado no rio e o devolveu a Orixalá.
Ela o confortou cantando uma cantiga.
Sempre que Orixalá precisava dela
ele podia cantar essa cantiga para chamá-la
e ela prontamente viria em seu socorro,
foi o que disse Oxum ao Grande Orixá.
Orixalá adora Oxum porque ela é bondosa com ele.

Quando ele tinha uma ferida na perna,
soprou um vento muito forte.
Era Iansã quem vinha.
Queria saber o que o pobre velho tinha.
Orixalá mostrou a perna machucada.
Iansã, então, misturou pimenta, sal e cinza
e cobriu a ferida com essa mistura,
dizendo que era um curativo.
Iansã foi-se embora.
Ela era má para Orixalá.
Então Orixalá começou a chorar de tanta dor que sentia.
Ele entoou a cantiga de Oxum.
E Oxum veio com sua moringa d'água,

lavou-lhe a ferida com água do rio
e a cobriu com ervas curativas
que brotavam perto da nascente do rio.
Ela amarrou a ferida com a toalha branca de Orixalá.
Oxalá logo sarou.
Orixalá adora Oxum porque ela é bondosa com ele.
[194]

Oxum exige a filha do rei em sacrifício

Certa vez, Oloú, rei de Oú, precisava atravessar
o rio onde vivia Oxum.
O rio naquele dia se encontrava enfurecido
e os exércitos do rei não podiam passar pelas traiçoeiras correntezas.
Oloú fez um pacto com Oxum para que baixasse o nível das águas.
Em troca lhe ofereceria uma bela prenda.
Oxum entendeu que Oloú estava prometendo Prenda Bela.
Prenda Bela era o nome da mulher de Oloú,
filha dileta do rei de Ibadã.
Oxum baixou o nível das águas
e Oloú passou com seu exército.
Oloú jogou no rio a bela prenda:
uma grande oferenda com as melhores comidas e bebidas,
os mais finos tecidos, joias luxuosas e raros perfumes,
correntes de ouro puro, banhos preciosos.
Tudo foi devolvido para as areias das margens de Oxum.
Oxum só queria Prenda Bela, a princesa.

Tempos depois, Oloú retornou vitorioso de sua expedição
e, ao chegar ao rio, este novamente estava turbulento.
O rei ofereceu de novo o mesmo que ofertara antes:

uma bela prenda com as melhores comidas e bebidas,
os mais finos tecidos, joias luxuosas e raros perfumes,
correntes de ouro puro, banhos preciosos.
Oxum recusou o oferecido.
Tudo foi devolvido à praia, intocado.
Ela queria Prenda Bela, a esposa de Oloú, que estava grávida.
Contrariado, mas sem ter outra saída,
Oloú lançou ao rio sua indefesa e grávida consorte.
Ao ser lançada às águas revoltas, Prenda Bela deu à luz uma criança.
Oxum devolveu a criança; era somente Prenda Bela que ela queria.
Oloú seguiu seu caminho, retornando muito triste a seu reino.
O rei de Ibadã logo foi informado do fim trágico da filha.
Declarou guerra a Oloú, venceu-o e o expulsou para sempre do país.
[195]

Oxum fica pobre por amor a Xangô

Oxum era conhecida como a amante ardorosa.
Tinha um corpo belo, de formas finas.
Sua cintura deixava-se abraçar por um único braço.
Por muitas noites Oxum teve em seu leito amantes,
aos quais propiciava momentos de raro prazer.
Oxum teve muitos amores,
de quem ganhou presentes preciosíssimos.
Oxum era rica. Tinha joias, ouro, prata,
vestidos maravilhosos, batas que causavam inveja,
e mais, pentes de marfim, espelhos de madrepérola,
e tantos berloques e panos da costa.

Um dia chegou à aldeia um jovem tocador de tambor.
Era Xangô, um belo homem,

que desde logo atraiu o desejo de Oxum.
Inescrupulosamente, ofereceu-se a ele,
mas foi prontamente rejeitada.
Usando de todos os artifícios,
Oxum foi se aproximando de Xangô,
até que um dia ele a tomou numa calorosa relação sexual.
Mesmo assim Xangô não deixou de humilhar
e desdenhar a linda jovem.
Tempos depois,
a fama e a fortuna de Xangô lhe fugiram das mãos
e ele se viu empobrecido e esquecido,
ainda que continuasse a ser um excelente *alabê*.
Envergonhado, ele fugiu dali.
Foi viver longe do lugar e longe do som dos atabaques.
Mas continuava o glutão de sempre,
a viver com conforto e prazeres.
Oxum seguiu sendo sua amante e o consolou,
sacrificando por ele tudo o que tinha.
De tudo de seu dispôs Oxum, para o conforto de Xangô.
Primeiro as joias, depois os vestidos, as batas,
depois os pentes, os espelhos, de tudo foi se desfazendo Oxum.
Restou-lhe nada mais que seu vestido branco.
De tudo de seu desfez-se Oxum pelo amor de Xangô.
Ficou pobre por amor a Xangô.
Restou a Oxum apenas um vestido branco.
Que era tudo o que tinha para vestir.
Mas todo dia no rio lavava Oxum a veste branca.
De tanto lavar a única peça que lhe restara,
a roupa branca tornou-se amarela.
Desde esse dia, Xangô amou Oxum.
[196]

Oxum deita-se com Exu para aprender o jogo de búzios

Obatalá, o Senhor do Pano Branco,
aprendeu com Orunmilá a arte da adivinhação.
Aprendeu o oráculo dos *obis* e dos búzios.
A adivinhação com o *opelê*, contudo,
Orunmilá jamais ensinou para ninguém.
Só os babalaôs podem jogar com o *opelê*, a cadeia de Ifá.
Mas muitas pessoas queriam aprender com Obatalá
a arte de ler o destino nos búzios.
Obatalá dizia que seu conhecimento
era resultado da confiança que Orunmilá depositara nele
e portanto negava-se a passar adiante essa arte.
Entre os que queriam tal conhecimento estava Oxum,
a bonita esposa de Xangô.
Oxum pediu muitas vezes para Obatalá
ensinar-lhe o conhecimento do Ifá.
Mesmo estando muito atraído pela bela Oxum,
Obatalá recusou-se a ensiná-la.

Um dia Obatalá saiu da cidade
e foi banhar-se num rio próximo.
Deixou sua roupa sobre a moita e foi para a água.
Enquanto Obatalá se banhava,
Exu, sempre atento às chances de desarrumar as coisas,
aproximou-se da margem do rio.
Ele viu as roupas brancas sobre o arbusto
e as reconheceu como sendo de Obatalá.
Pondo as mãos em concha sobre a boca,
gritou zombeteiro:
"O Senhor do Pano Branco ainda é senhor
quando está sem a roupa?".

Exu pegou as roupas de Obatalá e foi-se embora.
Foi dançando alegre e feliz com sua brincadeira.
Quando Obatalá saiu da água,
viu-se sem as suas imaculadas vestes brancas.
Como faria para voltar para a cidade assim?
Se aquela situação era humilhante para qualquer um,
que dirá para Obatalá?
Obatalá andando nu?
Obatalá ficou ali angustiado,
sem saber o que fazer.
Oxum, que vinha andando pela trilha em direção ao rio,
viu Obatalá naquele estado
e logo perguntou-lhe o que havia acontecido.
Ele contou tudo.
Oxum lhe disse então que iria até Exu
para trazer as roupas de volta.
Obatalá avisou que ninguém conseguia lidar com Exu,
mas Oxum insistiu que era capaz de dobrar o espertalhão.
Em troca, porém, ela exigiu os conhecimentos da adivinhação.
Ele negou e ela insistiu.
Oxum mostrou que ele não tinha saída.
Como Obatalá ia andar nu por aí?
Que vergonha! Que falta de decoro! Um rei nu?
Obatalá concordou. Fizeram o trato.
Oxum então foi à procura de Exu
e finalmente o encontrou numa encruzilhada,
comendo seus *ebós*.
Quando ele a viu, ficou endoidecido por sua beleza
e, porque Exu é como é,
tentou imediatamente ter relações sexuais com ela.
Oxum rejeitou Exu e exigiu as roupas que ele roubara.
Exu só pensava em deitar-se com Oxum

e não queria discutir nenhuma outra coisa.
Até que finalmente eles fizeram um acordo.
Oxum deitou-se com Exu
e em troca recebeu as roupas furtadas.
Voltou para a margem do rio, onde a esperava Obatalá.
Obatalá recebeu as roupas e as vestiu.
Então voltou para a cidade
e, honrando sua palavra,
ensinou Oxum a jogar búzios e *obis*.
Desde então Oxum tem também o segredo do oráculo.
[197]

Oxum leva ebó ao Orum e salva a Terra da seca

Uma vez Olodumare quis castigar os homens.
Então levou as águas da Terra para o Céu.
A terra tornou-se infecunda.
Homens e animais sucumbiam pela sede.
Ifá foi consultado.
Foi dito que se fizesse um *ebó*.
Com bolos, ovos, linha preta e linha branca,
com uma agulha e com um galo.
Oxum encarregou-se de levar o *ebó* ao Céu.
No caminho Oxum encontrou Exu
e ofereceu-lhe os fios e a agulha.
Em seguida encontrou Obatalá
e entregou-lhe os ovos.
Obatalá ensinou-lhe o caminho da porta do Céu.
Lá chegando, Oxum encontrou um grupo de crianças
e repartiu entre elas os bolos que levava.
Olodumare viu tudo aquilo e se comoveu.

Olodumare devolveu à Terra a água retida no Céu
e tudo voltou a prosperar.
[198]

Oxum nasce de Iemanjá e é curada por Ogum

Oxum foi a primeira filha de Iemanjá.
Mas sua concepção foi bem difícil.
Como Iemanjá não conseguia engravidar,
foi aconselhar-se com os adivinhos.
Eles a mandaram levar *ebó* no rio a cada cinco dias.
Ao rio ela devia ir acompanhada de crianças.
Devia levar na cabeça um pote pintado de branco,
para nele trazer água fresca para beber e para banhos.

Depois de muita espera, Iemanjá engravidou,
mas continuou cumprindo as determinações de Ifá.
Um dia depois de entregar as oferendas, sentiu as dores do parto.
Pediu às crianças que se afastassem
e sozinha deu à luz Oxum.
Depois de três dias, o umbigo de Oxum começou a sangrar.
Nem os cuidados extremosos de Iemanjá resolveram.
Nada estancava o sangramento.
Iemanjá foi consultar Ifá de novo.
Foi recomendado que banhasse a criança com água fria
e procurasse a ajuda de Ogum.
Ogum não se furtou de ajudar Iemanjá.
Foi aconselhar-se com Ossaim
e na mata colheu folhas de língua-de-vaca,
que ele macerou junto com pimentas verdes.
Com o remédio preparado por Ogum, Oxum sarou.

Oxum cresceu sadia e ficou moça bonita.
Oxum é a primeira filha de Iemanjá.
[199]

Oxum é transformada em pavão e abutre

Nos primeiros tempos do mundo,
aconteceu uma rebelião dos orixás contra Olodumare.
Achando que o Senhor Supremo vivia muito distante de tudo,
os orixás decidiram não lhe prestar mais obediência,
dividindo entre eles mesmos todo o poder do *axé*,
pensando até mesmo em destronar Olodumare.
Quando a notícia da conspiração chegou aos ouvidos de Olorum,
sua reação foi simples e imediata:
retirou a chuva da Terra e a prendeu no Céu.
Não tardou para que o Aiê fosse atormentado por terrível seca.
Com a seca veio a fome e com a fome veio a morte.
Os homens começaram a morrer.
Logo o ronco das barrigas e a palidez das faces
começaram a falar mais alto
que o orgulho dos rebeldes e seus planos de levante.
Unanimemente os orixás decidiram ir a Olodumare
implorar por perdão, esperando que a chuva caísse de novo
e que tudo o mais na Terra voltasse ao normal.
Mas eles tinham um problema:
como chegar à inalcançável e distante casa do Senhor Supremo?
Enviaram todas as espécies de pássaros,
que voavam para o Céu até o total esgotamento,
sem sequer se aproximar da casa de Olodumare.
As esperanças já se diluíam em tanto fracasso.
A seca e a fome devastavam a Terra e seus habitantes.

Foi quando Oxum resolveu intervir.
Transformada num belíssimo pavão,
ela se prontificou a ir até Olodumare.
Um tremor de gargalhadas sacudiu a Terra.
Como aquela criatura pretendia voar até o inalcançável?
Justamente aquela mimada, vaidosa e fútil ave!
"Vais acabar te machucando, gracinha", riam os orixás.
Mas como nada tinham a perder, aceitaram.
E lá se foi Oxum-pavão seguindo em direção ao sol,
voando às alturas do Orum em busca do palácio do Senhor.
Voando mais alto e mais alto, a ave perdia as forças,
mas não desanimava de sua inquebrantável determinação.
O sol foi enegrecendo suas penas, muitas se queimaram.
As penas da cabeça ficaram ressequidas e quebradiças;
o pavão tinha queimaduras pelo corpo todo,
seu estado era miserável.
Mas lá ia Oxum voando em direção ao sol.
Quase morta, chegou às portas do palácio de Olodumare.
Olodumare se compadeceu da pobre criatura.
Acolheu-a, deu-lhe água e a alimentou.
Por que fizera tão impossível jornada,
ele perguntou ao pavão,
que de pavão perdera toda a graça e beleza.
Agora era uma ave feia, careca e de penas queimadas,
à qual os homens, quando ela voltou, chamaram de abutre.
Fizera o sacrifício pelas suas crianças, a humanidade,
ela explicou ao Ser Supremo.
Olodumare, penalizado com a pobre ave, deu-lhe a chuva
para que ela a devolvesse à Terra.
E nomeou o abutre mensageiro seu,
pois só ele vence a inalcançável distância em que está Olodumare.
O abutre então voltou à Terra trazendo a chuva.

Oxum-abutre trouxe a chuva de volta
e com ela a fertilidade do solo e os alimentos.
E graças a Oxum a humanidade não pereceu.
[200]

Oxum faz ebó e mata os invasores do seu reino

Oxum era a rainha de um grande e rico território.
Um dia seu reino foi invadido por um povo chamado ioni.
Os invasores derrotaram as forças de Oxum.
Para não ser aprisionada,
Oxum teve que fugir na escuridão da noite.
Do lugar onde se escondeu,
mandou uma mensagem a seus súditos fiéis.
Deviam cozinhar um *ebó* de milhares de abarás
e depositar o alimento nas margens de um rio,
por onde passariam os conquistadores,
que continuavam a guerra com outros povos.
Quando os exércitos invasores passaram por aquele sítio,
depararam com as irresistíveis guloseimas.
Estando os soldados cansados e famintos,
os abarás do *ebó* de Oxum foram imediatamente devorados.
Os abarás comidos pelos inimigos foram veneno mortal
e todos os guerreiros ionis tiveram morte imediata.
Oxum voltou a reinar
e daí por diante, devido à vitória,
tomou para si o nome do invasor derrotado
e foi por todos chamada Oxum Ioni.
[201]

Oxum difama Oxalá e ele a faz rica para se livrar dela

Houve um tempo em que existia uma modesta rapariga
que vivia a se gabar de sua simplicidade,
mas que nada mais fazia senão procurar ter sucesso na vida.
Ela se chamava Oxum.
Ela desejava ter muitas riquezas.
Um dia, pediram a Oxum para levar um *ebó* à casa de Oxalá,
dando-lhe a oportunidade de pedir pessoalmente a ele o que quisesse.
Chegando à morada de Oxalá,
ela entregou o *ebó*, mas não pôde entrar.
Pôs-se de pé bem no portão da casa e começou a maldizer o morador.
Dizia palavras cruéis sobre o velho
a todos os que passavam pela rua.
Dizia que todos falavam muito mal de Oxalá,
que diziam que ele era um velho perverso e mesquinho
e que tinham prova disso.
Oxum falava que todos lhe diziam
que ela nunca conseguiria nada de Oxalá,
porque ele era um egoísta sem igual.
E daí para pior.
As palavras de Oxum abalaram a cidade.

Oxum passava o dia a difamar Oxalá,
falava e falava sem parar.
Então, os amigos de Oxalá o aconselharam
a dar àquela rapariga tudo o que ela quisesse,
antes que ela o desmoralizasse por completo.
Não havia outro meio de fazer Oxum parar com suas calúnias.
Como Oxum não cessava de falar suas maldades
e como os amigos reiteravam o conselho dado,
Oxalá chamou Oxum e lhe concedeu tudo o que pedia.

Oxum tornou-se dona de muitas riquezas,
como nenhuma outra mulher jamais o foi.
[202]

Oxum faz as mulheres estéreis em represália aos homens

Logo que o mundo foi criado,
todos os orixás vieram para a Terra
e começaram a tomar decisões e dividir encargos entre eles,
em conciliábulos nos quais somente os homens podiam participar.
Oxum não se conformava com essa situação.
Ressentida pela exclusão, ela vingou-se dos orixás masculinos.
Condenou todas as mulheres à esterilidade,
de sorte que qualquer iniciativa masculina
no sentido da fertilidade era fadada ao fracasso.
Por isso, os homens foram consultar Olodumare.
Estavam muito alarmados e não sabiam o que fazer
sem filhos para criar nem herdeiros para quem deixar suas posses,
sem novos braços para criar novas riquezas e fazer as guerras
e sem descendentes para não deixar morrer suas memórias.
Olodumare soube, então, que Oxum fora excluída das reuniões.
Ele aconselhou os orixás a convidá-la, e às outras mulheres,
pois sem Oxum e seu poder sobre a fecundidade
nada poderia ir adiante.
Os orixás seguiram os sábios conselhos de Olodumare
e assim suas iniciativas voltaram a ter sucesso.
As mulheres tornaram a gerar filhos
e a vida na Terra prosperou.
[203]

Iá Mi Oxorongá

Iá Mi Oxorongá

Iá Mi chegam ao mundo com seus pássaros maléficos

As Iá Mi Oxorongá são as nossas mães primeiras,
raízes primordiais da estirpe humana, são feiticeiras.
São velhas mães-feiticeiras as nossas mães ancestrais.
As Iá Mi são o princípio de tudo, do bem e do mal.
São vida e morte ao mesmo tempo, são feiticeiras.
São as temidas *ajés*, mulheres impiedosas.
As Oxorongá já viveram tudo o que se tem para viver.
As Iá Mi conhecem as fórmulas de manipulação da vida,
para o bem e para o mal, no começo e no fim.
Não se escapa ileso do ódio de Iá Mi Oxorongá.
O poder de seu feitiço é grande, é terrível.
Tão destruidor quanto é construtor e positivo o *axé*,
que é a força poderosa e benfazeja dos orixás,
única arma do homem na luta para fugir de Oxorongá.

Um dia as Iá Mi vieram para a Terra e foram morar nas árvores.
As Iá Mi fizeram sua primeira residência na árvore do *orobô*.
Se Iá Mi está na árvore do *orobô* e pensa em alguém,

este alguém terá felicidade, será justo e viverá muito na Terra.
As Iá Mi Oxorongá fizeram sua segunda morada
na copa da árvore chamada araticuna-da-areia.
Se Iá Mi está na copa da araticuna-da-areia e pensa em alguém,
tudo aquilo de que essa pessoa gosta será destruído.
As Iá Mi fizeram sua terceira casa nos galhos do baobá.
Se Iá Mi está no baobá e pensa em alguém,
tudo o que é do agrado dessa pessoa lhe será conferido.
As Iá Mi fizeram sua quarta parada
no pé de Iroco, a gameleira-branca.
Se Iá Mi está no pé de Iroco e pensa em alguém,
essa pessoa sofrerá acidentes e não terá como escapar.
As Iá Mi fizeram sua quinta residência nos galhos do pé de Apaocá.
Se Iá Mi está nos galhos do Apaocá e pensa em alguém,
rapidamente essa pessoa será morta.
As Iá Mi fizeram sua sexta residência na cajazeira.
Se Iá Mi está na cajazeira e pensa em alguém,
tudo o que ela quiser poderá fazer,
pode trazer a felicidade ou a infelicidade.
As Iá Mi fizeram sua sétima moradia na figueira.
Se Iá Mi está na figueira e alguém lhe suplica o perdão,
essa pessoa será perdoada pela Iá Mi.
Mas todas as coisas que as Iá Mi quiserem fazer,
se elas estiverem na copa da cajazeira,
elas o farão,
porque na cajazeira é onde as Iá Mi conseguem seu poder.
Lá é sua principal casa, onde adquirem seu grande poder.
Podem mesmo ir rapidamente ao Além, se quiserem,
quando estão nos galhos da cajazeira.
Porque é dessa árvore que vem o poder das Iá Mi
e não é qualquer pessoa
que pode manter-se em cima da cajazeira.

Elas vieram para a Terra.
Eram duzentas e uma e cada qual tinha o seu pássaro.
Eram as mulheres-pássaros, donas do *eié*,
eram as mulheres-*eleié*, as donas do *eié*.

Quando chegaram, foram direto para a cidade de Otá
e os babalaôs mandaram preparar uma cabaça para cada uma.
Elas escolheram sua *ialodê*, sua sacerdotisa.
Foi a *ialodê* quem deu a cada *eleié*
uma cabaça para guardar seu pássaro.
Então, cada Iá Mi partiu para sua casa
com seu pássaro fechado na cabaça
e lá cada uma guardou secretamente sua cabaça
até o momento de enviar o pássaro para alguma missão.
Quando Iá Mi abre a cabaça,
o pássaro vai, seja aonde for,
aos quatro cantos do mundo ele vai e executa sua missão.
Se é para matar, ele mata.
Se é para trazer os intestinos de alguém,
ele espreita a pessoa marcada para abrir seu ventre
e colher seus intestinos.
Se é para impedir uma gravidez,
ele retira o feto do ventre da mãe.
Ele faz o que lhe for ordenado e volta para sua cabaça.
Iá Mi, então, recoloca a cabaça em seu lugar secreto.
Mas, se a pessoa possui um encantamento contra a feiticeira,
ela deve dizer a seguinte fórmula:
"Que aquela que vos enviou para me pegar, não me pegue".
Assim, por mais que tente, o pássaro não poderá executar sua tarefa.
Sua dona terá de ir em busca do auxílio das outras Iá Mi.
Ela vai à assembleia e relata seu problema.
As *ajés*, as feiticeiras, devem trabalhar com ela,

porque não podem realizar sua tarefa sozinhas.
Então, Iá Mi leva um pouco do sangue da pessoa que quer prejudicar.
Todas as outras Iá Mi o põem na boca e o bebem.
Depois, elas se separam e não deixam dormir a vítima.
O pássaro é capaz de carregar um chicote,
pegar um cacete,
tornar-se alma do outro mundo,
e até mesmo pode ter o aspecto de um orixá;
tudo para aterrorizar a pessoa à qual foi enviado.
Assim são as Iá Mi Oxorongá.
Esta é a sua história.
[204]

Iá Mi são enganadas por Orunmilá

Um dia Orunmilá quis ir a Otá para descobrir o segredo das Iá Mi.
Ele procurou os babalaôs e consultou Ifá.
Orunmilá podia ir, disseram, mas tinha que fazer uma oferenda.
Assim, Orunmilá preparou uma peça de tecido branco para oferecer
e mais uma cabeça de serpente e um pombo branco,
ao que juntou quatro *obis* brancos e quatro *obis* vermelhos
e também azeite, pó branco de *efum*, pó vermelho de *ossum*
e uma cabaça.
Orunmilá deu tudo isso aos babalaôs e alegrou-se:
agora podia ir à cidade das Iá Mi.

Quando Orunmilá chegou ao mercado de Otá,
as feiticeiras se regozijaram: "A comida chegou", disseram.
Porque elas queriam matar e comer Orunmilá.
Mas Exu, que faz o bem e o mal e transforma-se rapidamente,
veio em pessoa advertir as bruxas Iá Mi:
Orunmilá tinha um pássaro mais poderoso do que os delas todas.

Dessa forma, as Iá Mi tiveram de levar seus pássaros
e submetê-los a Orunmilá.
Mas elas não queriam deixar de lutar.
As Iá Mi lançavam mau-olhado no corpo de Orunmilá.
Elas queriam matá-lo
porque Orunmilá ia conhecer todos os segredos delas.
Então Orunmilá consultou novamente Ifá e fez novas oferendas.
Preparou uma buchada, pegou um frango de penas arrepiadas
e também *ecôs* e búzios.
Os babalaôs de Orunmilá foram consultar Ifá.
Então eles chamaram as Iá Mi
e deram aquilo tudo para elas comerem.
E elas não puderam mais ver Orunmilá nem pegá-lo.
Orunmilá as enganara.
Como eram *ajés*, isto é, feiticeiras,
as Iá Mi não podiam comer buchada,
pois tripa é seu *euó*, seu tabu,
e como frango arrepiado não pode voar para o telhado da casa,
as Iá Mi não podiam matá-lo.
Foi assim que Orunmilá enganou as Iá Mi Oxorongá naquele dia
e descobriu quase todos os segredos delas.
[205]

Iá Mi usam proibições para aprisionar os imprudentes

Não há o que se faça para agradar as Iá Mi Oxorongá.
Quando elas vieram para o Aiê,
estabeleceram três proibições às pessoas,
porque as Iá Mi estão sempre coléricas,
querendo a todos matar,
principalmente os que não lhes dão uma parte do que conseguem.

Elas dizem que não brigarão com as pessoas,
mas estão sempre arrumando um modo de criar contendas.
As Iá Mi proibiram as pessoas de colher os quiabos de Ejió.
As Iá Mi proibiram as pessoas de recolher a folha *ossum* de Alorã.
As Iá Mi proibiram as pessoas de contorcer o corpo
no quintal da casa de Mosionto.
Elas sabem que as pessoas ignoram essas proibições,
então, quando alguém põe a mão numa folha qualquer,
as Iá Mi vêm muito encolerizadas, dizendo:
"Ah! Eles colheram as folhas de Alorã.
As folhas de Alorã que proibimos colher eles colheram!".
E mesmo quando alguém fica sem nada fazer,
lá vêm as Iá Mi acusando-o de ter colhido quiabos de Ejió.
Então as pessoas têm de fazer muitos sacrifícios e oferendas
para serem perdoadas pelas Iá Mi,
para que as Iá Mi não briguem com elas,
não as atormentem e não as matem.
As pessoas têm de ter dinheiro
para não morrer por causa das Iá Mi.
Aquele que transporta o inhame e o milho,
que dê uma parte às Iá Mi,
para que não morra acusado de colher a folha *ossum* de Alorã.
Aquele que comprou uma coisa, o que quer que seja,
que dê uma parte às Iá Mi,
senão, lá vêm elas coléricas,
dizendo que a pessoa contorceu o corpo no quintal de Mosionto,
e o que elas disserem que é contorcer o corpo no quintal de Mosionto
é contorcer o corpo no quintal de Mosionto.

As Iá Mi atormentam as pessoas,
mas aqueles que se voltam para Orunmilá,
estes serão poupados pelas Iá Mi,

porque Orunmilá fez o sacrifício por eles
e as Iá Mi não mais poderão destruir suas casas,
seus campos, seus caminhos e tudo o mais que possuam.
Aquele que for perseguido pelas feiticeiras,
acusado de colher os quiabos de Ejió,
acusado de recolher a folha *ossum* de Alorã,
acusado de contorcer o corpo no quintal da casa de Mosionto,
que corra para Orunmilá,
que será resgatado das mãos coléricas e assassinas das Iá Mi Oxorongá.
Porque somente Orunmilá aplaca a ira das Iá Mi Oxorongá.
[206]

Iá Mi propõem enigma a Orunmilá

Quando as Iá Mi chegaram à Terra,
beberam de sete águas,
beberam da água de sete rios,
de sete rios de sete cidades.
As Iá Mi fizeram seus filhos aqui na Terra.
Os filhos das Iá Mi não queriam poupar os filhos das pessoas.
Então, os filhos das pessoas correram para a casa de Egum,
rogando que Egum os salvasse dos filhos das Iá Mi.
Mas Egum não foi capaz de salvá-los
e eles foram à casa de Oxalá,

à casa de Xangô,
à casa de Oiá,
à casa de Obá,
mas nenhum orixá disse ser capaz de protegê-los,
de protegê-los dos filhos das feiticeiras.
Assim, os filhos dos homens suplicaram a Orunmilá
que os salvasse da boca mortífera dos filhos das Iá Mi.

Então Orunmilá aceitou protegê-los
e Exu veio ajudá-lo a conquistar a paz com as Iá Mi
porque Exu conhecia as Iá Mi Oxorongá, nossas mães ancestrais,
desde quando elas chegaram ao Aiê.
Exu as vira beber das sete águas
e acompanhara a assembleia das feiticeiras.
Ele sabia do enigma que elas compartilhavam.
Exu disse a Orunmilá que preparasse um prato de terra,
um ovo de galinha e mel de abelhas,
uma pena de papagaio, o *ecodidé*, folhas de juta e de abre-caminho,
folhas de anu, folhas de crista-de-galo
e também que trouxesse uma rama de algodão.
Assim, quando os filhos das pessoas e os filhos das Iá Mi
se reunissem para resolver sua contenda,
as Iá Mi e seus filhos não poderiam mais fazer mal às pessoas
pelas quais Orunmilá fizera a oferenda.
Quando os filhos das Iá Mi viram a oferenda,
reconheceram que dali por diante
as Iá Mi estavam contentes com Orunmilá e os filhos dos humanos.
As Iá Mi iam respeitá-los
e lhes tinham piedade por causa da oferenda.
As Iá Mi, então, disseram que aceitavam a paz,
desde que Orunmilá resolvesse um enigma.
Do contrário, sua cólera contra todos seria ininterrupta.

As Iá Mi perguntaram a Orunmilá
o que é que elas lançam sete vezes e ele pega sete vezes
e com que ele pega sete vezes o que elas lançaram sete vezes.
"Ah!", ele disse, "vocês enviam um ovo de galinha."
Depois Orunmilá disse
que era com o algodão que ele pegava o ovo.
E assim Orunmilá salvou as pessoas da cólera das Iá Mi.
Ele cantou e dançou e conquistou a benevolência das Iá Mi
para tudo o que quisesse fazer e tudo o que quisesse ter,
porque Orunmilá, com a ajuda de Exu,
desvendou os enigmas das Iá Mi Oxorongá.
[207]

Iá Mi fazem um pacto com Orunmilá

Quando as Iá Mi estavam vindo para a Terra,
encontraram Orunmilá no caminho.
Orunmilá perguntou para onde as Iá Mi iam.
"Para a Terra", responderam.
"O que é que vão fazer?", ele tornou a perguntar.
Então as Iá Mi disseram que fariam todos os tipos de males
àqueles que não fossem seus partidários.
Orunmilá, então, insistiu para que as Iá Mi
poupassem seus filhos que viviam na Terra.
As Iá Mi poderiam poupar,
mas advertiram Orunmilá para que seus filhos
oferecessem folhas de tintureira,
que oferecessem uma cabaça,
que oferecessem a ponta do rabo de um preá,
que oferecessem o corpo de um preá,
que oferecessem massa de milho misturada com azeite,

que oferecessem quatro sacos de búzios.
Assim, tudo isso disse Orunmilá para que seus filhos oferecessem.

E as Iá Mi chegaram à Terra.
Após se empoleirarem na copa de seis árvores, uma depois da outra,
no topo da sétima elas ficaram e lá se reuniram.
As Iá Mi amontoaram uma grande quantidade de terra
e lá se reuniram.
Elas vieram espalhar todos os tipos de males às pessoas.
Mas os filhos de Orunmilá ajudam
todos os que são por elas perseguidos,
todos os que a eles pedem proteção,
pois eles fizeram o sacrifício que Orunmilá pedira.
Então, os filhos de Orunmilá podem chamar as Iá Mi
cantando com voz triste e
elas permitirão que os filhos de Orunmilá
façam todos os tipos de bem para as pessoas,
na mesma medida em que elas fariam o mal.
[208]

Iá Mi reconhece o poder dos homens sobre o poder feminino

Ogum, Obatalá e Odu vieram do Orum.
Eles rumavam para a Terra, mas antes foram consultar Olodumare.
Ogum veio na frente com seu sabre,
com seu fuzil, com tudo para a guerra,
cheio de poder.
Depois veio Obatalá-Obarixá,
com o poder de fazer tudo o que quisesse.
Por fim veio Odu, que era mulher e esposa de Orunmilá.
Olodumare lhe conferiu o poder de dar vida na Terra,

de ser a mãe de todos.
Olodumare lhe deu o poder do pássaro e a cabaça para guardá-lo.
Ele a ensinou como usar seu poder,
mas pediu-lhe moderação quando estivesse na Terra.
Odu afirmou que sim,
que usaria para o bem e para o mal,
conforme fosse necessário.
Olodumare confirmou o poder de Odu sobre os homens.
Eles lhe seriam submissos.
Odu era mãe de todos.
Odu é a nossa mãe ancestral, Iá Mi Oxorongá.
O homem dependeria da mulher, sempre,
para fazer o que quer que fosse.
Mas Olodumare advertiu Odu
que o poder que ele lhe dera não poderia ser usado com violência.

Odu, contudo, utilizou seu poder com imprudência
e não obedeceu ao dito de Olodumare.
Ela profanava as florestas de Egum, o antepassado do homem,
e as florestas de Orô, o orixá caçador.
Ela entrava em seus proibidos locais de culto.
Ela se recusava a fazer oferenda.
Ela se apropriava dos panos que cobriam Egungum.
Por mais que lhe pedissem para usar seu poder com calma,
Odu se recusava a ouvir.
Então, Obatalá consultou Orunmilá
em busca de resposta para o abuso de poder de Odu.
Olodumare enviou a resposta para Obatalá.
Que ele fizesse oferendas.
Que tivesse paciência,
pois a Terra seria dele e Odu lhe seria submissa,
porque ela exagerara no uso do poder que Olodumare lhe confiara.

Então, naquele tempo, Odu e Obatalá moravam juntos,
mas Odu nunca mostrava o segredo do seu poder a Orixá.
Um dia, Obatalá deu sangue branco do caracol para Odu beber.
Odu gostou muito daquilo, pois sentiu-se calma.
Odu achou delicioso o sabor do caracol.
Ela estava muito calma
e Orixá aproveitou-se para dizer que Odu o entristecia,
porque não lhe mostrava nunca seu poder.
Só ele, Obatalá, é que mostrava tudo o que fazia.
Então, Odu chamou Orixá para adorar Egum.
Odu levou as coisas com que adorava Egum
e entrou na floresta para adorar Egum.
Obarixá a acompanhou assustado.
Ele viu como Odu se cobria com os panos de Egungum,
mas Odu não sabia fazer a voz cavernosa de Egungum.
Odu só sabia cobrir-se com as vestes dele e fazer evoluções.
Odu não conseguia fazer a voz profunda de Egum, era mulher.
Quando eles voltaram para casa,
Obatalá retornou secretamente para o local da oferenda.
Ele acrescentou uma rede ao pano de Egum,
Obatalá cobriu-se com as vestes e tomou o chicote na mão.
Então ele falou com a voz grave de Egum
e arrastou o chicote no solo.
Todos se apavoraram e Odu ficou muito assustada com aquilo.
Obarixá-Obatalá então rodeou toda a cidade
como se fosse Egungum vindo do Além.
Odu, porém, reconheceu que o pano era o seu.
Ela suspeitou de Obatalá, ele não estava em casa.
Odu mandou seu pássaro pousar no ombro de Egum.
Tudo o que Egum dizia, então,
era pelo poder do pássaro.
Assim, depois de devolver as coisas de Egungum,

Obatalá voltou para casa.
O pássaro de Odu já voltara antes dele.
Odu então saudou Obatalá e viu todas as coisas que ele recebera.
Odu confirmou que Obatalá vestira seu pano de Egum.
E Odu viu que seu pano de Egum era conveniente a Obatalá,
pois todas as pessoas acreditaram que era Egum quem lhes falara.
Odu deu então seu pano de Egum para Obarixá,
pois concluiu que vestir-se com os panos de Egungum
era mais apropriado aos homens que às mulheres.
Odu dali em diante apenas dançaria
na frente de Obatalá vestido com o pano de Egum.
Esse seria o papel da mulher,
pois a mulher tinha poder demais na Terra.
É pela mulher que todos vêm ao mundo.
Mas Odu reconheceu que o homem,
com astúcia e inteligência,
tomou da mulher o seu poder.
[209]

Iá Mi perseguem Orixalá pelo roubo da água

Quando Orixalá plantava algodão,
as Iá Mi Oxorongá vinham e comiam tudo.
Um dia Orixalá as encontrou e disse
para não comerem mais do seu algodão.
Estava certo,
as Iá Mi não comeriam mais algodão de Orixalá.
Quando as mulheres chegaram à Terra,
os homens já haviam tomado todo o poder.
Eles as enganaram, mentiram para elas.
Então, as Iá Mi foram até Olodumare

para mostrar seus sofrimentos,
porque nada lhes sobrara de tudo o que havia.
Olodumare concedeu-lhes grande poder
para que usassem dele de várias maneiras.
Assim, quando as Iá Mi chegaram à Terra,
não havia rios, apenas poços pantanosos.
Mas as Iá Mi tiveram o seu rio, o Olontoqui.
Era um rio que nunca secava e elas tomavam conta dele.
Nessa época, Orixalá estava criando os homens
e precisava de água fresca para a modelagem de barro.
Para isso Orixalá ia roubar água das Iá Mi.
Quando elas perceberam que Orixalá roubava suas águas,
passaram a vigiar a água, a fazer a ronda.
Então elas encontraram Orixalá e disseram:
"Saúde a ti, Orixalá".
"Saúde!", respondeu-lhes Orixalá.
"És tu que vais roubar nossa água todos os dias assim?"
E elas começaram a perseguir Orixalá.
Orixalá fugiu para a casa de Egum.
Egum pediu às Iá Mi para que o poupassem,
mas elas disseram que pegariam Egum
e tomariam todos os seus panos.
Engoliriam todo o poder de Egum.
Então Egum despachou Orixalá rapidamente.
Orixalá fugiu para Ogum e este também pediu
para que as Iá Mi poupassem Orixalá.
Mas elas disseram que tomariam e engoliriam
o dinheiro e os instrumentos de ferro de Ogum.
Ogum, então, empurrou rápido Orixalá para fora.
Orixalá fugiu para a casa de Orunmilá.
Elas disseram que pegariam
e engoliriam todas as nozes de *obi* de Orunmilá.

Orunmilá, porém, não se amedrontou
e convidou-as para entrar.
Orunmilá serviu-lhes dezesseis pratos de *ecuru*
e sangue de diversos animais:
de cabra, galinha, carneiro, touro.
As Iá Mi ficaram muito agradecidas com a recepção
e perdoaram Orixalá.
Desde então, todas as coisas que as Iá Mi quisessem ter,
elas viriam pedir a Orunmilá,
porque ele as recebera muito bem.
Orixalá, como forma de agradecimento,
deu seu facão a Orunmilá.
[210]

Iá Mi Odu torna-se esposa de Orunmilá

Ôro Modi Modi é esposa de Orunmilá
e seu nome também é Odu.
Quando Odu estava para vir à Terra,
Olodumare lhe deu um pássaro de nome aragamago.
Olodumare disse que o pássaro faria o que Odu quisesse:
era para fazer o bem
e era para fazer o mal.
Odu veio para a Terra e pôs seu pássaro dentro da cabaça.
Orunmilá, então, quis ter Odu para si.
Ele foi consultar Ifá para ver quando tomaria Odu por esposa.
Então os babalaôs disseram que Odu tinha um poder.
Orunmilá deveria fazer oferenda para tê-la,
porque Odu podia matá-lo e comê-lo.
O poder de Odu era maior que o de Orunmilá.
Então Orunmilá arriou sua oferenda no caminho de Odu.

Ele arriou no chão um preá.
Ele arriou um peixe.
Ele arriou um caracol.
Ele arriou azeite.
Ele arriou oito sacolas de búzios.
Orunmilá fez sua oferenda e Odu gostou.
E como Odu quisesse saber quem fizera a oferenda,
Exu lhe disse que era Orunmilá, e que ele queria desposá-la.
Odu aceitou a oferenda
e fez com que todos aqueles que a acompanhavam
quando fazia as coisas más
também comessem da oferenda.
Odu fez o pássaro aragamago comer também.
Então Odu foi à casa de Orunmilá.
Ela aceitou o casamento e disse que dali por diante
lutaria sempre a favor de Orunmilá.
Mas Odu impôs uma proibição:
o rosto de Odu nunca deveria ser visto
pelas outras esposas de Orunmilá.
Orunmilá chamou suas esposas e as advertiu da proibição.
Odu ficou feliz.
Ia desposar e proteger Orunmilá
contra todos os que lhe quisessem mal.
Mas Orunmilá não deveria nunca caçoar de Odu.
Orunmilá concordou, ele a respeitava,
sabia da importância e do poder superior de Odu.
Nenhuma outra mulher do mundo se comparava a Odu.
[211]

Iá Mi Odu fica velha e morre

Iá Mi Odu fez oferendas a Ifá para saber o seu futuro.
Ficou dito que Odu viveria muito.
Odu se tornaria muito velha.
Sua cabeça ficaria toda branca.

Quando a velhice chegou,
Odu preparou-se para deixar este mundo.
Mas antes de morrer Odu queria deixar algo que a substituísse
quando seus filhos precisassem dela.
Odu deixaria uma cabaça especialmente preparada
e através da cabaça seus filhos estariam em contato com ela.
Iá Mi foi procurar seus quatro conselheiros:
Obatalá, Obaluaê, Ogum, Odudua.
Ela os chamava porque queria falar com sua gente antes de partir.
Odu tinha que ir para o lugar dos velhos
e queria que seus companheiros protegessem seus filhos,
que continuariam a viver na Terra.
Vendo que Odu queria mesmo partir, os quatro orixás concordaram.
Cada um deles tinha seu *ibá*, sua cabaça-assentamento,
onde cada um estava representado,
e seria também por meio da cabaça
que os filhos de Odu invocariam os orixás,
sempre que precisassem de seu socorro.
Foi o pacto que os orixás fizeram com Odu.
E tudo o que havia nos *ibás* dos orixás
deveria haver no *ibá* de Iá Mi Odu.
Odu preparou uma cabaça maior que as dos orixás.
Então Obatalá trouxe sua cabaça de *efum* para Odu.
Tudo o que os filhos de Odu pedissem àquele *ibá* eles teriam.
Obaluaê trouxe sua cabaça de *ossum* para Odu.

Todas as coisas que os filhos de Odu pedissem
à cabaça de Obaluaê eles receberiam.
Ogum trouxe sua cabaça de carvão para Odu.
Se os filhos de Odu adorassem o assentamento de Ogum,
não morreriam na infância e não sofreriam na velhice.
Odudua trouxe seu *ibá* de lama para Odu.
Os filhos de Odu adorariam a cabaça de Odudua
e teriam sempre sua proteção.
Assim, Odu tinha os quatro elementos primordiais do mundo
dentro daquelas quatro cabaças.
Odu tomou desses elementos para preparar o seu *ibá*.

Odu estava velha, mas antes de morrer
ela preparou seu assentamento, seu altar.
Seus filhos podem adorar a mãe adorando seu *ibá*.
E todo babalaô que quisesse adorar Orunmilá,
antes teria que adorar a sua esposa Odu,
que está representada no *ibá*
que os sacerdotes chamam de "aperê igbodu",
que significa assentamento para o culto de Ifá,
e pertence a Orunmilá e a Odu, sua mulher.
Os destinos dos filhos de Odu estão inscritos em seu *ibá*.
Nossa Mãe Odu envelheceu e teve que partir,
mas seus filhos nunca estarão sozinhos neste mundo.
Os filhos de Iá Mi somos nós, os seres humanos.
Iá Mi Odu é nossa mãe Oxorongá.
[212]

Ibejis

Ibejis

Os Ibejis nascem de Oiá e são criados por Oxum

Oiá andava pelo mundo disfarçada de novilha.
Um dia Oxóssi a viu sem a pele e se apaixonou.
Casou-se com Oiá e escondeu a pele da novilha,
para ela não fugir dele.
Oiá teve dezesseis filhos com Oxóssi.
Oxum, que era a primeira esposa de Oxóssi
e que não tinha filhos,
foi quem criou todos os filhos de Oiá.
O primeiro a nascer chamou-se Togum.
Depois nasceram os gêmeos, os Ibejis,
e depois deles, Idoú.
Nasceu depois a menina Alabá,
seguida do menino Odobé.
E depois os demais filhos de Oiá e Oxóssi.
Os meninos pareciam-se com o pai,
as meninas, com a mãe.
Oiá tinha os filhos que Oxum criava
e assim viviam na casa de Oxóssi.
Um dia as duas mães se desentenderam.
Oxum mostrou a Oiá onde estava sua pele.
Oiá recuperou a pele de novilha,
reassumiu sua forma animal
e fugiu.
[213]

Os Ibejis são transformados numa estatueta

São filhos de Iemanjá
os dois meninos gêmeos, os Ibejis.
Os Ibejis passavam o dia a brincar.
Eram crianças e brincavam com Logum Edé
e brincavam com Euá.
Um dia, brincavam numa cachoeira
e um deles se afogou.
O Ibeji que ficou começou a definhar,
tão grandes eram sua tristeza e solidão,
melancólico e sem interesse pela vida.

Foi então a Orunmilá e suplicou
que Orunmilá trouxesse o irmão de volta.
Que Orunmilá os reunisse de novo,
para que brincassem juntos como antes.
Orunmilá não podia ou não queria fazer tal coisa,
mas transformou a ambos em imagens de madeira
e ordenou que ficassem juntos para sempre.
Nunca mais cresceriam,
não se separariam.
São dois gêmeos-meninos
brincando eternamente, são crianças.
[214]

Os Ibejis brigam por causa do terceiro irmão

Oxum queria um filho e pediu para Orunmilá.
Ele ordenou-lhe que fizesse sacrifício
de dois carneiros, dois cabritos e dois galos,

de dois pombos, duas roupas e dois sacos de búzios.
Quando Oxum deu à luz, não era um nem eram dois.
Oxum teve três filhos.
Mas ela não podia criar as três crianças
e mandou embora o mais novo dos irmãos
para poder criar os outros dois, Taió e Caiandê.
Idoú, o irmão rejeitado, não gostou de sua sorte
e veio viver na cabeça dos irmãos.
Vivia ora no *ori* de Taió, ora no *ori* de Caiandê.
Idoú atormentava os gêmeos sem sossego.
Os Ibejis viviam brigando.

Oxum estava enlouquecida com as brigas dos meninos.
Foi consultar Orunmilá e ele viu a presença de Idoú.
Ele deu à mãe nove espelhos para que mirasse os filhos
e visse em qual dos dois vivia o *egum* de Idoú.
Oxum mirou um deles e viu quatrocentos filhos.
Mirou o segundo e não viu nada.
Um deles teve que morrer para proteger o outro.

Mas o gêmeo que sobreviveu não suportava a ausência do irmão.
Ele abriu a sepultura e retirou o corpo do irmão.
Porém o menino morto não se movia,
por mais que o irmão vivo o chamasse ele não respondia,

não o acompanhava, não o queria.
O irmão vivo não desistiu do companheiro
e amarrou o irmão morto no seu próprio corpo.
Desde então eles passeiam juntos, atados um no outro.
Quando eles passam alegres, discutindo, o povo diz:
"Olha os Ibejis, olha os meninos gêmeos da Oxum".
[215]

Os Ibejis nascem como abicus mandados pelos macacos

Abicus nascem para morrer e nascer de novo e morrer
— esse é o jogo deles.
Era uma vez um fazendeiro que vivia caçando macacos,
pois os macacos eram uma praga para o fazendeiro,
devorando toda a sua lavoura.
O fazendeiro e seus filhos vigiavam a plantação
e mesmo com o uso de paus, pedras e flechas
não continham o ataque dos macacos.
O fazendeiro perseguia os macacos por toda parte,
mas eles continuavam sua investida às safras.
Eles criaram mil artimanhas para enganar o fazendeiro.
Nessa disputa, muitos macacos foram mortos
mas os sobreviventes persistiam.
Uma das esposas do fazendeiro ficou grávida.
Veio então um vidente para adverti-lo.
Ele disse que aquela matança de macacos era perigosa,
pois os macacos eram sábios e tinham grandes poderes.
Disse que eles gerariam uma criança *abicu*,
aquela que nasce para morrer cedo.
Assim, logo depois do nascimento a criança morreria
e isso tornaria a acontecer de novo,

num nascer para morrer sem fim,
atormentando o fazendeiro até o último de seus dias.
O adivinho aconselhou o fazendeiro
a deixar os macacos comerem em paz.

O fazendeiro ouviu, mas não se convenceu
e continuou vigiando seus campos
e caçando macacos na mata.
Os macacos decidiram mandar dois *abicus* para o fazendeiro.
Dois macacos transformaram-se então em *abicus*
e entraram no ventre da esposa grávida do fazendeiro.
Lá eles ficaram até a hora de nascer como gêmeos.
Eles foram os primeiros Ibejis a nascer entre os iorubás.
Foram os primeiros gêmeos.
Os Ibejis chamaram muito a atenção de todos.
Uns diziam que eram uma graça, outros, mau presságio.
Mas os Ibejis não permaneceram muito tempo vivos,
logo voltando para junto dos que ainda não nasceram,
pois eles eram *abicus*.
O tempo passou e eles voltaram
a nascer e a morrer sucessivamente.
O fazendeiro estava desesperado com tamanha desgraça
e foi consultar um adivinho de um lugar distante
para saber a razão daquelas mortes.
O adivinho jogou os búzios
e explicou o que estava acontecendo.
Também advertiu o fazendeiro
que parasse de perseguir os macacos,
deixando-os comer em seus campos.
O fazendeiro voltou para casa
e não mais perseguiu os macacos.
Sua esposa deu à luz outros Ibejis e eles não morreram.

Mas o fazendeiro não tinha certeza ainda
se as coisas tinham mudado mesmo
e então voltou ao adivinho.
O adivinho jogou os búzios e disse
que dessa vez as crianças não morreriam e tornariam a nascer
como ocorrera antes.
Disse ainda que os Ibejis não são pessoas normais.
Eles têm grandes poderes para gratificar e punir os humanos.
E o adivinho recomendou que os Ibejis fossem propiciados.
Que recebessem tudo o que pedissem
para que seus familiares tivessem vida boa.
Quando o fazendeiro voltou para casa
contou para sua esposa tudo o que tinha aprendido.
E assim aconteceu e a família do fazendeiro prosperou.
[216]

Os Ibejis brincam e põem fogo na casa

Egbé tinha dois filhos, eram filhos gêmeos.
"Aqueles são os Ibejis travessos de Egbé", diziam,
quando ela passava orgulhosa com as crianças.
Egbé tinha um problema com os filhos.
As crianças eram levadas, como todas as crianças,
e gostavam de brincar com fogo.
Os gêmeos traquinas traziam fogo para casa
e o fogo incendiava o lar de Egbé.
Sua casa estava, assim, sempre em reparo,
sempre refeita das cinzas,
nunca completada inteiramente,
pois com nova brincadeira, novo incêndio.
Egbé vivia em sobressalto,

experimentando as mais inquietantes emoções,
sempre com o coração batendo forte e apressado.

Egbé consultou o babalaô
e ele disse a ela que tivesse outro filho.
O terceiro filho veio
e apaziguou os irmãos gêmeos.
O irmão dos Ibejis foi chamado Idoú.
Seu temperamento tinha a combinação
do espírito de seus dois irmãos mais velhos.
Os meninos gêmeos não brincaram mais com fogo,
mas ensinaram ao irmão mais novo todas as artes
capazes de provocar emoções profundas,
que fazem o coração das mães bater forte e apressado.
[217]

Os Ibejis encontram água e salvam a cidade

Certa vez chegou a seca
e com a seca chegou a sede.
Não havia água, todos estavam desesperados
e a morte já rondava o povoado.
Todos estavam à procura de água
e todos fracassavam, homens e mulheres.
Os irmãos Ibejis brincavam no quintal, como sempre.
Faziam buracos no chão.
Mas não era exatamente a brincadeira o que os entretinha.
Eles escavavam a terra à procura de água.
No final dessa busca angustiada,
as crianças gêmeas alcançaram uma fonte subterrânea
e com sua água cristalina abasteceram potes, vasos e quartinhas.

Ofereceram então a todo o povoado o líquido precioso,
matando a sede de seu povo e afastando a morte.
[218]

Os Ibejis enganam a Morte

Os Ibejis, os orixás gêmeos, viviam para se divertir.
Não é por acaso que eram filhos de Oxum e Xangô.
Viviam tocando uns pequenos tambores mágicos,
que ganharam de presente de sua mãe adotiva, Iemanjá.
Nessa mesma época, a Morte colocou armadilhas
em todos os caminhos e começou a comer todos os humanos
que caíam nas suas arapucas.
Homens, mulheres, velhos ou crianças,
ninguém escapava da voracidade de Icu, a Morte.
Icu pegava todos antes de seu tempo de morrer haver chegado.
O terror se alastrou entre os humanos.
Sacerdotes, bruxos, adivinhos, curandeiros,
todos se juntaram para pôr um fim à obsessão de Icu.
Mas todos foram vencidos.
Os humanos continuavam morrendo antes do tempo.

Os Ibejis, então, armaram um plano para deter Icu.
Um deles foi pela trilha perigosa

onde Icu armara sua mortal armadilha.
O outro seguia o irmão escondido,
acompanhando-o à distância por dentro do mato.
O Ibeji que ia pela trilha ia tocando seu pequeno tambor.
Tocava com tanto gosto e maestria
que a Morte ficou maravilhada,
não quis que ele morresse
e o avisou da armadilha.
Icu se pôs a dançar inebriadamente,
enfeitiçada pelo som do tambor do menino.
Quando o irmão se cansou de tanto tocar,
o outro, que estava escondido no mato,
trocou de lugar com o irmão,
sem que Icu nada percebesse.
E assim um irmão substituía o outro
e a música jamais cessava.
E Icu dançava sem fazer sequer uma pausa.
Icu, ainda que estivesse muito cansada,
não conseguia parar de dançar.
E o tambor continuava soando seu ritmo irresistível.
Icu já estava esgotada
e pediu ao menino que parasse a música por instantes,
para que ela pudesse descansar.
Icu implorava, queria descansar um pouco.
Icu já não aguentava mais dançar seu tétrico bailado.
Os Ibejis então lhe propuseram um pacto.
A música pararia,
mas a Morte teria que jurar que retiraria todas as armadilhas.
Icu não tinha escolha, rendeu-se.
Os gêmeos venceram.
Foi assim que os Ibejis salvaram os homens
e ganharam fama de muito poderosos,

porque nenhum outro orixá conseguiu ganhar
aquela peleja com a Morte.
Os Ibejis são poderosos,
mas o que eles gostam mesmo é de brincar.
[219]

Iemanjá

Iemanjá

Iemanjá ajuda Olodumare na criação do mundo

Olodumare-Olofim vivia só no Infinito,
cercado apenas de fogo, chamas e vapores,
onde quase nem podia caminhar.
Cansado desse seu universo tenebroso,
cansado de não ter com quem falar,
cansado de não ter com quem brigar,
decidiu pôr fim àquela situação.
Libertou as suas forças e a violência
delas fez jorrar uma tormenta de águas.
As águas debateram-se com rochas que nasciam
e abriram no chão profundas e grandes cavidades.
A água encheu as fendas ocas,
fazendo-se os mares e oceanos,
em cujas profundezas Olocum foi habitar.
Do que sobrou da inundação se fez a terra.
Na superfície do mar, junto à terra,
ali tomou seu reino Iemanjá,
com suas algas e estrelas-do-mar,
peixes, corais, conchas, madrepérolas.
Ali nasceu Iemanjá em prata e azul,
coroada pelo arco-íris Oxumarê.
Olodumare e Iemanjá, a mãe dos orixás,
dominaram o fogo no fundo da Terra
e o entregaram ao poder de Aganju, o mestre dos vulcões,
por onde ainda respira o fogo aprisionado.

O fogo que se consumia na superfície do mundo eles apagaram
e com suas cinzas Orixá Ocô fertilizou os campos,
propiciando o nascimento das ervas, frutos,
árvores, bosques, florestas,
que foram dados aos cuidados de Ossaim.
Nos lugares onde as cinzas foram escassas,
nasceram os pântanos e nos pântanos, a peste,
que foi doada pela mãe dos orixás ao filho Omulu.
Iemanjá encantou-se com a Terra
e a enfeitou com rios, cascatas e lagoas.
Assim surgiu Oxum, dona das águas doces.
Quando tudo estava feito
e cada natureza se encontrava na posse de um dos filhos de Iemanjá,
Obatalá, respondendo diretamente às ordens de Olorum,
criou o ser humano.
E o ser humano povoou a Terra.
E os orixás pelos humanos foram celebrados.
[220]

Iemanjá é violentada pelo filho e dá à luz os orixás

Da união entre Obatalá, o Céu,
e Odudua, a Terra,
nasceram Aganju, a Terra Firme,
e Iemanjá, as Águas.
Desposando seu irmão Aganju,
Iemanjá deu à luz Orungã.
Orungã nutriu pela mãe incestuoso amor.
Um dia, aproveitando-se da ausência do pai,
Orungã raptou e violou Iemanjá.
Aflita e entregue a total desespero,
Iemanjá desprendeu-se dos braços do filho incestuoso
e fugiu.

Perseguiu-a Orungã.
Quando ele estava prestes a apanhá-la,
Iemanjá caiu desfalecida
e cresceu-lhe desmesuradamente o corpo,
como se suas formas se transformassem em vales, montes, serras.
De seus seios enormes como duas montanhas nasceram dois rios,
que adiante se reuniram numa só lagoa, originando adiante o mar.
O ventre descomunal de Iemanjá se rompeu
e dele nasceram os orixás:
Dadá, deusa dos vegetais,
Xangô, deus do trovão,
Ogum, deus do ferro e da guerra,
Olocum, divindade do mar,
Olossá, deusa dos lagos,
Oiá, deusa do rio Níger,
Oxum, deusa do rio Oxum,
Obá, deusa do rio Obá,

Ocô, orixá da agricultura,
Oxóssi, orixá dos caçadores,
Oquê, deus das montanhas,
Ajê Xalugá, orixá da saúde,
Xapanã, deus da varíola,
Orum, o Sol,
Oxu, a Lua.
E outros e mais outros orixás nasceram
do ventre violado de Iemanjá.
E por fim nasceu Exu, o mensageiro.
Cada filho de Iemanjá tem sua história,
cada um tem seus poderes.
[221]

Iemanjá foge de Oquerê e corre para o mar

Iemanjá foi mãe de dez filhos,
fruto de seu casamento com Olofim-Odudua.
Cansada da vida em Ifé, Iemanjá partiu para o Oeste.
Iemanjá assim chegou a Abeocutá.
Lá conheceu Oquerê, rei de Xaci.
Conheceu Oque-rê, Oquê.
Oquê, encantado com sua beleza, propôs-lhe casamento.
Ela concordou, desde que ele nunca fizesse alusão a seus seios,
seios que eram grandes, fartos, volumosos.
Porque Iemanjá havia amamentado muitos filhos.
Em troca, Iemanjá nunca falaria dos defeitos de Oquerê.
Não falaria de seus testículos exuberantes,
de sua mania de beber demais,
nem entraria em seus aposentos pessoais.
Esses eram os tabus de Iemanjá e Oquerê.

Um dia, Oquerê voltou para casa embriagado,
tropeçou em Iemanjá, vomitou no chão da sala.
Iemanjá o reprimiu, chamando-o de bêbado.
Chamou-o de imprestável.
Oquerê perdeu o domínio das palavras.
Ficou enfurecido.
Oquerê ofendeu Iemanjá,
fazendo comentários grosseiros sobre os imensos seios dela.
Iemanjá lembrou-o dos defeitos dele,
como ele bebia, como tinha exagerada a genitália.
Entrou no quarto dele e apontou a confusão que lá reinava.
Não havia mais reconciliação possível.
Todos os tabus estavam quebrados.
Oquerê quis surrar Iemanjá
e ela fugiu.

Iemanjá saiu em fuga para a casa de sua mãe Olocum.
Iemanjá tinha um presente que ganhara dela,
uma garrafa com uma poção mágica, que levou consigo.
Na fuga, Iemanjá derrubou a garrafa e dela nasceu um rio,
que levaria Iemanjá ao mar, a casa de sua mãe.

Assim Iemanjá iniciou seu curso em direção ao mar.
Mas Oquerê, que a perseguia, tentou impedi-la de abandoná-lo.
Transformou-se ele próprio numa altíssima montanha,
que impedia o curso de Iemanjá em direção ao mar.
Oquerê transformou-se em Oquê, a montanha,
para impedir que Iemanjá, o rio, corresse para o mar.
Iemanjá chamou em seu auxílio Xangô, seu filho poderoso.
Xangô pediu oferendas e no dia seguinte provocou a chuva.
E quando a tempestade era forte, Xangô lançou um raio,
que num estrondo dividiu o monte Oquê em dois,
formando um vale profundo para a passagem de sua mãe, o rio.
Livre, Iemanjá seguiu para a casa da mãe dela, o mar.
Assim Iemanjá Ataramabá foi aconchegar-se no colo de Olocum.
[222]

Iemanjá dá à luz as estrelas, as nuvens e os orixás

Iemanjá vivia sozinha no Orum.
Ali ela vivia, ali dormia, ali se alimentava.
Um dia Olodumare decidiu que Iemanjá
precisava ter uma família,
ter com quem comer, conversar, brincar, viver.
Então o estômago de Iemanjá cresceu e cresceu
e dele nasceram todas as estrelas.
Mas as estrelas foram se fixar na distante abóbada celeste.
Iemanjá continuava solitária.
Então de sua barriga crescida nasceram as nuvens.
Mas as nuvens perambulavam pelo céu
até se precipitarem em chuva sobre a terra.
Iemanjá continuava solitária.
De seu estômago nasceram então os orixás,

nasceram Xangô, Oiá, Ogum, Ossaim, Obaluaê e os Ibejis.
Eles fizeram companhia a Iemanjá.
[223]

Iemanjá vinga seu filho e destrói a primeira humanidade

Iemanjá era uma rainha poderosa e sábia.
Tinha sete filhos
e o primogênito era o seu predileto.
Era um negro bonito e com o dom da palavra.
As mulheres caíam a seus pés.
Os homens e os deuses o invejavam.
Tanto fizeram e tanta calúnia levantaram contra o filho de Iemanjá
que provocaram a desconfiança de seu próprio pai.
Acusaram-no de haver planejado a morte do pai, o rei,
e pediram ao rei que o condenasse à morte.

Iemanjá Sabá explodiu em ira.
Tentou de todas as formas aliviar seu filho da sentença,
mas os homens não ouviram suas súplicas.
E essa primeira humanidade conheceu o preço de sua vingança.
Iemanjá disse que os homens
só habitariam a Terra enquanto ela quisesse.
Como eles a fizeram perder o filho amado,
suas águas salgadas invadiriam a terra.
E da água doce a humanidade não mais provaria.
Assim fez Iemanjá.
E a primeira humanidade foi destruída.
[224]

Iemanjá joga búzios na ausência de Orunmilá

Iemanjá e Orunmilá eram casados.
Orunmilá era um grande adivinho.
Com seus dotes sabia interpretar os segredos dos búzios.
Certa vez Orunmilá viajou e demorou para voltar
e Iemanjá viu-se sem dinheiro em casa.
Então, usando o oráculo do marido ausente,
passou a atender uma grande clientela
e fez muito dinheiro.

No caminho de volta para casa,
Orunmilá ficou sabendo que havia em sua aldeia
uma mulher de grande sabedoria e poder de cura,
que com a perfeição de um babalaô jogava búzios.
Ficou desconfiado.
Quando voltou, não se apresentou a Iemanjá,
preferindo vigiar, escondido, o movimento em sua casa.
Não demorou a constatar que era mesmo a sua mulher
a autora daqueles feitos.
Orunmilá repreendeu duramente Iemanjá.
Iemanjá disse que fez aquilo para não morrer de fome.
Mas o marido contrariado a levou perante Olofim-Olodumare.
Olofim reiterou que Orunmilá era e continuaria sendo
o único dono do jogo oracular que permite a leitura do destino.
Ele era o legítimo conhecedor pleno das histórias
que formam a ciência dos dezesseis *odus*.
Só o sábio Orunmilá pode ler a complexidade e as minúcias do destino.
Mas reconheceu que Iemanjá tinha um pendor para aquela arte,
pois em pouco tempo angariara grande freguesia.
Deu a ela então autoridade para interpretar as situações mais simples,
que não envolvessem o saber completo dos dezesseis *odus*.

Assim as mulheres ganharam uma atribuição
antes totalmente masculina.
[225]

Iemanjá é nomeada protetora das cabeças

Dia houve em que todos os deuses
deveriam atender ao chamado de Olodumare para uma reunião.
Iemanjá estava em casa matando um carneiro,
quando Legba chegou para avisá-la do encontro.
Apressada e com medo de atrasar-se
e sem ter nada para levar de presente a Olodumare,
Iemanjá carregou consigo a cabeça do carneiro
como oferenda para o grande pai.
Ao ver que somente Iemanjá trazia-lhe um presente,
Olodumare declarou:
"Awoyó orí dorí re".
"Cabeça trazes, cabeça serás."
Desde então Iemanjá é a senhora de todas as cabeças.
[226]

Iemanjá trai seu marido Ogum com Aiê

Iemanjá era casada com Ogum,
a quem sempre acompanhava em tudo, até na guerra.
Mas Ogum era um negro forte, bruto, irascível.
De tanto sofrer maus-tratos,
Iemanjá Ogunté não tardou em trair o marido.
Um dia Iemanjá saiu de casa
para ir ao encontro de Aiê, o senhor da Terra.

Mantinha com ele um caso de amor secreto.
Ogum era o senhor dos cachorros
e um dos cães de Ogum seguiu as pegadas de Iemanjá.
Fiel ao dono, o cachorro foi ao encontro de Ogum
e o arrastou até onde se encontravam os amantes.
Ogum descobriu a traição da mulher
e atiçou sobre ela seu cachorro.
O cão lançou-se sobre Iemanjá e a mordeu com violência.
Castigada, Ogunté conseguiu fugir,
mas desde então tem horror a cães.
[227]

Iemanjá finge-se de morta para enganar Ogum

O mundo foi criado
e os orixás chegaram à Terra.
Ogum veio na dianteira, abrindo os caminhos.
Obatalá criou os homens
e Icu foi encarregada de os levar daqui
para o outro mundo,
na data atribuída a cada um por Olorum.
Naquele tempo, os mortos não eram enterrados
e seus corpos eram colocados aos pés de Iroco, a grande árvore.
Um dia Iemanjá decidiu livrar-se de Ogum
para seguir com seu amante.
Iemanjá fingiu-se de morta e o fez com perfeição.
Ogum, crendo no que via, preparou o corpo
e o levou aos pés de Iroco.
Mal Ogum seguiu seu caminho,
Iemanjá e seu amante começaram a festejar.

Iemanjá retornou ao mercado
onde sempre vendia seus quitutes.
Naquele dia, a filha que ela teve com Ogum
foi ao mercado e viu a mãe bem viva.
Voltou para casa e contou ao pai sobre o que vira.
Ogum não quis acreditar na filha,
mas mesmo assim no dia seguinte foi ao mercado
e lá encontrou sua mulher Iemanjá.
Irado, Ogum amarrou-a e a levou à presença de Olofim-Olodumare,
a quem Ogum narrou o mórbido sucedido.
O Senhor Supremo decidiu cortar o mal pela raiz
e determinou que, a partir daquele dia,
todos os mortos deveriam ser sepultados em covas fundas
e seus corpos cobertos com terra.
Assim não mais se repetiria a farsa de Iemanjá.
[228]

Iemanjá afoga seus amantes no mar

Iemanjá é dona de rara beleza
e, como tal, mulher caprichosa e de apetites extravagantes.
Certa vez saiu de sua morada nas profundezas do mar
e veio à terra em busca do prazer da carne.
Encontrou um pescador jovem e bonito
e o levou para seu líquido leito de amor.
Seus corpos conheceram todas as delícias do encontro,
mas o pescador era apenas um humano
e morreu afogado nos braços da amante.
Quando amanheceu, Iemanjá devolveu o corpo à praia.
E assim acontece sempre, toda noite,
quando Iemanjá Conlá se encanta com os pescadores

que saem em seus barcos e jangadas para trabalhar.
Ela leva o escolhido para o fundo do mar e se deixa possuir
e depois o traz de novo, sem vida, para a areia.
As noivas e as esposas correm cedo para a praia
esperando pela volta de seus homens que foram para o mar,
implorando a Iemanjá que os deixe voltar vivos.
Elas levam para o mar muitos presentes,
flores, espelhos e perfumes,
para que Iemanjá mande sempre muitos peixes
e deixe viver os pescadores.
[229]

Iemanjá salva o Sol de extinguir-se

Orum, o Sol, andava exausto.
Desde a criação do mundo ele não tinha dormido nunca.
Brilhava sobre a Terra dia e noite.
Orum já estava a ponto de exaurir-se, de apagar-se.
Com seu brilho eterno, Orum maltratava a Terra.
Ele queimava a Terra dia após dia.
Já quase tudo estava calcinado
e os humanos já morriam todos.

Os orixás estavam preocupados
e reuniram-se para encontrar uma saída.
Foi Iemanjá quem trouxe a solução.
Ela guardara sob as saias alguns raios de Sol.
Ela projetou sobre a Terra os raios que guardara
e mandou que o Sol fosse descansar,
para depois brilhar de novo.
Os fracos raios de luz formaram um outro astro.

O Sol descansaria para recuperar suas forças
e enquanto isso reinaria Oxu, a Lua.
Sua luz fria refrescaria a Terra
e os seres humanos não pereceriam no calor.
Assim, graças a Iemanjá, o Sol pode dormir.
À noite, as estrelas velam por seu sono,
até que a madrugada traga outro dia.
[230]

Iemanjá irrita-se com a sujeira que os homens lançam ao mar

Logo no princípio do mundo,
Iemanjá já teve motivos para desgostar da humanidade.
Pois desde cedo os homens e as mulheres jogavam no mar
tudo o que a eles não servia.
Os seres humanos sujavam suas águas com lixo,
com tudo o que não mais prestava, velho ou estragado.
Até mesmo cuspiam em Iemanjá,
quando não faziam coisa muito pior.

Iemanjá foi queixar-se a Olodumare.
Assim não dava para continuar;
Iemanjá Sessu vivia suja,
sua casa estava sempre cheia de porcarias.
Olodumare ouviu seus reclamos
e deu-lhe o dom de devolver à praia
tudo o que os humanos jogassem de ruim em suas águas.
Desde então as ondas surgiram no mar.
As ondas trazem para a terra o que não é do mar.
[231]

Iemanjá atemoriza seu filho Xangô

Xangô, o filho de Iemanjá, era briguento
e andava pelo mundo destruindo
tudo o que aparecesse diante dele.
Preocupada, Iemanjá foi vê-lo
e o repreendeu por seu comportamento.
Iemanjá Sessu era uma grande mãe,
sempre preocupada com a família,
e queria endireitar o caráter de Xangô.
Xangô não gostou da reprimenda.
Em resposta aos clamores de Iemanjá,
botou fogo pela boca, nariz e ouvidos.

O corpo de Iemanjá começou a crescer diante do filho,
as espumas de suas saias se avolumaram assustadoramente,
e levantou ondas, vagalhões e marés apavorantes
que derrubaram Xangô e quase o afogaram.
As ondas rugiam
e ameaçavam toda a Terra.
Xangô se apavorou com a fúria da mãe.
Xangô saiu gritando:

"Onón komí Iyámi!".
"Me dás medo, mãe!"
Xangô agora teme e respeita Iemanjá profundamente,
anda na linha e faz tudo o que ela manda.
Mas se alguém falar mal de Xangô a Iemanjá,
Sessu logo se irrita e defende o filho,
que só ela pode, evidentemente, castigar.
[232]

Iemanjá oferece o sacrifício errado a Oxum

Iemanjá se enamorou de Ogum,
mas Ogum a ignorava totalmente.
Iemanjá não se conformou com tal desprezo
e procurou o socorro de Oxum,
que lhe pediu que ofertasse uma cabrita.
Iemanjá preparou o sacrifício,
mas, não tendo a cabra, ofereceu a Oxum uma ovelha.

Oxum veio com um prato de mel,
dançando suas danças de amor,
e logo pôs Ogum no leito de Iemanjá.
Ogum e Iemanjá tiveram seus amores,
mas Ogum logo a abandonou,
sem firmar nenhum compromisso.
Iemanjá foi procurar Oxum de novo,
mas desta vez Oxum lhe recusou ajuda.
Oxum não gostara nada
nem do sabor nem do aroma da ovelha.
[233]

Iemanjá mostra aos homens o seu poder sobre as águas

Em certa ocasião, os homens estavam preparando
grandes festas em homenagem aos orixás.
Por um descuido inexplicável, se esqueceram de Iemanjá,
esqueceram de Maleleo, que ela também se chama assim.
Iemanjá, furiosa, conjurou o mar
e o mar começou a engolir a terra.
Dava medo ver Iemanjá, lívida,
cavalgar a mais alta das ondas
com seu *abebé* de prata na mão direita
e o *ofá* da guerreira preso às costas.
Os homens, assustados, não sabiam o que fazer
e imploraram ajuda a Obatalá.
Quando a estrondosa imensidão de Iemanjá
já se precipitava sobre o que restava do mundo,
Obatalá se interpôs, levantou seu *opaxorô*
e ordenou a Iemanjá que se detivesse.
Obatalá criou os homens e não consentiria na sua destruição.
Por respeito ao Criador, a dona do mar acalmou suas águas
e deu por finda sua colérica revanche.
Já estava satisfeita com o castigo imposto
aos imprudentes mortais.
[234]

Iemanjá seduz seu filho Xangô

Xangô costumava deitar-se em sua esteira
para deixar passar as horas
e descansar o corpo e o espírito.
Sua mãe Iemanjá por vezes fazia o mesmo em sua companhia

e ambos passavam horas e horas adormecidos lado a lado.
Certo dia Iemanjá sentiu correr por seu corpo um calor estranho.
Sentia desejos pelo corpo do filho.
Uma sede sexual intensa tomou conta de Iemanjá.
Deitada, como estava,
foi se aproximando do filho sem nenhum pudor.
Ao sentir um corpo frenético encostado ao seu,
Xangô despertou de seu sono pesado
e espantou-se com o assédio da mãe,
a confissão do desejo de tê-lo como homem.
Desesperado, Xangô fugiu.
Subiu na copa de uma palmeira.
Seu coração palpitava, a indignação era grande.
Iemanjá correu atrás do filho
e, ao pé da palmeira, declamou palavras de desejo.
As propostas de Iemanjá foram recusadas por Xangô,
mas Iemanjá não aceitou ser rejeitada.
Num ato histérico, Iemanjá jogou-se ao chão
e, com as mãos crispadas raspando o chão com as unhas,
emitiu um gemido extasiante.
Xangô a escutou
e tentou esquecer-se da figura confusa da mãe.
Mas ele fora seduzido de algum modo.
Desceu da palmeira e abraçou-se a ela.
Então Iemanjá e Xangô amaram-se como homem e mulher.
[235]

Iemanjá tem seu poder sobre o mar confirmado por Obatalá

Um dia, no princípio dos tempos,
orixás e homens revoltaram-se contra Iemanjá,

pois Iemanjá, sempre que queria,
saía das profundezas e invadia a terra com suas águas.
Orixás e homens, unidos, procuraram Olorum,
que enviou Obatalá à Terra para averiguar a acusação.
Eleguá, que a tudo escutou, avisou Iemanjá
e aconselhou-a a consultar Ifá.
Feito isso, Iemanjá ofereceu um carneiro em sacrifício
contra o poder de seus inimigos.
Enquanto Obatalá, em Ifé, escutava os protestos,
protestos dos homens e dos orixás,
Iemanjá invadiu de novo a terra
e as águas inundaram tudo
e chegaram até onde estava o grande rei.
Cavalgando as ondas do mar vinha Iemanjá.
Vitoriosa e soberba sobre as ondas enfurecidas,
ela mostrava sua oferenda.
Iemanjá mostrava a cabeça do carneiro.
Lá estava Obatalá e lá estava Iemanjá
e Iemanjá tinha alguma coisa preciosa para Obatalá.
Iemanjá fizera o sacrifício
e Obatalá aceitou a oferenda.
Obatalá confirmou o poder de Iemanjá.
Nunca se passa muito tempo
sem que o mar invada a terra,
Iemanjá cavalgando a temida maré.
[236]

Iemanjá cura Oxalá e ganha o poder sobre as cabeças

Quando Olodumare fez o mundo,
deu a cada orixá um reino, um posto, um trabalho.

A Exu deu o poder da comunicação e a posse das encruzilhadas.
A Ogum deu o poder da forja, o comando da guerra
e o domínio dos caminhos.
A Oxóssi ele entregou o patronato da caça e da fartura.
A Obaluaê deu o controle das epidemias.
Olodumare deu a Oxumarê o arco-íris
e o poder de comandar a chuva,
que permite as boas colheitas e afasta a fome.
Xangô recebeu o poder do trovão e o império da lei.
Oiá-Iansã ficou com o raio e o reino dos mortos,
enquanto Euá foi governar os cemitérios.
Olodumare deu a Oxum o zelo pela feminilidade,
riqueza material e fertilidade das mulheres.
Deu a Oxum o amor.
Obá ganhou o patronato da família
e Nanã, a sabedoria dos mais velhos,
que ao mesmo tempo é o princípio de tudo,
a lama primordial com que Obatalá modela os homens.
A Oxalá deu Olodumare o privilégio de criar o homem,
depois que Odudua fez o mundo.
E a criação se completou com a obra de Oxaguiã,
que inventou a arte de fazer os utensílios,
a cultura material.

Para Iemanjá, Olodumare destinou os cuidados de Oxalá.
Para a casa de Oxalá foi Iemanjá cuidar de tudo:
da casa, dos filhos, da comida, do marido, enfim.
Iemanjá nada mais fazia que trabalhar e reclamar.
Se todos tinham algum poder no mundo,
um posto pelo qual recebiam sacrifício e homenagens,
por que ela deveria ficar ali em casa feito escrava?
Iemanjá não se conformou.
Ela falou, falou e falou nos ouvidos de Oxalá.
Falou tanto que Oxalá enlouqueceu.
Seu *ori*, sua cabeça, não aguentou o falatório de Iemanjá.
Iemanjá deu-se então conta do mal que provocara
e tratou de Oxalá até restabelecê-lo.
Cuidou de seu *ori* enlouquecido,
oferecendo-lhe água fresca,
obis deliciosos, apetitosos pombos brancos, frutas dulcíssimas.
E Oxalá ficou curado.
Então, com o consentimento de Olodumare,
Oxalá encarregou Iemanjá de cuidar do *ori* de todos os mortais.
Iemanjá ganhara enfim a missão tão desejada.
Agora ela era a senhora das cabeças.
[237]

Olocum

Olocum

Olocum acolhe todos os rios e torna-se a rainha das águas

Olocum, a senhora do mar,
e Olossá, a senhora da lagoa,
andavam ambas muito preocupadas.
As águas já não eram suficientes para suprir
as necessidades do povo, que já padecia
da sede provocada pela longa seca.
Olocum e Olossá foram aos pés de Orunmilá,
que as aconselhou a fazer oferendas
para que a abundância das águas retornasse.
Era um sacrifício grande para ambas,
mas Olocum cumpriu o recomendado.
Olossá, porém, ofereceu seus sacrifícios incompletos.

E veio a chuva e choveu tanto
que as águas já não cabiam
no curso dos rios.
Oxum, o rio, foi consultar Ifá
para saber que destino dar ao curso de suas águas.

Oxum foi orientada por Ifá
para procurar um lugar onde fosse bem recebida.
Assim, Oxum reuniu as águas do rio
e seguiu caminho.
Encontrou a lagoa, encontrou *ossá*,
e nela se precipitou,
mas as águas da lagoa transbordaram.
Deixou a lagoa e chegou ao mar, o *ocum*,
e ali derramou todas as suas águas
e o mar recebeu o rio Oxum sem transbordar.

Então todos os rios fizeram a mesma rota
e encaminharam suas águas para o mar, o *ocum*.
E Olossá teve que se conformar com o segundo posto.
Olocum fez corretamente o sacrifício.
Olocum é a rainha de todas as águas.
[238]

Olocum mostra sua força destruidora

O mundo foi criado por Olorum e sua mulher Olocum.
Eles tinham a mesma idade.
Da união de Olocum com Aiê, a Terra, nasceu Iemanjá.
Da união de Iemanjá e Aganju nasceram os outros deuses.
Mas Olorum separou-se de Olocum
e por longo tempo ambos brigaram
pelo poder de reinar na Terra.
Certa vez Olocum quis demonstrar seu poder.
Olocum invadiu a terra com suas águas
e destruiu parte da humanidade com essa catástrofe.
Só não foi pior porque Olorum, de onde estava,

estendeu uma corrente que descia à terra
e os homens subiram às montanhas,
salvando-se assim a espécie humana.
Os sobreviventes consultaram Ifá
e fizeram oferendas para apaziguar Olocum.
Com a corrente usada para salvar os homens,
Olorum atou Olocum ao fundo do mar.
Lá está ela até hoje,
acompanhada de uma gigantesca serpente marinha,
que, na lua nova, segundo contam,
mostra sua cabeça fora d'água.

Olocum propôs um pacto a Olorum:
Olocum não teria mais poder na terra,
mas a cada dia faria os homens sentirem sua força,
que brota das profundezas do oceano.
O ser humano tinha que saber, tinha que sentir
que seu poder era de vida e morte.
Era o que queria Olocum e Olorum concordou.
Assim, a cada dia, quando alguém se afoga no mar,
Olocum recebe uma vida humana em sacrifício.
Todos temem o poder de Olocum.
Todos os dias, alguém se afoga no mar.
[239]

Olocum isola-se no fundo do oceano

Olocum vivia na água e vivia na terra.
A natureza de Olocum era anfíbia.
Olocum tinha vergonha de sua natureza,
pois ela não era nem uma coisa nem outra.
Ela se sentia muito atraída por Orixá Ocô,
mas não queria ter relações com ele,
pois temia ser objeto de ridículo.
Olocum, então, pediu conselho a Olofim,
que lhe assegurou que Orixá Ocô
era um homem sério e reservado.
Olocum criou coragem e foi viver com o orixá lavrador,
mas este descobriu a particularidade
que existia na natureza de Olocum e contou para todos.
Todos ficaram sabendo da ambígua natureza de Olocum.
A vergonha fez com que Olocum se escondesse no fundo do oceano,
onde tudo é desconhecido e aonde ninguém nunca pôde chegar.
Olocum nunca mais deixou o mar
e agora só esse é o seu domínio.
Outros dizem que Olocum se transformou numa sereia,
ou numa serpente marinha que habita os oceanos.
Mas isso ninguém jamais pôde provar.
[240]

Olocum perde uma disputa para Oxalá

Olocum reinava em seu palácio no fundo do oceano,
mas queria também ter o poder sobre a terra firme,
que era governada por Orixá Nlá.
Um dia desafiou a majestade de Oxalá.

Mandou dizer-lhe que aparecesse em seu palácio
usando sua mais fina indumentária.
Por mais rico que fosse seu traje,
seria igualado em beleza e luxo pela roupa de Olocum.
O povo julgaria a disputa e aclamaria o vencedor.
Oxalá mandou seu mensageiro camaleão dizer a Olocum
que aceitava a aposta e que o camaleão
o representaria na disputa.

Quando o camaleão adentrou o palácio marinho,
Olocum perdeu a voz ao ver que ele vestia
roupas tão ricas e belas quanto a sua.
Imediatamente retirou-se e vestiu roupas ainda mais ricas.
Mas surpreendeu-se novamente.
O mensageiro também mudara suas vestes
por outras tão caras e igualmente vistosas.
Sete vezes Olocum trocou de roupa.
Sete vezes o camaleão igualou o orixá do mar em luxo.
Bem, se o mensageiro de Oxalá era tão rico e luxuoso,
muito mais haveria de ser o próprio Orixanlá.
Orixá Nlá, o Grande Orixá, devia ser mesmo grande.
Foi esta a conclusão de Olocum,

que desistiu do torneio e retirou-se para o fundo do mar,
deixando que o mundo sobre a terra
continuasse a ser domínio de Oxalá.
[241]

Onilé

Onilé

Onilé ganha o governo da Terra

Onilé era a filha mais recatada e discreta de Olodumare.
Vivia trancada em casa do pai e quase ninguém a via.
Quase nem se sabia de sua existência.
Quando os orixás seus irmãos se reuniam no palácio do grande pai
para as grandes audiências
em que Olodumare comunicava suas decisões,
Onilé fazia um buraco no chão e se escondia,
pois sabia que as reuniões sempre terminavam em festa,
com muita música e dança ao ritmo dos atabaques.
Onilé não se sentia bem no meio dos outros.

Um dia o grande deus mandou os seus arautos avisarem:
haveria uma grande reunião no palácio
e os orixás deviam comparecer ricamente vestidos,
pois ele iria distribuir entre os filhos as riquezas do mundo
e depois haveria muita comida, música e dança.
Por todos os lugares os mensageiros gritaram essa ordem
e todos se prepararam com esmero para o grande acontecimento.

Quando chegou por fim o grande dia,
cada orixá dirigiu-se ao palácio na maior ostentação,
cada um mais belamente vestido que o outro,
pois este era o desejo de Olodumare.
Iemanjá chegou vestida com a espuma do mar,
os braços ornados de pulseiras de algas marinhas,
a cabeça cingida por um diadema de corais e pérolas,
o pescoço emoldurado por uma cascata de madrepérola.
Oxóssi escolheu uma túnica de ramos macios,
enfeitada de peles e plumas dos mais exóticos animais.
Ossaim vestiu-se com um manto de folhas perfumadas.
Ogum preferiu uma couraça de aço brilhante,
enfeitada com tenras folhas de palmeira.
Oxum escolheu cobrir-se de ouro,
trazendo nos cabelos as águas verdes dos rios.
As roupas de Oxumarê mostravam todas as cores,
trazendo nas mãos os pingos frescos da chuva.
Iansã escolheu para vestir-se um sibilante vento
e adornou os cabelos com raios que colheu da tempestade.
Xangô não fez por menos e cobriu-se com o trovão.
Oxalá trazia o corpo envolto em fibras alvíssimas de algodão
e a testa ostentando uma nobre pena vermelha de papagaio.
E assim por diante.
Não houve quem não usasse toda a criatividade
para apresentar-se ao grande pai com a roupa mais bonita.
Nunca se vira antes tanta ostentação, tanta beleza, tanto luxo.
Cada orixá que chegava ao palácio de Olodumare
provocava um clamor de admiração,
que se ouvia por todas as terras existentes.
Os orixás encantaram o mundo com suas vestes.
Menos Onilé.
Onilé não se preocupou em vestir-se bem.

Onilé não se interessou por nada.
Onilé não se mostrou para ninguém.
Onilé recolheu-se a uma funda cova que cavou no chão.

Quando todos os orixás haviam chegado,
Olodumare mandou que fossem acomodados confortavelmente,
sentados em esteiras dispostas ao redor do trono.
Ele disse então à assembleia que todos eram bem-vindos.
Que todos os filhos haviam cumprido seu desejo
e que estavam tão bonitos que ele não saberia
escolher qual seria o mais vistoso e belo.
Tinha todas as riquezas do mundo para dar a eles,
mas nem sabia como começar a distribuição.
Olorum refletiu por um bom tempo e disse
que seus próprios filhos tinham feito suas escolhas.
Ao escolherem o que achavam o melhor da natureza,
para com aquela riqueza se apresentar perante o pai,
eles mesmos já tinham feito a divisão do mundo.
Então Iemanjá ficava com o mar,
Oxum com o ouro e os rios.
A Oxóssi deu as matas e todos os seus bichos,
reservando as folhas para Ossaim.
Deu a Iansã o raio e a Xangô o trovão.
Fez Oxalá dono de tudo o que é branco e puro,
de tudo o que é o princípio, deu-lhe a criação do homem.
Destinou a Oxumarê o arco-íris e a chuva.
A Ogum deu o ferro e tudo o que se faz com ele,
inclusive a guerra.
E assim por diante.
Confirmou Exu no cargo de mensageiro dos deuses,
pois nenhum outro era capaz de se movimentar como ele.
Mas como Exu se cobrira todo com búzios para a reunião,

e como búzio era dinheiro, Olodumare também dava a ele
o patronato dos mercados e o governo das trocas.

Olodumare deu assim a cada orixá um pedaço do mundo,
uma parte da natureza, um governo particular.
Dividiu de acordo com o gosto de cada um.
E disse que a partir de então cada um seria o dono
e governador daquela parte da natureza.
Assim, sempre que um humano tivesse alguma necessidade
relacionada com uma daquelas partes da natureza,
deveria pagar uma prenda ao orixá que a possuísse.
Pagaria em oferendas de comida, bebida ou outra coisa
que fosse da predileção do orixá.
Os orixás, que tudo tinham ouvido em silêncio,
começaram a comemorar, cantando e dançando de júbilo.
Era grande o alarido na corte, a festa começava.
Mas Olorum-Olodumare levantou-se e pediu silêncio,
pois a divisão do mundo ainda não estava concluída.
Disse que faltava ainda a mais importante das atribuições.
Que era preciso dar a um dos filhos o governo da Terra,
o mundo no qual os humanos viviam
e onde produziam as comidas, bebidas e tudo o mais
que deveriam ofertar aos orixás.
Disse que dava a Terra a quem se vestia da própria Terra.
Quem seria?, perguntavam-se todos.
"Onilé", respondeu Olodumare.
"Onilé?", todos se espantaram.
Como, se ela nem sequer viera à grande reunião?
Nenhum dos presentes a vira até então.
Nenhum sequer notara sua ausência.
"Pois Onilé está entre nós", disse Olodumare,
e mandou que todos olhassem no fundo da cova,

onde se abrigava, vestida de terra, a discreta e recatada filha.
Ali estava Onilé, em sua roupa de terra.
Onilé, a que também foi chamada Ilé, o país, o planeta.
Olodumare disse que cada um que habitava a Terra
pagasse tributo a Onilé,
pois ela era a mãe de todos, o abrigo, a casa.
A humanidade não sobreviveria sem Onilé.
Afinal, onde ficava cada uma das riquezas
que Olodumare partilhara com os filhos orixás?
"Tudo está na Terra", disse Olodumare.
"O mar e os rios, o ferro e o ouro,
os animais e as plantas, tudo", continuou.
"Até mesmo o ar e o vento, a chuva e o arco-íris,
tudo existe porque a Terra existe,
assim como as coisas criadas para controlar os homens
e os outros seres vivos que habitam o planeta,
como a vida, a saúde, a doença e mesmo a morte."
Pois então, que cada um pagasse tributo a Onilé,
foi a sentença final de Olodumare.

Onilé, orixá da Terra, receberia mais presentes que os outros.
Deveria ter oferendas dos vivos e dos mortos,
pois na Terra também repousam os corpos dos que já não vivem.

Onilé, também chamada Aiê, a Terra, deveria ser propiciada sempre,
para que o mundo dos humanos nunca fosse destruído.
Todos os presentes aplaudiram as palavras de Olodumare.
Todos os orixás aclamaram Onilé.
Todos os humanos propiciaram a mãe Terra.

E então Olodumare retirou-se do mundo para sempre
e deixou o governo de tudo por conta de seus filhos orixás.
[242]

Ajê Xalugá

Ajê Xalugá

Ajê Xalugá cega os homens e também perde a visão

Ajê Xalugá é a irmã mais nova de Iemanjá.
Ambas são as filhas prediletas de Olocum.
Quando a imensidão das águas foi criada,
Olocum dividiu os mares com suas filhas
e cada uma reinou numa diferente região do oceano.
Ajê Xalugá ganhou o poder sobre as marés.
Eram nove as filhas de Olocum
e por isso se diz que são nove as Iemanjá.
Dizem que Iemanjá é a mais velha Olocum
e que Ajê Xalugá é a Olocum caçula,
mas de fato ambas são irmãs apenas.
Olocum deu às suas filhas os mares
e também todo o segredo que há neles.
Mas nenhuma delas conhece os segredos todos,
que são os segredos de Olocum.
Ajê Xalugá era, porém, menina muito curiosa
e sempre ia bisbilhotar em todos os mares.
Quando Olocum saía para o mundo,
Ajê Xalugá fazia subir a maré

e ia atrás cavalgando sobre as ondas.
Ia disfarçada sobre as ondas,
na forma de espuma borbulhante
que brilhava ao sol tão intensamente.
Tão intenso e atrativo era tal brilho
que às vezes cegava as pessoas que olhavam.
Um dia Olocum disse à sua filha caçula:
"O que dás para os outros tu também terás,
serás vista pelos outros como te mostrares.
Este será o teu segredo, mas saiba
que qualquer segredo é sempre perigoso".
Na próxima vez que Ajê Xalugá saiu nas ondas,
acompanhando, disfarçada, as andanças de Olocum,
seu brilho era ainda bem maior,
porque maior era seu orgulho, agora detentora do segredo.
Muitos homens e mulheres
olhavam admirados o brilho intenso das ondas do mar
e cada um com o brilho ficou cego.
Sim, o seu poder cegava os homens e as mulheres.
Mas quando Ajê Xalugá também perdeu a visão,
ela entendeu o sentido do segredo.
Iemanjá está sempre com ela,
quando sai para passear nas ondas.
Ela é a irmã mais nova de Iemanjá.
[243]

Ajê Xalugá faz seu amado próspero e rico

Ajê Xalugá vive no fundo do oceano,
onde se senta num trono de coral,
num belo sítio no profundo chão do mar.

Toda a riqueza da terra não suplanta a riqueza do mar,
pois tudo o que há na terra é levado para o mar
e o que é próprio do mar na terra não existe.
Ali está Ajê Xalugá entre algas e cardumes
e outras maravilhas do lugar.
Às vezes sai sobre as ondas,
seguindo Olocum em seus passeios.
Quando as ondas avançam muito praia adentro,
ela aproveita e desce à terra para distrair-se.
Foi assim que certa vez ela conheceu um homem do mercado,
um comerciante que vendia azeite de dendê,
e por ele logo se apaixonou.
O comerciante também desejou Xalugá
e pediu para com ela se casar.
Não podendo viver fora da água,
ela levou seu amado para o fundo do mar
e para sua tristeza ele se afogou, morreu.

Tempos depois, noutra onda, voltou Ajê Xalugá à terra firme
e foi mais uma vez visitar o mercado do lugar.
De novo conheceu um mercador e ambos se apaixonaram.
Não podendo dar-lhe amor, para não matá-lo,
antes de retornar a seu trono submarino,

ela o cobriu de riquezas,
fazendo dele o homem mais importante do mercado.
Há sempre prosperidade quando Ajê Xalugá
vem visitar os homens que trabalham nos mercados.

O mar é o mais rico tesouro existente
e tudo isso pertence a Ajê Xalugá.
Ajê Xalugá é a dona da riqueza.
É ela quem pode dar prosperidade ao homem.
E, do seu trono de coral na areia,
Ajê Xalugá ajuda quem precisa
e quem lhe oferece presentes no mar.
[244]

Odudua

Odudua

Odudua briga com Obatalá e o Céu e a Terra se separam

No princípio de tudo,
quando não havia separação entre Céu e Terra,
Obatalá e Odudua viviam juntos dentro de uma cabaça.
Viviam extremamente apertados um contra o outro,
Odudua embaixo e Obatalá em cima.
Eles tinham sete anéis que pertenciam aos dois.
À noite eles colocavam seus anéis.
Aquele que dormia por cima sempre colocava quatro anéis
e o que ficava por baixo colocava os três restantes.
Um dia Odudua, deusa da Terra, quis dormir por cima
para poder usar nos dedos quatro anéis.
Obatalá, o deus do Céu, não aceitou.
Tal foi a luta que travaram os dois lá dentro
que a cabaça acabou por se romper em duas metades.
A parte inferior da cabaça, com Odudua, permaneceu embaixo,
enquanto a parte superior, com Obatalá, ficou em cima,
separando-se assim o Céu da Terra.
No início de tudo, Obatalá, deus do Céu,
e Odudua, deusa da Terra, viviam juntos.
A briga pelos anéis os separou
e separou o Céu da Terra.
[245]

Odudua cai na armadilha que ele mesmo prepara para Oxalá

Sempre reinou grande e irreconciliável rivalidade
entre Odudua e Obatalá.
No começo devia Obatalá criar o mundo a mando de Olodumare.
Mas Obatalá não realizou os sacrifícios que lhe foram recomendados.
Seu castigo não tardou
e no caminho da Criação ele bebeu vinho demais.
Ao matar a sede que o consumia,
acabou se embebedando e adormeceu na estrada.
Odudua, que tinha feito os sacrifícios,
roubou de Obatalá o saco da Criação
e com tudo o que havia dentro fez o mundo.
Quando Oxalá acordou da bebedeira deu-se conta do seu erro
e inconformado viu que o mundo acabara de nascer.
O Ser Supremo castigou Obatalá impondo-lhe muitos tabus,
mas deu-lhe a oportunidade de completar a Criação,
uma vez que o homem ainda não havia sido feito.
E Obatalá criou o homem.

Obatalá propagou entre os quatrocentos e um *imolés*
que ele é que havia sido escolhido por Olodumare para a Criação
e que Odudua o enganara

e se aproveitara de obstáculos intransponíveis,
que no seu caminho foram levantados,
certamente pela inveja de Odudua.
Muitos *imolés*, as antigas divindades, ficaram seus partidários,
enquanto outros preferiram tomar o partido de Odudua.
Desde esses tempos começaram as contendas entre Oxalá e Odudua
e até hoje um não quer curvar-se perante o outro em cumprimento.

Um dia, os partidários de Oxalá passaram a instigá-lo
a encontrar um modo definitivo de se livrar de Odudua.
Odudua foi em busca dos conselhos de Orunmilá,
que lhe recomendou que fizesse oferendas
para neutralizar o desejo de morte que lhe nutria Oxalá.
Odudua ofereceu uma vaca sem chifres,
uma cabra, um carneiro, um pombo, um caramujo
e vinte e um sacos de búzios-da-costa.
Orunmilá preparou uma infusão de folhas frescas
e esfregou o *abô* no corpo de Odudua,
fechando assim seu corpo para a morte,
e preparou para ele muitos amuletos protetores.
Pouco a pouco, os que queriam matá-lo em nome de Oxalá
foram sendo dizimados por tudo quanto é tipo de desgraça.
Mas a guerra entre ambos ainda perdurava
e Obatalá planejou novamente liquidar Odudua.
Instigou seus seguidores para que o matassem com feitiços.
Porém, sabedores dos poderes dos amuletos de Odudua,
os seguidores de Oxalá se acovardaram e não se atreveram.
Então Oxalá contou-lhes que Odudua,
quando se banhava no rio, retirava os amuletos.
Era essa a hora apropriada para atacá-lo!
Os *imolés* seguiram sua orientação e ficaram à espreita,

esperando o momento certo de agir contra Odudua.
Então, quando Odudua se banhava sem os talismãs,
eles circundaram Odudua para a grande agressão.
Mas Odudua estava atento e se deu conta da cilada.
Ele jogou espuma de sabão da costa nos partidários de Oxalá.
A espuma os cegava, os fazia escorregar nas pedras e os aleijava.
Com o susto alguns ficaram mudos, foram todos derrotados.
Logo que escapou dessa armadilha, Odudua resolveu vingar-se.
Quando os *imolés* estavam reunidos na casa de Oxalá,
Odudua juntou-se a eles e humildemente disse a Oxalá
que, no que dele dependesse, a guerra estava terminada,
que ele, Odudua, reconhecia a supremacia do velho orixá.
E para comemorar, festivamente o convidava à sua casa,
para um banquete de homenagens, com todos os *imolés*.
Oxalá aceitou prontamente e os pormenores foram combinados.
Odudua então mandou cavar um buraco na porta de seu palácio
e mandou disfarçá-lo cobrindo-o com belas esteiras.
Era uma armadilha perfeita para pôr fim à vida de Oxalá.

No dia, Oxalá e seu séquito saíram rumo à casa de Odudua
e por onde passavam, Oxalá era aclamado pela multidão:
"Viva o Senhor do Mundo! Viva o Grande Orixá!".
Chegando à casa de Odudua, Oxalá atravessou a vala sem cair,
como se ela milagrosamente se fechasse à sua passagem.
Oxalá chamou Odudua para que lhe fizesse honrosa companhia.
Odudua hesitou, passou sobre as esteiras e foi tragado pelo buraco.
Oxalá retornou à sua casa triunfante, nos braços dos *imolés*.
Por onde passavam, Oxalá era aclamado pela multidão:
"Viva o Senhor do Mundo! Viva o Grande Orixá!".
[246]

Odudua é encarregado de dotar os homens de cabeça

Quando Olodumare quis fazer o mundo,
desceu com Obatalá para realizar a sua obra.
No entusiasmo da Criação, Olofim fez coisas maravilhosas,
como as árvores, as nuvens, o arco-íris e os pássaros,
mas também teve fracassos e deixou coisas pela metade.
Os homens, por exemplo, foram feitos sem cabeça
e a obra pareceu a Olofim imperfeita, inconclusa.
Incomodado com o desacerto, Olofim encarregou Odudua
de fazer cabeças para os homens.
Odudua fez as cabeças,
mas as deixou com apenas um olho.
Também não gostou do resultado Olodumare
e encarregou Obatalá de colocar dois olhos onde estão agora.
Foi ele que também deu aos homens uma boca,
além de ter-lhe dado a voz e as palavras que saem dela.
Os homens, então, passaram a ser como os conhecemos
e tudo parecia bem.

Hoje, no entanto, toda a Criação de Olofim
está ameaçada de destruição pela ação dos homens,
pois alguma coisa neles não funciona bem.
Não se sabe se foi por algum erro de Olofim,
ou se foi por algum descuido de Odudua.
[247]

Odudua constrói um abrigo para seu amado caçador

Certo dia, em suas andanças pela floresta,
Odudua encontrou um caçador de rara beleza

e por ele perdidamente se apaixonou.
Ambos resolveram viver momentos de prazer e afeto.
Naquele lugar então Odudua construiu uma choupana,
um abrigo para viver com Odé,
um lugar para os deleites dos amantes.

Passada a gana da paixão,
Odudua seguiu seu caminho,
mas prometeu, em nome daquele amor,
amor que foi passageiro mas intenso, prometeu
proteger todos os humanos que fossem ter naquele lugar,
naquele lugar onde se amaram Odudua e Odé.
[248]

Oraniã

Oraniã

Oraniã nasce negro e branco e tem dois pais

Ogum venceu a guerra contra Ogotum.
Do espólio da guerra trouxe sete escravas.
Uma delas era Lacangê, mulher de rara beleza.
Ogum amou-a em segredo, escondendo-a para si.
Mas seus falsos amigos revelaram o segredo a seu pai Odudua.
O pai ordenou a Ogum que trouxesse a escrava à sua presença.
Encantado com ela, Odudua a fez sua esposa.

Nove meses depois, Lacangê teve um filho.
O menino deixou a todos espantados.
Do lado direito, tinha a pele negra, como a de Ogum;
do lado esquerdo, a mesma pele alva de Odudua.
Ogum e Odudua entreolharam-se, sem nada dizer.
Esse menino recebeu o nome de Oraniã.
Um dia foi um grande guerreiro,
fundou o reino de Oió e foi pai de Xangô.
[249]

Oraniã cria a Terra

No começo só havia água sob o céu
e nenhum ser vivente.
Olodumare, Deus Supremo, Senhor de Todas as Coisas,
criou primeiro sete príncipes e depois alguns artefatos.
Em sete sacos pôs búzios, tecidos, pérolas, pedras preciosas.
Criou um pano preto e nele embrulhou uma misteriosa substância.
Criou uma galinha e uma corrente e sete barras de ferro.
Na corrente pendurou os artefatos e os sete príncipes.
Pela corrente desceu tudo sobre as águas
e do alto do Céu deixou cair uma semente.
Da semente cresceu uma palmeira,
e a palmeira abrigou os sete príncipes.
Cada príncipe ganhou uma cidade para governar:
Oloú ganhou o reino de Egbá.
Onixabé, o reino de Savé.
Orangum foi o soberano de Ilá.
Oni, o rei de Ifé.
Ajerô recebeu Ijerô.
Alaqueto reinou em Queto.
Oraniã, o caçula, foi feito rei de Oió.

Antes de sair para suas cidades,
os irmãos repartiram entre si o que lhes havia dado Olodumare.
Os mais velhos ficaram com os búzios, o dinheiro,
com as pedras preciosas e as joias,
os tecidos preciosos e outras riquezas.
O mais jovem, que era Oraniã, ficou com a galinha,
as sete barras de ferro e o embrulho de pano preto.
Quando Oraniã abriu o pano,
deparou com uma escura e estranha substância,

que jogou na água.
A substância boiou na superfície
e a galinha, voando sobre o montículo,
pôs-se a ciscar a tal matéria.
O montículo cresceu e cresceu
e assim a Terra foi criada.
Oraniã desceu à Terra e tomou posse dela.
Mas os irmãos mais velhos viram a Terra
e pretenderam tomar posse dela.
Oraniã tomou suas sete barras de ferro como armas
e com elas defendeu a Terra da cobiça dos irmãos.
Oraniã venceu os irmãos e poupou suas vidas.
Todos foram reis.
Todos deveram subserviência a Oraniã.
Oraniã foi o grande rei de Oió
e Oió, a capital de todas as cidades.
[250]

Oraniã traz Oquê, a Montanha, do fundo do mar

No princípio, Olocum reinava só no mundo,
mas Olofim-Olodumare estava entediado.
Muitos creem que a vida e os problemas dos homens
não são mais que um jogo
com o qual as divindades se entretêm.
No princípio, tudo era o mar,
tudo era Olocum.
E Olofim andava entediado com a vastidão sem fim das águas.
Foi então que Oraniã, com a força que lhe dera Olofim,
fez surgir do fundo do mar o primeiro monte de terra.
Oquê surgiu das profundezas do oceano

MITOLOGIA DOS ORIXÁS / 434

e agora era a montanha sobre a superfície da água.
Assim foi que nasceu Oquê, a Montanha.
Nasceu Oquê, o orixá da montanha.
Sobre Oquê a vida na Terra foi possível,
porque antes estava tudo submerso
e todo o poder era do mar, de Olocum.
Logo, Olodumare reuniu os demais orixás sobre Oquê
e indicou a cada um onde seria seu domínio.
Sem Oquê nenhum dos orixás teria podido fazer nada
e é por isso que sempre se deve lembrar de Oquê
e fazer oferendas a ele.
O que aconteceria se Oquê voltasse para o fundo das águas
e deixasse Olocum dominando o mundo sozinha?
Porque então só o mar existiria.
Oquê, a Montanha, a terra firme, é obra de Oraniã
e é por isso que sempre se deve lembrar de Oraniã
e fazer oferendas a ele.
[251]

Oraniã é invocado para salvar sua cidade e mata seus súditos

Odudua governava a cidade de Ifé e Orunmilá, a cidade de Benim.
Mas Orunmilá se cansou de ser rei e voltou para o Orum.
As coisas em Benim não foram bem depois que Orunmilá partiu
e seu povo clamou a Odudua que assumisse o seu governo.
Ele aceitou e levou seu filho Oraniã consigo e governou Benim
até que um dia soube que Ifé precisava muito dele.
Então nomeou Oraniã governante de Benim e voltou a governar Ifé.
Quando Odudua estava para morrer, fez Oraniã governante de Ifé.
Oraniã, por sua vez, fez seu filho governante de Benim
e foi viver em Ifé.

Por essa época, havia muitos reinos na Terra
e os humanos combatiam-se constantemente.
Ifé era uma grande cidade e por isso era invejada.
Todos desejavam dominar Ifé.
Assim como Ifé, a fama de Oraniã também era grande.
Oraniã era um guerreiro muito destemido, competente e valoroso.
Guerreiros de toda parte vinham conhecê-lo pessoalmente.
Mas Oraniã envelheceu.
Veio um tempo em que ele sabia que a morte iria levá-lo.
Então ele reuniu as pessoas e pediu a seu filho que fosse corajoso
para que Ifé continuasse grande e livre dos inimigos.
O povo de Ifé disse a ele:
"Oraniã, és o pai de Ifé.
Rejeita a morte e permanece conosco".
Oraniã respondeu que aquilo não era possível.
"Contudo, eu nunca esquecerei a minha cidade."
Oraniã deu aos sacerdotes palavras secretas, encantamentos,
e, quando Ifé estivesse em perigo, eles deveriam chamá-lo

e ele viria socorrer seu povo.
Oraniã foi com os anciãos e o povo ao mercado central.
Lá ele fincou seu bastão na terra e disse que aquela seria sua marca.
"Eu permanecerei aqui eternamente
para lembrá-los da coragem dos heróis."
O bastão se transformou num alto monólito
que o povo chamou "Opá Oraniã", a estela de Oraniã.
Então o guerreiro herói Oraniã bateu seu pé no chão
e foi tragado pela terra,
foi para o Orum, o mundo onde vivem os orixás.

Tendo partido Oraniã, o rei de uma cidade distante concluiu
que Ifé estava indefesa e mandou seus guerreiros para destruí-la.
O povo de Ifé viu o inimigo se aproximando e foi aos anciãos
pedir-lhes que chamassem Oraniã, pois Ifé estava ameaçada.
Os anciãos foram ao mercado central e pediram a ajuda de Oraniã.
Houve um barulho estrondoso e a terra tremeu.
O chão se abriu e Oraniã veio para fora com suas armas nas mãos.
Ele conduziu os guerreiros de Ifé à vitória na batalha.
Vencido o inimigo, Oraniã bateu o pé no chão do mercado principal.
A terra se abriu. Oraniã desceu. A terra fechou-se sobre sua cabeça.
Depois disso, por muitos anos Ifé não foi molestada.
Os habitantes de outros lugares diziam:
"Ifé permanece grande e invencível
porque Oraniã não está morto de verdade".

Houve, porém, um grande festival em Ifé.
Havia vinho de palma e muitos beberam até se embriagar.
A festa estava formidável como nunca
e as pessoas desejaram que Oraniã estivesse lá com eles.
Então, quando a noite chegou, eles foram ao mercado central
e chamaram Oraniã para a festa, mas ele não apareceu.

Alguém disse:

"Ele não aparecerá a menos que as palavras mágicas sejam proferidas, as palavras que só os anciãos conhecem".

Então trouxeram os anciãos ao lugar da estela de Oraniã
e lhe pediram que o chamassem para a festa.

Os anciãos protestaram dizendo que Oraniã só deveria ser invocado
em ocasiões de grande perigo para a cidade e não para uma festa.

Mas tanto insistiram que os anciãos assentiram
e disseram as palavras:

"Vem depressa, Oraniã. Ifé corre perigo".

Naquele exato instante, a terra rugiu, o chão estremeceu e se abriu
e Oraniã emergiu de armas em punho e começou a lutar.

Mas já estava escuro e Oraniã não podia distinguir as pessoas.

Pensou que fossem inimigos
os que ocupavam a praça do mercado,
os supostos invasores que tinham vindo destruir sua cidade de Ifé.

Então Oraniã golpeou impiedosamente os imaginados oponentes.

Oraniã matou muitos e muitos homens seus,
todos eles súditos de Ifé.

Quando a madrugada chegou e trouxe a luz sobre a cidade,
Oraniã distinguiu uma enormidade de cadáveres
amontoados na praça.

Não querendo acreditar,
reconheceu as marcas de sua tribo nas faces sem vida.

Se deu conta de que tinha trucidado seu próprio povo,
na sua própria cidade.

Desolação e dor tomaram conta de Oraniã,
o que veio em socorro do povo!

"Oh dor! Oh tristeza!

Vim para livrar meu povo e o destrocei", ele disse.

"Por causa desse desastre que causei eu não lutarei novamente.

Retornarei ao lugar de onde vim e lá permanecerei para sempre.

Nunca mais virei a Ifé."
Ele bateu o pé no chão e a terra tremeu e se abriu.
Oraniã foi para baixo e a terra se fechou atrás dele.
Depois disso ele nunca mais foi visto em Ifé.
Dele sobrou na praça do mercado o Opá Oraniã.
Seu monólito ainda permanece no mesmo lugar,
lembrando o grande herói que uma vez governou Ifé.
[252]

Orunmilá — Ifá

Orunmilá — Ifá

Orunmilá institui o oráculo

Naquele tempo não havia separação
entre o Céu e a Terra.
Foi quando Orunmilá teve oito filhos.
O primeiro foi o rei de Ará, Alará.
O segundo foi Ajeró, rei de Ijeró.
O filho caçula foi Olouó, rei da cidade de Ouó.
Havia paz e fartura na Terra.
Numa importante ocasião,
quando Orunmilá celebrava um ritual,
mandou chamar todos os seus filhos.
Vieram os sete primeiros filhos de Orunmilá.
Eles lhe prestaram homenagens,
ofereceram-lhe sacrifícios,
prostraram-se a seus pés batendo palmas,
prostraram-se batendo *paó*,
disseram as palavras de respeito.
Menos Olouó.
Ele veio mas não deitou aos pés do pai,
não fez oferendas,
não o homenageou como devia.
"Por que não demonstras respeito por teu pai?",
perguntou Orunmilá.
Olouó respondeu que
seu pai tinha sandálias de precioso material,
mas que ele também as tinha;

que o pai usava roupas dos mais finos tecidos,
mas que ele também as usava;
que seu pai tinha cetro e tinha coroa
e que ele os tinha também.
Que um homem que usa uma coroa
não deve se prostrar diante de outro,
foi o que disse o filho ao pai.
Orunmilá se enfureceu,
arrancou o cetro das mãos do filho
e o atirou longe.
Orunmilá retirou-se para o Orum, o Céu,
e a desgraça se abateu sobre o Aiê, a Terra:
fome, caos, peste e confusão.
Parou de chover, plantas não cresciam
e animais não procriavam,
todos estavam em desespero.
Os homens ofereceram a Orunmilá
toda sorte de sacrifícios, todos os cantos.
Orunmilá aceitou as oferendas,
mas a paz entre o Céu e a Terra
estava definitivamente rompida.
Os filhos de Orunmilá o procuraram no Orum
e lhe pediram para retornar ao Aiê.
Orunmilá entregou então a seus filhos
dezesseis nozes de dendê e disse:
"Quando tiverem problemas
e desejarem falar comigo, consultem este Ifá".
Orunmilá nunca mais veio ao Aiê,
mas deixou o oráculo para que as pessoas
possam recorrer a ele
quando precisarem.

Os filhos de Orunmilá eram assim chamados:
Ocanrã, Ejiocô, Ogundá, Irosum,
Oxé, Obará, Odi, Ejiobê,
Osá, Ofum, Ouorim, Ejila-Xeborá,
Icá, Oturopon, Ofuncanrã e Iretê.
São estes os nomes dos *odus*.
São estes os filhos de Orunmilá.
Cada *odu* conhece um segredo diferente.
Um fala do nascimento, outro da morte,
um fala dos negócios, outro da fartura,
um fala das guerras, outro das perdas,
um fala da amizade, outro da traição,
um fala da família, outro da amizade,
um fala do destino, outro da sorte.
Cada *odu* conhece um segredo diferente.
Desde então, quando alguém tem um problema,
é o *odu* que indica o sacrifício apropriado.
Orunmilá disse:
"Quando tiverem problemas, consultem Ifá".
Orunmilá nunca mais veio ao Aiê,
mas deixou o oráculo para que as pessoas
possam recorrer a ele quando precisarem.
[253]

Ifá dá ao feiticeiro as lendas da adivinhação

Um feiticeiro passava por um grande dissabor:
uma calamidade estava dizimando seus discípulos.
Seu prestígio declinava a cada dia.
O povo e o rei estavam alarmados.
Com a anuência do rei,
o feiticeiro partiu em longa peregrinação.
Andava e andava em busca de solução.
Andou meses e meses sem nada encontrar.
Um dia, com o sol a pino,
ele encontrou na estrada um velho que se vestia de branco.
O velho convidou o feiticeiro a segui-lo.
Juntos chegaram à casa do ancião.
O velho ofereceu comida e bebida ao feiticeiro
e então lhe apresentou suas mulheres.
Eram dezesseis e cada uma disse seu nome:
"Gbê-meji", disse a primeira.
"Iecu-meji", disse a segunda.
"Gudá-meji", disse a terceira,
e assim por diante todas se apresentaram:
Sas-meji, Ca-meji, Turuquepe-meji, Uoli-meji, Di-meji,
Losso-meji, Uelé-meji, Abla-meji, Acalá-meji,
Tula-meji, Leté-meji, Sé-meji e Fu-meji.
Assim as dezesseis esposas eram chamadas
na língua do povo mina.
O velho de branco disse ao feiticeiro
que cada mulher sua tinha dezesseis filhos
e que cada filho tinha, por sua vez, dezesseis filhos.
Ele deu ao feiticeiro a história de cada um dos
dezesseis vezes dezesseis filhos.
Com o conhecimento das histórias,

o feiticeiro pôde voltar à sua terra
e solucionar todos os problemas de seu povo.
Ele foi o primeiro sacerdote de Ifá.
[254]

Orunmilá traz a festa como dádiva de Olodumare

Dizem que certa vez Orunmilá veio à Terra
acompanhando os orixás em visita a seus filhos humanos,
que já povoavam este mundo, já trabalhavam e se reproduziam.
Foi quando ele humildemente pediu a Olorum-Olodumare
que lhe permitisse trazer aos homens
algo novo, belo e ainda não imaginado,
que mostrasse aos homens a grandeza e o poder do Ser Supremo.
E que também mostrasse o quanto Olorum
se apraz com a humanidade.
Olodumare achou justo o pedido
e mandou trazer a festa aos humanos.
Olodumare mandou trazer aos homens a música, o ritmo, a dança.
Olodumare mandou Orunmilá trazer para o Aiê os instrumentos,
os tambores que os homens chamaram de ilu e batá,
os atabaques que eles denominaram rum, rumpi e lé,
o xequerê, o gã e o agogô e outras pequenas maravilhas musicais.
Para tocar os instrumentos, Olodumare ensinou os *alabês*,
que sabem soar os instrumentos que são a voz de Olodumare.
E os enviou, instrumentos e músicos, pelas mãos de Orunmilá.
Quando ele chegou à Terra, acompanhando os orixás
e trazendo os presentes de Olodumare,
a alegria dos humanos foi imensa.
E, agradecidos, realizaram então
a primeira e grande festa neste mundo,

com toda a música que chegara do Orum como uma dádiva,
homens e orixás confraternizando-se com a música e dança recebidas.
Desde então a música e a dança estão presentes na vida dos humanos
e são uma exigência dos orixás quando eles visitam nosso mundo.
[255]

Orunmilá aprende o segredo da fabricação dos homens

Obatalá reuniu as matérias necessárias à criação do homem
e mandou convocar os seus irmãos orixás.
Apenas Orunmilá compareceu.
Por isso Obatalá o recompensou.
Permitiu que apenas ele conhecesse
os segredos da construção do homem.
Revelou a Orunmilá todos os mistérios
e os materiais usados na sua confecção.
Orunmilá tornou-se assim o pai do segredo,
da magia e do conhecimento do futuro.
Ele conhece as vontades
de Obatalá e de todos os orixás envolvidas na vida dos humanos.
Somente Orunmilá sabe de que modo foi feito cada homem,
que venturas e que infortúnios foram usados
na construção de seu destino.
[256]

Ifá nasce como menino mudo

Na criação do mundo, o rei do universo decidiu criar Ifá.
Assim, nasceu um menino que foi chamado Aiedegum.
Aiedegum nasceu do feiticeiro Meto-Lonfim

e de Adje, sua primeira mulher.
Aiedegum, quando criança, não falava sequer uma palavra.
Já era adolescente quando o pai bateu nele com um bastão.
O menino, para surpresa geral, disse: "Gbê-medji",
palavra que ninguém compreendia.
Dias depois, quando apanhou de novo,
o menino mudo disse: "Ieku-meji".
E assim, em diversas ocasiões, foram se completando
dezesseis palavras ditas por Aiedegum.
Então ele disse: "Pai, se eu apanhar mais,
posso dizer muito mais que uma palavra".
O pai bateu mais no menino.
E Aidegum disse:
"Vou morrer, mas quero legar-lhe uma herança magnífica,
que há de servir à humanidade para sempre".
Ele explicou que os dezesseis nomes
eram nomes de seus futuros filhos.
Que cada filho seu tinha um conhecimento.
Disse que deixaria uma palmeira
e que com o caroço de seus frutos
se faria o seu jogo, o jogo de Ifá.
E assim se poderia consultar o jogo
para se predizer o futuro.
Assim nasceu o oráculo de Ifá.
[257]

Orunmilá ludibria Oxalá com a ajuda de Exu

Um dia Orunmilá e Oxalá brigaram.
Oxalá, então, proibiu todos os filhos de Orunmilá
de entrar em contato com esse orixá.

Orunmilá sentiu-se mal,
vendo que ninguém dele se aproximava.
Então uma mulher o aconselhou a acabar com aquilo.
Orunmilá fez *ebó* para Exu.
Exu, depois de receber a comida,
rumou para a casa de Oxalá
para pôr fim à briga dos dois orixás.
Exu disse a Oxalá, quando chegou:
"Já existe um homem mais homem
do que todos os homens do mundo,
brigando com milhares de pessoas
de todas as camadas sociais,
sem distinção de idade e sexo!".
Como Oxalá se interessasse em saber
quem era o extraordinário senhor de quem Exu falava,
Exu explicou-lhe que era Orunmilá:
"É Orunmilá, que está fazendo muitas coisas no mundo.
Ora, se todos são seus rivais,
claro está que Orunmilá é o mais importante".
Quando ouviu essas palavras,
Oxalá quis saber como proceder
para reduzir os poderes de Orunmilá.
Exu disse-lhe que fosse com seu pessoal
pedir perdão e submeter-se a Orunmilá.

Oxalá, então, contou tudo aos outros orixás
para que deliberassem juntos.
Decidiu-se que a paz com Orunmilá era necessária.
Marcou-se, assim, a data
para que o cortejo dos orixás fosse à casa de Orunmilá.
Exu foi quem anunciou a vinda deles.
Oxalá vinha na frente e os outros atrás.

Todos pediram perdão a Orunmilá.
Assim, daquele dia em diante,
conforme poder concedido pelo próprio Oxalá,
Orunmilá passou a ser o primeiro e único que sabe
e pode resolver todos os problemas da vida.
E até o dia de hoje é Orunmilá o escolhido,
e é ele que é procurado e consultado
sempre que há uma dúvida a resolver.
[258]

Orunmilá trava longa contenda com seu escravo Ossaim

Orunmilá precisava de um escravo e foi ao mercado comprar um.
Entre todos, escolheu Ossaim.
Levou Ossaim para casa e o mandou
desmatar suas terras, onde deveria preparar o plantio.
Ossaim retornou sem ter cumprido as ordens de Orunmilá.
Questionado sobre o seu desmando, Ossaim explicou
que a maioria das ervas tinha o poder de cura
e assim não podia ser derrubada.

Orunmilá interessou-se por esse conhecimento
e nomeou Ossaim para acompanhá-lo nas sessões de adivinhação.
Não tardou para que as rivalidades surgissem,
principalmente porque Ossaim não aceitava ser submisso a Orunmilá.
Julgava-se mais importante que seu mestre.

Esse fato chegou aos ouvidos do rei Ajalaiê,
que resolveu submetê-los a uma disputa,
para verificar quem era o mais antigo e mais importante.
Chamou-os e pediu que trouxessem seus filhos primogênitos.

Os dois seriam enterrados durante sete dias,
findos os quais seriam chamados.
Quem respondesse primeiro ao chamado seria declarado vencedor,
trazendo as honras para o pai.
O filho de Orunmilá chamava-se Sacrifício.
Orunmilá consultou Ifá para verificar se seu filho se salvaria.
Foi orientado a oferecer sacrifícios de comidas e animais.
Devia oferecer um coelho, um galo e um bode,
além de um pombo e dezesseis búzios-da-costa.
As oferendas foram colocadas nos locais determinados,
dentre elas uma aos pés de Exu.
Com seu poder, Exu ressuscitou o coelho
e o coelho cavou um buraco
e levou alimento a Sacrifício, mantendo-o vivo.

O filho de Ossaim chamava-se Remédio.
Ele não tinha o que comer,
mas com feitiços poderosos conseguiu
chegar à casa de Sacrifício.
Pediu-lhe comida. Sacrifício negou.
Remédio propôs-lhe um pacto em troca da comida.
Ele manter-se-ia calado quando os chamassem.
Sacrifício aceitou e deu-lhe de comer.

Chegado o dia, ambos foram chamados,
mas somente Sacrifício respondeu ao apelo,
saindo vivo e vitorioso da cova.
Remédio saiu depois e Ossaim questionou o porquê de seu ato.
Ele contou ao pai sobre o pacto feito.
Orunmilá ganhou e foi considerado mais importante que Ossaim,
porque o Sacrifício é mais eficaz que o Remédio.
[259]

Orunmilá engana Oxalá e Odudua e faz a paz na Terra

Depois da criação do mundo,
houve muitas desavenças entre Oxalá e Odudua.
Muito depois a guerra continuava feroz entre eles.
Orunmilá estava bastante preocupado com essa disputa.
Soube que os seguidores de Oxalá e Odudua
estavam se organizando para o combate final.
Sabia que o perdedor poderia destruir o mundo.
Então Orunmilá preparou-se para ver Oxalá.
Orunmilá foi à casa de Oxalá e disse ao velho rei
que Odudua reconhecia a supremacia de Oxalá,
mas que ele tinha vergonha de vir vê-lo e dizer tais palavras.
Oxalá, satisfeito, deu por encerrada a querela.

Em seguida, Orunmilá foi à casa de Odudua
e disse-lhe que Oxalá estava velho
e que era Odudua quem de fato possuía o mundo.
Mas Odudua não devia dizer isso a Oxalá,
pois não seria conveniente que um velho
se visse diminuído perante alguém mais novo do que ele.
Odudua, convencido, também deu por finda a disputa.
A guerra entre Odudua e Oxalá acabou,
graças à astúcia de Orunmilá.
Orunmilá havia salvado o mundo,
acalmado Oxalá e pacificado Odudua.
[260]

Orunmilá recebe o título de Senhor do Mundo

Certa ocasião todo o mundo se reuniu
e foi brigar com Olofim, o Ser Supremo.
Olofim-Olorum mandou chamar Ogum
e ordenou que ele decapitasse
qualquer um que viesse ao palácio.
Dito e feito.
Ogum foi cortando e amontoando as cabeças.
Orunmilá foi o último a chegar,
sendo por isso criticado pelos outros.
Sábio, Orunmilá não quis ver as cabeças,
nem tampouco se aproximar delas.
Disse que não era assunto seu,
não era o seu caso.
Olofim apreciou a sabedoria de Orunmilá
e determinou que desde então
Orunmilá teria o título de Senhor do Mundo.
[261]

Orunmilá dá o alimento à humanidade

No começo dos tempos, Olodumare criou os homens
e enviou Ogum para conduzi-los à Terra,
devendo Ogum ficar por eles responsável.
Ogum, que também ficou sendo chamado Obá Jeguijegui,
ou "Rei que Come Palito", na língua antiga,
seguiu seu caminho sem fazer as oferendas devidas.
Tempos depois, os humanos guiados por Ogum morreram.
Ogum dava-lhes para comer somente palitos de madeira.

Olodumare então escolheu para a missão Orixalá,
conhecido também pelo nome de Obá Jomijomi,
ou "Rei que Bebe Água", na língua deles.
Orixalá seguiu com os seres humanos para o mundo,
mas, como Ogum, não fez os sacrifícios prescritos pelos adivinhos.
Tempos depois, os homens estavam todos mortos.
Orixalá os alimentava apenas com água.

Orunmilá, também chamado Obá Jeunjeum,
ou "Rei que Come Alimento", na língua dos orixás,
ofereceu-se para levar os homens ao mundo e cuidar deles lá,
com o que Olodumare concordou plenamente.
Previdente, Orunmilá consultou o babalaô,
que o mandou oferecer sacrifícios antes de partir.
Ele deveria preparar sementes de legumes e tubérculos.
O *ebó* foi feito.
Do Orum, Orunmilá despejou essas ofertas na Terra.
Caindo no solo, as sementes germinaram, os tubérculos brotaram.
As plantas cresceram, dando folhas, frutos e sementes,
e foi com essa abundância que Orunmilá alimentou os homens.
Os seres humanos reproduziram-se e se espalharam pela Terra toda.

Ogum e Orixalá, contudo, sentiam ciúme dos feitos de Orunmilá
e resolveram vingar-se, destruindo a sua obra.
Orunmilá, preocupado com a inveja, consultou Ifá,
que recomendou que ele fizesse oferendas.
Que oferecesse cachorros, inhame e bolo de milho,
além de cabras e muitos caramujos.
Orunmilá preparou as oferendas e arriou o *ebó* numa encruzilhada,
nas imediações da cidade de Ifé.
Por ali os orixás costumavam fazer uma parada
sempre que vinham em visita à Terra.

Tecidas as tramas da desforra, simulando grande amizade,
foram Ogum e Orixalá visitar Orunmilá em sua casa.
Foram recebidos com grande e festivo banquete.
Surpresos e satisfeitos com a acolhida,
os dois deram graças a Orunmilá
e o declararam o Dono do Mundo.
Desistindo de sua infundada vingança,
Orunmilá, modestamente, não aceitou o título,
pois, segundo ele, os seres humanos eram devedores deles três.
Depois de comer as comidas de Orunmilá,
esgaravatam os dentes com os palitos de Ogum
e bebem água de Orixalá para enxaguar a boca.
Ao amanhecer, a Terra alcançara a paz
e a prosperidade no reino de Orunmilá.
[262]

Orunmilá é escondido de seus perseguidores por uma aranha

Orunmilá ia fazer uma viagem.
Deveria realizar sacrifícios para afastar o perigo das estradas
e proteger-se dos seus inimigos.
Mas Orunmilá esqueceu de fazer os sacrifícios.
Orunmilá ia pelo caminho com seu pajem Exu e sua comitiva,
quando viu na margem da estrada pés de *obi* e *orobô*.
Orunmilá não resistiu à tentação
e parou para comer de tão apreciados frutos.
Enquanto comia, Orunmilá viu que inimigos seus
tinham avistado sua caravana e se aproximavam.
A comitiva dispersou-se
e Orunmilá fugiu correndo para dentro da mata,
perseguido por seus inimigos.

Orunmilá estava em situação difícil.
Ao avistar um buraco, se meteu, imediatamente, dentro dele.
Foi quando uma aranha começou a tecer sua teia,
fechando com ela a entrada do esconderijo de Orunmilá.
Os inimigos não encontraram Orunmilá
e foram embora.
Exu, que havia se separado de Orunmilá durante a fuga,
procurava seu senhor pelo mato.
Encontrou um homem agachado,
que tinha uma faca fincada no chão.
Era Ogum, que ajudou Exu a encontrar Orunmilá.
Eles o retiraram do buraco com cuidado,
para não fazer mal algum à aranha,
que estava lá no meio da teia,
tecendo,
protegendo Orunmilá.
[263]

Orunmilá disputa com seu escravo quem é o melhor adivinho

Orunmilá era considerado o maior adivinho do lugar.
Um dia, sua mulher pediu que comprasse um escravo,
cujo preço fosse de dezesseis sacos de búzios.
Quando rumava para o mercado,
onde ele atendia sua clientela,
encontrou uns pescadores que pescavam.
Orunmilá disse-lhes ser capaz de adivinhar
quantos eram os peixes já pescados.
E assim fez e ganhou para si duzentos e um peixes,
que mandou fossem enterrados,
devendo-se marcar o local com folhas verdes.

Mais para a frente, encontrou caçadores,
que instalavam armadilhas de preá.
Orunmilá disse-lhes ser capaz de adivinhar
o número de preás que já tinham caçado.
Como da vez primeira,
adivinhou e ganhou duzentos e um preás.
Mandou enterrar os preás
num sítio que marcou com folhas verdes.
Então, quando chegou à feira, comprou um menino,
que lhe disse exatamente a importância
de que dispunha Orunmilá para comprá-lo.
Orunmilá pediu que uma pessoa o guardasse
até que voltasse para apanhá-lo.
O menino, porém, vendo seu dono afastar-se,
contratou carregadores e os levou até os lugares
onde estavam os preás e os peixes.
Juntou tudo e rumou para a casa de Orunmilá.
Lá, o menino organizou uma festa para receber seu amo,
convidando os amigos e parentes de Orunmilá.
Quando Orunmilá regressou à feira, nada do menino.
Teve receio de regressar à casa
sem dinheiro e sem escravo, mas teve que voltar.
Quando chegava em casa triste Orunmilá,
o menino correu ao seu encontro e o tranquilizou.
Orunmilá maravilhou-se com o seu escravo.

Desde que chegara à casa de Orunmilá,
o menino fazia muitos prodígios.
Um dia sua fama chegou ao ouvido do rei do lugar,
que chamou Orunmilá e seu escravo à sua presença,
desejando saber qual dos dois era o melhor adivinho.
Propôs o rei um confronto entre os dois e eles aceitaram.

O rei, então, encerrou cem homens numa sala inviolável
e mandou chamar Orunmilá e o menino à sua presença.
Quando inquiridos sobre o que se guardava na câmara selada,
o menino respondeu que havia cem homens emparedados.
O rei confirmou o que o menino proclamou,
mas Orunmilá o contradisse,
pois para ele os prisioneiros eram duzentos e um e não cem.
Como o rei duvidasse do poder de adivinhação de Orunmilá,
o adivinho disse que em cinco dias viria abrir o quarto
e que então provaria o que afirmara.
O rei concordou e todos partiram.
Assim que chegou em casa,
Orunmilá consultou Ifá e fez um *ebó*.
No prazo de cinco dias, com hora marcada,
Orunmilá mandou que se abrisse a cela e
de lá saíram cem homens e cada um deles
trazia no ombro um filho.
E por fim saiu um outro homem,
que parecia ser o pai de todos.
Somavam duzentos e um!
Todos se admiraram e o rei disse
que, enquanto nascesse gente na Terra,
não haveria outro homem tão sábio como Orunmilá.
[264]

Orunmilá desposa a filha de Olocum

Orunmilá desejava casar-se com Torô,
a princesa do braço de mar, uma das filhas de Olocum.
Torô era muito bonita e muito cortejada.
Todos os velhos deuses também a queriam por esposa.

Para conseguir seu intento,
consultou os babalaôs e eles o mandaram fazer *ebó*.
Deveria oferecer dois galos,
uma galinha, um preá, um peixe
e dois sacos de viagem,
além de doze sacos de búzios para pagar os adivinhos.
Ele concordou e fez a oferenda,
levando consigo os dois sacos vazios,
conforme fora instruído.
Quando Orunmilá voltou para casa, encontrou Exu.
Exu piscou um olho em sua direção
e ele imediatamente transformou-se num homem muito bonito.
Orunmilá partiu para a casa de Olocum.
Quando a princesa do braço de mar viu Orunmilá,
logo por ele se apaixonou, pois sua beleza era irresistível.
Torô aceitou com prazer casar-se com o belo Orunmilá.
Mas Olocum estava preocupada.
Sua filha tinha rejeitado proposta de casamento
de cada um dos quatrocentos e um *imolés*, as grandes divindades.
E as velhas divindades estavam furiosas
com o amor de Torô pelo babalaô.
Orunmilá disse a Olocum que fugiria com a princesa
e que ninguém os pegaria.

Para evitar que Orunmilá fugisse com a princesa,
os *imolés* cavaram um fosso profundo à sua direita.
E à sua esquerda fizeram aparecer um abismo sem fim.
Na frente eles fizeram um buraco fundo como a altura do céu.
Exu, que a tudo assistia,
pegou as aves do sacrifício que Orunmilá fizera.
Jogou um galo no fosso da direita
e ele se fechou.

Jogou o outro galo no abismo da esquerda
e ele se fechou.
Jogou a galinha no buraco da fundura do céu
e ele se fechou.
Orunmilá fugiu levando a princesa do braço de mar.
Mas eles ainda tinham que chegar à Terra.
Os enciumados *imolés* tinham avisado os barqueiros
que não levassem para a terra
um homem acompanhado de uma mulher.
Mas Orunmilá tomou um dos dois sacos do sacrifício
e cobriu a cabeça.
No outro escondeu a sua amada.
Pôs nas costas o saco com a mulher dentro
e quando chegou à barca ninguém desconfiou.
Só quando chegou à cidade de Ifé
tirou a princesa do saco
e com ela se casou.
Os *imolés* ficaram muito irritados com o desfecho,
mas nada mais podiam fazer.
O babalaô rejubilava-se pela nova esposa.
[265]

Orunmilá prefere a Paciência à Discórdia e à Riqueza

Orunmilá era um homem que nada sabia de seu passado ou futuro.
Ele nada tinha e mandaram que fizesse um *ebó*
para que melhorasse suas condições de vida.
Assim foi feito.
Um dia, três mulheres vieram bater à sua porta.
Chamavam-se Paciência, Discórdia e Riqueza.
Todas queriam viver com Orunmilá,

mas ele preferiu viver com Paciência.
As outras duas começaram a discutir por causa da escolha.
Uma dizia que a escolha de Orunmilá fora extravagante.
A outra dizia que isso era do gosto de cada um.
Como não se entendessem e se agredissem mutuamente,
trabalhadores das estradas mais próximas vieram separá-las.
Eles as levaram ao chefe local
e cada uma falou a seu modo do que acontecera.
Como ninguém podia testemunhar o fato,
levaram-nas até a casa do babalaô da aldeia,
o homem mais sábio do lugar,
o adivinho que poderia resolver a causa.
Quando elas o viram, disseram:
"É por causa deste homem que estamos brigando.
Porque ele ficou com Paciência
e desprezou a nós, Discórdia e Riqueza".
Então disse Orunmilá:
"Onde tem Paciência tem tudo.
Sem Paciência não podemos viver".
E disseram elas:
"Por isso vamos também ficar com este homem,
porque onde tem Paciência tem tudo".
[266]

Orunmilá reconhece seu filho com Iemanjá

Um dia Orunmilá deixou seu palácio para dar um passeio.
Ia com seu séquito de escravos, os Exus.
Num certo lugar seu cortejo encontrou um outro.
Era a comitiva de uma mulher muito bonita.
Mesmo de longe Orunmilá ficou estonteado com sua formosura

e ordenou a um dos Exus que fosse saber de quem se tratava.
O Exu mensageiro aproximou-se da mulher,
prestou-lhe as homenagens devidas
e disse que seu amo desejava saber quem era ela.
Ela disse que era Iemanjá, rainha e esposa de Oxalá.
Exu voltou com a notícia
e de novo foi mandado à presença de Iemanjá.
Levou a mensagem de que seu amo desejava um encontro com ela.
Ela recusou e Exu foi mandado de novo em missão.
Inúmeras foram as idas e vindas do escravo mensageiro,
até que o encontro acabou de fato acontecendo.
Desse encontro engravidou Iemanjá de Orunmilá.
Mas Iemanjá voltou para seu palácio
e só mais tarde Orunmilá foi informado do nascimento de um filho.
Enviou de novo Exu em missão especial.
Devia investigar se a criança trazia algum sinal,
fosse um sinal na cabeça, um caroço, alguma mancha.
Exu voltou com a resposta afirmativa
e Orunmilá reconheceu o filho como sendo seu.
[267]

Orunmilá é enganado por Exu mas termina vencedor

Orunmilá juntou cento e vinte e um sacos de búzios
e entregou todo esse dinheiro a Exu,
pedindo-lhe que fizesse para ele algum rendoso negócio.
Exu, que desejava ver a ruína de seu companheiro,
comprou para Orunmilá uma escrava velha e inútil.
Três dias depois, a velha morreu.
Orunmilá aceitou tudo com calma e não reclamou.
Ao contrário, providenciou para a velha honrosos funerais.

Acontece que a mulher era a mãe de dois reis,
mãe do *obá* de Ibini e do *obá* de Oió.
Eles procuravam a mãe por toda parte,
dispostos a pagar por ela um resgate real.
Quando souberam do acontecido,
procuraram Orunmilá
e compraram o cadáver da mãe por muito dinheiro.
Orunmilá ficou rico.
Exu não conseguiu arruinar Orunmilá.
[268]

Orunmilá proíbe o sacrifício de seres humanos

O rei do Benim tinha uma filha chamada Poié.
Os adivinhos disseram ao rei que,
se ele não fizesse sacrifícios, a filha ia se perder.
Ele achou a previsão um absurdo e nada fez.
Um dia, Poié perdeu-se na floresta e nunca mais voltou.
A mãe de Orunmilá tinha um escravo chamado Xierê,
que era encarregado de fazer as marcas rituais, os *aberés*.
Um dia, Xierê fugiu para a floresta
e Orunmilá foi em seu encalço.
Depois de dezesseis dias, Orunmilá avistou o escravo.
Quando estava bem perto dele,
ambos, Xierê e Orunmilá, caíram numa armadilha.
Era uma cova profunda coberta de folhas,
da qual ninguém podia se safar.
No sétimo dia, por ali passava, perdida, a princesa Poié.
Ela viu Ifá e o escravo no fundo do buraco
e Ifá implorou a ela que os tirasse dali.
Poié libertou Orunmilá e o escravo.

Orunmilá agradeceu e quis retribuir o favor.
Ele daria a ela o que ela quisesse.
Ela então pediu um filho a Orunmilá
e ele se deitou com ela e a engravidou.
Mas Orunmilá disse que não podia se casar com ela,
pois já tinha três esposas e elas não queriam uma outra.
E partiu.
Ela teve uma filha a quem chamou Olomó.
Perguntaram a ela quem era o pai da menina
e ela disse que o pai era Ifá.

Naqueles tempos era costume fazer sacrifícios humanos.
Um dia, Orunmilá mandou que trouxessem um escravo,
pois queria fazer um sacrifício para seu ancestral guardião.
Eles trouxeram Olomó e Orunmilá determinou
que o sacrifício seria feito dentro de três dias.
Enquanto isso Olomó foi encarregada
de pilar inhames para os *ebós*.
Enquanto pilava, ela cantava:
"Eu sou a filha de Poié.
Se eu tivesse pai,
ele não permitiria
que eu fosse sacrificada".
As esposas de Orunmilá, Ossu, Odu e Ossum,
escutaram a cantilena e contaram para o esposo.
Ele então foi escutar e ficou pasmo.
Perguntou à escrava:
"Que história é essa de seres filha de Poié?".
E ela respondeu:
"Sim, eu sou.
Minha mãe me disse
que tirou meu pai de uma armadilha

e que ele, por gratidão, se deitou com ela
e assim foi que eu nasci".
Orunmilá disse:
"Essa é minha filha".
E mandou comprar uma cabra para o sacrifício.
Ifá libertou Olomó
e proibiu para sempre
o sacrifício de humanos.
[269]

Orunmilá conquista a mais linda donzela

Numa época passada,
foi designado um mesmo *ebó* para todos os orixás,
mas não houve aquele que tivesse entusiasmo para realizá-lo.
Como ninguém fizesse as oferendas prescritas,
Orunmilá, que era o consultor dos orixás para tal fim,
resolveu ele mesmo fazer o tal *ebó*.
Assim feito, ele pegou seu *irofá*,
a sineta-bastão que usava para invocar Ifá,
e entrou no palácio encantado.
No palácio onde estava guardada a sete chaves
a donzela mais bela e mais rica daquele tempo.
Então Orunmilá apontou seu *irofá*
para todas as portas que encontrava.
As portas se abriram uma a uma,
dando-lhe passagem até o centro da fortaleza.
E lá estava ela, bela e esperando por ele.
E ele parou para olhá-la embevecido.
Foi assim que Orunmilá conseguiu a mulher bela.
[270]

Orunmilá recebe de Obatalá o cargo de babalaô

Fazia muito tempo
que Obatalá admirava a inteligência de Orunmilá.
Em mais de uma ocasião
Obatalá pensou em entregar a Orunmilá o governo do mundo.
Pensou em entregar a Orunmilá o governo dos segredos,
os segredos que governam o mundo
e a vida dos homens.
Mas quando refletia sobre o assunto
acabava desistindo.
Orunmilá, apesar da seriedade de seus atos,
era muito jovem para missão tão importante.
Um dia, Obatalá quis saber se Orunmilá era
tão capaz quanto aparentava
e lhe ordenou que preparasse a melhor comida
que pudesse ser feita.

Orunmilá preparou uma língua de touro
e Obatalá comeu com prazer.
Obatalá, então, perguntou a Orunmilá por qual razão
a língua era a melhor comida que havia.
Orunmilá respondeu:
"Com a língua se concede *axé*,
se ponderam as coisas,
se proclama a virtude,
se exaltam as obras
e com seu uso os homens chegam à vitória".
Após algum tempo, Obatalá pediu a Orunmilá
para preparar a pior comida que houvesse.
Orunmilá lhe preparou a mesma iguaria.
Preparou língua de touro.

Surpreso, Obatalá lhe perguntou como era possível
que a melhor comida que havia fosse agora a pior.
Orunmilá respondeu:
"Porque com a língua os homens se vendem e se perdem.
Com a língua se caluniam as pessoas,
se destrói a boa reputação
e se cometem as mais repudiáveis vilezas".
Obatalá ficou maravilhado com a inteligência
e precocidade de Orunmilá.
Entregou a Orunmilá nesse momento o governo dos segredos.
Orunmilá foi nomeado babalaô,
palavra que na língua dos orixás quer dizer pai do segredo.
Orunmilá foi o primeiro babalaô.
[271]

Ajalá

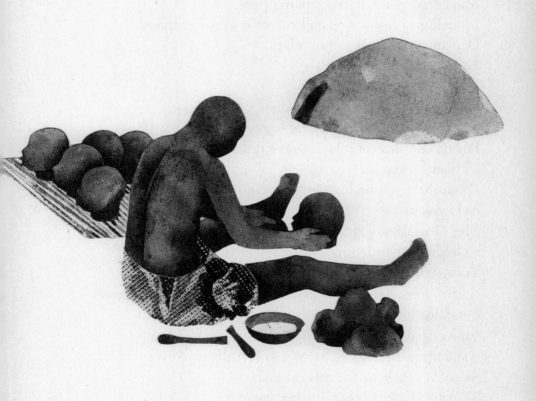

Ajalá

Ajalá modela a cabeça do homem

Odudua criou o mundo,
Obatalá criou o ser humano.
Obatalá fez o homem de lama,
com corpo, peito, barriga, pernas, pés.
Modelou as costas e os ombros, os braços e as mãos.
Deu-lhe ossos, pele e musculatura.
Fez os machos com pênis
e as fêmeas com vagina,
para que um penetrasse o outro
e assim pudessem se juntar e se reproduzir.
Pôs na criatura coração, fígado e tudo o mais que está dentro dela,
inclusive o sangue.
Olodumare pôs no homem a respiração
e ele viveu.
Mas Obatalá se esqueceu de fazer a cabeça
e Olodumare ordenou a Ajalá que completasse
a obra criadora de Oxalá.
Assim, é Ajalá quem faz as cabeças dos homens e mulheres.
Quando alguém está para nascer,
vai à casa do oleiro Ajalá, o modelador das cabeças.
Ajalá faz as cabeças de barro e as cozinha no forno.
Se Ajalá está bem, faz cabeças boas.
Se está bêbado, faz cabeças mal cozidas,
passadas do ponto, malformadas.
Cada um escolhe sua cabeça para nascer.

Cada um escolhe o *ori* que vai ter na Terra.
Lá escolhe uma cabeça para si.
Cada um escolhe seu *ori*.
Deve ser esperto, para escolher cabeça boa.
Cabeça ruim é destino ruim,
cabeça boa é riqueza, vitória, prosperidade,
tudo o que é bom.
[272]

Ajalá faz as cabeças de três amigos

Quando Orunmilá veio ao mundo,
teve de escolher sua cabeça, seu *ori*,
mas não soube como fazê-lo bem
e se sentia infeliz.
Então, quando chegou a vez de seu filho Ofuapê nascer,
Orunmilá ficou preocupado com a escolha da cabeça
e foi até um babalaô para saber como proceder.
Consultado o oráculo,
foi dito que Ofuapê seria bem-sucedido na Terra,
mas, antes que seu filho deixasse o Orum,
teria que ser oferecido um sacrifício de mil búzios.
Ofuapê tinha dois amigos,
Oriseecu, filho de Ogum,
e Orilemerê, filho de Ijá.
Ambos vinham com ele à Terra.
Oriseecu e Orilemerê cansaram de esperar por Ofuapê
e resolveram seguir sem ele para a casa de Ajalá,
onde iam escolher a cabeça antes de nascerem.
Chegando lá, não encontraram Ajalá.
Ajalá estava sumido por causa dos credores.

Ele bebia demais e fazia dívidas que não podia pagar.
Sempre havia credores na porta de Ajalá.
Por isso os amigos não encontraram Ajalá em casa,
mas viram lá várias e belas cabeças sobre prateleiras,
prontas para serem usadas,
e tomaram para si duas das que mais lhes agradaram.
Oriseecu e Orilemerê vieram para o mundo.

Ofuapê, que chegara logo após a saída dos dois,
encontrou na casa de Ajalá uma velha sentada no chão.
Era uma credora.
Ela esperava pelo pagamento de mil búzios
que Ajalá lhe devia pela compra de cerveja de milho.
Ofuapê lhe deu os búzios e a velha foi-se embora.
Ajalá, que se escondera e tudo observara,
apareceu todo contente pela ação de Ofuapê.
Ele levou Ofuapê para dentro
e lhe mostrou as cabeças que tanto encantavam os homens,
mas o advertiu de que apenas a beleza da cabeça
não garantia uma vida plena de sucessos.
Por não saberem escolher suas cabeças,
os seres humanos só atraíam infortúnio para si.
Assim, Ofuapê escolheu a cabeça adequada
e veio para a Terra,
onde tornou-se um rico e bem-sucedido homem.
Oriseecu e Orilemerê ficaram intrigados com o sucesso de Ofuapê.
Suas cabeças eram bonitas mas não eram boas
e eles viviam em dificuldade,
enquanto Ofuapê ficara rico e realizado.
Eles então se perguntavam:
"Não foi no mesmo lugar que pegamos nossas cabeças?
Não sei onde meu amigo pegou a sua cabeça.

Eu iria lá buscar a minha também, se soubesse onde é.
Seria o mesmo lugar onde pegamos a nossa cabeça?
Mas o destino dele é tão diferente do nosso!
Se soubesse onde Ofuapê escolheu a sua cabeça,
eu escolheria uma igualzinha para mim".
[273]

Ori

Ori

Ori faz o que os orixás não fazem

Orunmilá reuniu todos os deuses em sua casa
e lhes fez a seguinte pergunta:
"Quem dentre os orixás pode acompanhar seu devoto
numa longa viagem além dos mares e não voltar mais?".
Xangô respondeu que ele podia.
Então lhe foi perguntado
o que ele faria depois de ter andado,
andado e andado
até as portas de Cossô,
a cidade de seus pais.
Onde iam preparar-lhe um *amalá*
e oferecer-lhe uma gamela de farinha de inhame.
Onde lhe dariam *orobôs* e um galo, um *aquicó*.
Xangô respondeu:
"Depois de me fartar, retornarei à minha casa".
Então foi dito a Xangô que ele não conseguiria
acompanhar seu devoto
numa viagem sem volta além dos mares.

Aos que entravam pela porta e ali ficavam de pé,
Ifá fez a pergunta:
"Quem dentre os orixás pode acompanhar seu devoto
numa longa viagem além dos mares e não voltar mais?".
Oiá respondeu que ela poderia.
Foi-lhe perguntado

MITOLOGIA DOS ORIXÁS / 476

o que ela faria depois de caminhar uma longa distância,
caminhar e caminhar e chegar à cidade de Irá,
o lar de seus pais,
onde lhe ofereceriam uma gorda cabra
e lhe dariam um pote de cereal.
Oiá respondeu:
"Depois de comer até me satisfazer, voltarei para casa".
Foi dito a Oiá que ela não poderia acompanhar seu devoto
numa viagem sem volta além dos mares.

A todos os orixás reunidos por Orunmilá,
Ifá fez a seguinte pergunta:
"Quem dentre os orixás pode acompanhar seu devoto
numa longa viagem além dos mares e não voltar mais?".
Oxalá disse que ele poderia.
Foi-lhe perguntado então
o que ele faria depois de caminhar uma longa distância,
caminhar e caminhar e chegar à cidade de Ifom,
o lar dos seus pais,
onde matariam duzentos *igbins*
servidos com melão e vegetais.
Oxalá respondeu:
"Depois de comer até ficar saciado, voltarei para minha casa".

Foi dito a Oxalá que ele não poderia acompanhar seu devoto
numa viagem sem volta além dos mares.

A todos os deuses reunidos por Orunmilá,
Ifá fez a seguinte pergunta:
"Quem dentre os orixás pode acompanhar seu devoto
numa longa viagem além dos mares e não voltar mais?".
Exu respondeu que ele podia acompanhar seu devoto
numa longa viagem além dos mares e não mais voltar.
Então foi-lhe perguntado:
"O que farás depois de caminhar uma longa distância,
caminhar e caminhar, e chegar à cidade de Queto,
o lar de teus pais,
e ali te derem um galo
e grande quantidade de azeite de dendê e aguardente?".
Ele respondeu que,
depois de se fartar, voltaria para sua casa.
Foi dito a Exu:
"Não, não poderias acompanhar teu devoto numa longa viagem
além dos mares e não voltar".

A todos os deuses reunidos por Orunmilá,
Ifá fez a pergunta:
"Quem dentre os orixás pode acompanhar seu devoto
numa longa viagem além dos mares e não voltar mais?".
Ogum disse que ele sim poderia.
Foi-lhe perguntado
o que ele faria depois de caminhar uma longa distância,
caminhar e caminhar e chegar à cidade de Irê,
o lar de seus pais,
onde haviam de lhe oferecer feijões-pretos cozidos
e lhe matar um cachorro e um galo.

Ogum respondeu:
"Depois de me satisfazer, voltarei para minha casa,
cantando alto e alegremente pelo caminho".
Foi dito a Ogum que ele não poderia acompanhar seu devoto
numa viagem sem volta além dos mares.

A todos os deuses reunidos por Orunmilá,
Ifá fez a seguinte pergunta:
"Quem dentre os orixás pode acompanhar seu devoto
numa longa viagem além dos mares e não voltar mais?".
Oxum disse que ela podia.
Foi-lhe perguntado:
"O que farias depois de caminhar uma longa distância,
caminhar e caminhar, e chegar à cidade de Ijimu,
o lar de teus pais,
onde te dariam cinco pratos de feijão-fradinho com camarão,
tudo acompanhado de vegetais e cerveja de milho?".
Respondeu Oxum:
"Depois de me saciar, voltaria para minha casa".
E foi dito a Oxum que ela não poderia acompanhar seu devoto
numa viagem sem volta além dos mares.

A todos os orixás reunidos por Orunmilá,
Ifá fez a pergunta:
"Quem dentre os orixás pode acompanhar seu devoto
numa longa viagem além dos mares e não voltar mais?".
O próprio Orunmilá disse que ele poderia
acompanhar seu devoto numa viagem
sem volta além dos mares.
Foi-lhe perguntado:
"O que farás depois de caminhar uma longa distância,
caminhar e caminhar e chegar à cidade de Igueti,

o lar de teus pais,
onde vão te oferecer dois ligeiros preás,
dois peixes que nadam graciosamente,
duas aves fêmeas com grandes fígados,
duas cabras pesadas de prenhas,
duas novilhas com grandes chifres?
E onde vão te preparar inhames pilados,
mingaus de farinhas brancas
e a mais preciosa de todas as cervejas?
E também te oferecer os mais saborosos *obis*
e as melhores pimentas doces?".
"Depois de me fartar", respondeu Orunmilá,
"voltarei para minha casa."

O sacerdote de Ifá ficou pasmo.
Não conseguia dizer uma palavra sequer.
Porque ele simplesmente não entendia essa parábola.
Disse ele:
"Orunmilá, eu confesso minha incapacidade.
Por favor, ilumina-me com tua sabedoria.
Orunmilá, és o líder, eu sou o teu seguidor.
Qual é a resposta para a pergunta sobre quem dentre os deuses
pode acompanhar seu devoto numa viagem
sem volta além dos mares?".
Falou Orunmilá:
"A única resposta é. . . o Ori.
Somente Ori pode acompanhar seu devoto
numa viagem sem volta além dos mares".

Disse Orunmilá:
"Quando morre um sacerdote de Ifá,
dizem que seus apetrechos de adivinhação

devem ser deixados numa corrente d'água.
Quando morre um devoto de Xangô,
dizem que suas ferramentas devem ser despachadas.
Quando morre um devoto de Oxalá,
dizem que sua parafernália deve ser enterrada".
Disse também Orunmilá:
"Mas, quando os seres humanos morrem,
a cabeça nunca é separada do corpo para o enterro.
Não. Lá está o Ori. Lá vai ele junto com o seu devoto morto.
Somente o Ori pode acompanhar para sempre seu devoto,
a qualquer lugar".
Falou ainda Orunmilá:
"Pois o Ori é o único que pode acompanhar seu devoto
numa viagem sem volta além dos mares".
[274]

Ori vence os orixás numa disputa

Havia uma mulher com muitos problemas.
E nem tinha marido com quem se aconselhar.
Foi então consultar o jogo de búzios para saber o que fazer.
Foi dito a ela que fizesse uma oferenda para o Ori, a cabeça.
Foi-lhe dito para fazer um *bori*,
devia dar comida à cabeça.

À sua cabeça a mulher devia oferecer dois *obis*.
Ela então pegou os dois *obis* e foi fazer a oferenda.
No caminho passou por uma caravana de dezesseis orixás.
Xangô se dirigiu à mulher dizendo:
"Tu, mulher que estás passando,
por que não nos cumprimentas?".
E ela respondeu:
"E por que deveria? Nem os conheço".
Xangô não gostou da resposta insolente
e arrancou os *obis* da mão da mulher.
Um deles ele comeu.
O outro deu para Oxalá.
Então chegou Ori e perguntou:
"Quem tirou os *obis* da mulher que ia passando?".
"Fui eu", respondeu Xangô.
Ori xingou Xangô e a luta começou.
Ori levantou Xangô nos braços
e o lançou no ar em direção à cidade de Cossô.
Orixá Ocô não gostou e avançou ferozmente contra Ori.
Ori o atirou para os lados de Irauô.
Depois arremessou Ifá para a cidade de Ado
e Oiá para a cidade de Irá.
Suspendeu Egungum no alto e o atirou para Ojé.
Xapanã foi catapultado para Egum,
Legba para Iuorô
e Oxalufã para Erim.
Nessas cidades eles ficaram por três anos
e então voltaram a se reunir.
Chamaram Ori e disseram que queriam
retomar a luta.
Ori disse que era uma bobagem,
porque ele lhes tinha feito um grande bem.

Cada um agora era cultuado naquela cidade
para onde Ori aquele dia os lançara.
As cidades os haviam adotado.
Eles antes não eram nada,
mas agora cada um tinha seu culto próprio,
cada um numa cidade.
Eles concordaram e Ori mandou trazer comida.
Comidas e bebidas foram ofertadas.
E eles disseram:
"Ori está nos saudando".
"Sim, ele está nos festejando."
Comeram e beberam e dançaram
e todos se rejubilaram.
[275]

Ori decide não nascer de novo

Chegou um tempo em que Ori considerou
que já era hora de nascer de novo.
Ori foi falar com Olorum,
pedindo para nascer de novo em sua família,
assim como renascem os *eguns*.
Era hora de aquela cabeça voltar numa nova vida.
Olorum disse que sim,
Ori podia reencarnar,
mas tinha que respeitar certas condições.
Primeiro, somente Olorum saberia o dia de sua morte
e Ori nunca poderia se intrometer nessa questão.
Segundo, seu destino não poderia ser mudado
a não ser sob os sábios desígnios de Ifá.
As condições eram duras demais

e Ori resolveu que era melhor não mais nascer de novo.
Ori nasce uma vez só.
[276]

Ori livra Orunmilá de ameaças

Orunmilá estava um dia distraído
e de repente deu-se conta de que era observado
por Morte, Doença, Perda, Paralisia e Fraqueza.
Orunmilá ouviu o que diziam,
o que elas diziam umas às outras:
"Um dia a gente pega este aí".
Elas riam desavergonhadamente,
plantavam bananeira,
faziam micagens e gestos obscenos.
"Mais cedo ou mais tarde a gente pega este aí."
Orunmilá assustou-se.
Orunmilá voltou para casa.

Orunmilá foi consultar o seu Ori.
Somente Ori podia salvar Orunmilá.
Somente Ori podia livrar da Morte.
Só a cabeça poderia livrá-lo da Doença.

Era o Ori que o livraria da Perda.
O Ori de Orunmilá o livraria da Paralisia.
Somente seu Ori podia livrá-lo da Fraqueza.
Orunmilá foi consultar sua cabeça.
O Ori livra o homem dos males.
Orunmilá fez os sacrifícios à cabeça, fez *bori*.
Ori aceitou as comidas oferecidas,
ficou forte e expulsou os problemas de Orunmilá.
Nada mais podia ameaçar o seu devoto.
Ori salvou Orunmilá da Morte e da Doença,
da Perda, da Paralisia e da Fraqueza.
Ori livrou seu devoto de todas as ameaças.
[277]

Oxaguiã — Ajagunã

Oxaguiã — Ajagunã

Oxaguiã inventa o pilão

Oxalá, rei de Ejigbô, vivia em guerra.
Ele tinha muitos nomes,
uns o chamavam de Elemoxó, outros de Ajagunã,
ou ainda Aquinjolê, filho de Oguiriniã.
Gostava de guerrear e de comer.
Gostava muito de uma mesa farta.
Comia caracóis, canjica, pombos brancos,
mas gostava mais de inhame amassado.
Jamais se sentava para comer se faltasse inhame.
Seus jantares estavam sempre atrasados,
pois era muito demorado preparar o inhame.
Elejigbô, o rei de Ejigbô, estava assim sempre faminto,
sempre castigando as cozinheiras,
sempre chegando tarde para fazer a guerra.
Oxalá então consultou os babalaôs,
fez suas oferendas a Exu
e trouxe para a humanidade uma nova invenção.
O rei de Ejigbô inventou o pilão
e com o pilão ficou mais fácil preparar o inhame
e Elejigbô pôde se fartar
e fazer todas as suas guerras.
Tão famoso ficou o rei por seu apetite pelo inhame
que todos agora o chamam de
"Orixá Comedor de Inhame Pilado",
o mesmo que Oxaguiã na língua do lugar.
[278]

Ajagunã ganha uma cabeça nova

Ajagunã nasceu de Obatalá.
Só de Obatalá.
Nasceu num *igbim*, num caramujo.
Logo que nasceu, Ajagunã se revoltou.
Ajagunã não tinha *ori*, não tinha cabeça
e andava pela vida sem destino certo.

Um dia, quase louco, encontrou Ori na estrada
e Ori fez para Ajagunã uma cabeça branca.
Era de inhame pilado sua cabeça.
Mas a cabeça de inhame esquentava muito
e Ajagunã sofria torturantes dores de cabeça.
De outra feita, lá ia pela estrada
Ajagunã padecendo de seus males,
quando se encontrou com Icu, a Morte.
Icu se pôs a dançar para Ajagunã e se ofereceu
para dar a ele outro *ori*.
Oxaguiã, com medo, recusou prontamente,
mas era tão insuportável o calor que ele sentia
que não pôde recusar por muito tempo a oferta.
Icu prometeu-lhe um *ori* negro.
Icu ofereceu-lhe um *ori* frio.
Ele aceitou.

A sorte de Ajagunã contudo não mudou.
Era fria e dolorida essa cabeça negra.
Mas pior era o terror que não o abandonava
de sentir-se perseguido por mil sombras.
Eram as sombras da Morte em sua cabeça fria.
Então surgiu Ogum e deu sua espada a Ajagunã.

E com a espada ele afugentou a Morte e as suas sombras.
Ogum fez o que pôde para socorrer o amigo,
com a faca retirando o *ori* frio grudado no *ori* quente.
Na operação de Ogum as duas cabeças se fundiram
e o *ori* de Oxaguiã ficou azulado,
um novo *ori* nem muito quente, nem muito frio.
Uma cabeça quente não funciona bem.
Uma cabeça fria também não.
Foi o que se aprendeu
com a aventura de Ajagunã.

Finalmente a vida de Ajagunã se normalizou.
Com a ajuda de Ogum, mais uma vez,
o orixá aprendeu todas as artes bélicas
e assim venceu na vida muitas batalhas e guerras.
Hoje o seu nome, como o nome de Ogum,
é relembrado entre os dos mais destemidos generais.
E foi assim que Oxaguiã foi chamado Ajagunã,
título do mais valente entre todos os guerreiros.
[279]

Oxaguiã manda libertar o amigo preso injustamente

O filho de Oxalufã tornou-se um guerreiro forte
e decidiu um dia conquistar um reino para si.
Partiu em companhia de seu amigo Auoledjê.
Conquistou Ejigbô, tornando-se seu rei, Elejigbô.
O rei tinha uma grande paixão, comer inhame pilado.
E comia com gula, tanto que o chamavam Oxaguiã,
que quer dizer "Oxalá Comedor de Inhame Pilado".

Um dia Auoledjê, que era um grande babalaô,
precisou partir de Ejigbô.
Antes disso, aconselhou Oxaguiã
que fizesse oferendas,
que tornariam o reino próspero.
Assim, como previa Auoledjê,
Ejigbô tornou-se uma grande cidade,
rica e bem guardada pelos bravos soldados de Oxaguiã.
O rei Elejigbô vivia em fausto entre seus súditos,
por quem era chamado de "Kabiyesi",
que é o mesmo que Sua Majestade.
Na intimidade os amigos o chamavam
de "Comedor de Inhame Pilado",
mas em público isso era uma heresia.

Anos mais tarde, Auoledjê retornou a Ejigbô.
Ao adentrar a cidade, procurou logo por Oxaguiã.
"Onde está o Comedor de Inhame Pilado?", perguntou.
Os soldados, que não o conheciam,
ficaram furiosos com tamanha insolência.
Isso era jeito de se referir ao rei?
Prenderam e maltrataram o desconhecido amigo de Kabiyesi.

Auoledjê ressentiu-se da humilhação.
Com seus poderes mágicos, vingou-se.
Durante sete anos todas as catástrofes conhecidas,
e não faltando a seca, assolaram o reino de Oxaguiã.

Oxaguiã, desesperado, procurou os adivinhos.
E pelo oráculo eles viram a prisão de Auoledjê.
Um amigo do rei estava preso injustamente.
Oxaguiã correu para a prisão para libertar o velho amigo.
Oxaguiã libertou-o,
mas o amigo, ainda ressentido, escondeu-se na mata.
Elejigbô buscou o velho amigo, suplicando seu perdão.
Auoledjê cedeu com uma condição:
que nunca aquele povo se esquecesse dessa injustiça.
Todos os anos o povo deveria flagelar-se,
em memória do funesto acontecido.
Assim, todos os anos,
o rei deveria mandar muitas pessoas à floresta cortar varetas.
Os súditos, divididos em dois grupos, tomariam as varas,
simulariam golpes uns nos outros, sem parar,
até que as varetas se quebrassem.
Para que nunca se esquecessem daquela injustiça
praticada contra o amigo de Oxaguiã.
Assim foi feito e o reino de Oxaguiã voltou à tranquilidade
e Oxaguiã foi o maior dos reis de Ejigbô.
Quando ele foi para o Orum, transformado em orixá,
seu culto não se esqueceu do velho amigo babalaô.
Com as varetas de Oxaguiã, com os *atoris*,
seus adeptos renovam sempre a memória da injustiça,
para que ela não volte a acontecer.
[280]

Ajagunã instaura o reino da discórdia e promove o progresso

Olodumare dividiu com seus filhos orixás
a difícil incumbência de governar o mundo.
Ajagunã também teve seu encargo, seu posto, seu *oiê*.
Foi-lhe destinado o domínio do progresso.
Mas, em vez do progresso,
ele plantou o conflito, a discórdia e a revolução.
Com ele a humanidade conheceu de perto a revolução.
Por vontade de Ajagunã, a cizânia se fez entre homens e nações.
Governando um grande território africano,
Ajagunã guerreava sempre com os seus vizinhos.
Mas os vizinhos iam a Olofim-Olodumare
e protestavam pela agressividade de Ajagunã.
Diante de tantos protestos,
o Ser Supremo o chamou e repreendeu por seus exageros.
Ajagunã contestou dizendo que seu pai vivia confortavelmente,
sempre sentado na mesma cômoda posição,
não se dando conta do furor transformador
que a discórdia de Ajagunã gerava na Terra.

Ajagunã seguiu guerreando pelo mundo,
fazendo do cotidiano dos povos um pandemônio,
alastrando a arruaça, o tumulto, a balbúrdia e o litígio.
Até que um dia Olofim tirou-lhe o reino
e o baniu para um distante continente.
No exílio, Ajagunã encontrou um povo que vivia em paz
e isso enlouqueceu Ajagunã.
Rapidamente criou a discórdia entre aquelas tribos
e a guerra instalou-se no país.
Tanta guerra fez que ela voltou a se espalhar mundo afora.
Olodumare, alarmado, chamou o filho

e pediu-lhe que repensasse sua forma de agir.
Ajagunã disse-lhe que a discórdia era necessária para o progresso,
somente daquela forma o ser humano criaria anseios
de crescer e conquistar novos caminhos.
Sim, ele estava exercendo
a função que o pai lhe atribuíra,
defendeu-se.
O Supremo Criador aceitou as explicações de Ajagunã.
O mundo continuou a guerrear.
O mundo continuou a progredir.
Ajagunã não para nem para descansar.
[281]

Oxaguiã devolve o sexo aos homens

Dois príncipes irmãos disputavam entre si
a coroa de seu país.
O irmão mais novo foi o vencedor
e foi proclamado rei.
Ele devia matar o irmão vencido,
como mandava o costume naquele tempo,
para que ele mais tarde não ameaçasse seu poder.

Mas o jovem rei respeitava o irmão mais velho
e poupou sua vida.
Porém, para que o irmão um dia não ameaçasse tomar o poder,
o rei cortou-lhe o pênis,
pois assim ele nunca teria filhos
e sem herdeiros nunca poderia ameaçar o trono.
O jovem rei, contudo, amava seu irmão mais velho
e, para que ele não vivesse sempre só,
deu-lhe uma bela princesa como esposa.
Para que a mulher não se entregasse aos homens,
uma vez que seu marido não podia ter relações sexuais,
o rei mandou costurar a vagina da cunhada.

O infeliz casal foi viver longe da cidade,
trabalhando numa plantação de inhame
que era propriedade de Oxaguiã,
o orixá que gostava imensamente de inhame pilado.
O príncipe mutilado cultivava os inhames
e sua mulher os pilava para Oxaguiã.
Viviam pacatamente, mas eram tristes.
Oxaguiã nunca os escutava cantar,
nunca os via dançar,
jamais os ouvia rir.
À noite se deitavam bem juntos na esteira,
mas seus corpos não podiam se penetrar.

Enquanto isso, no reino do irmão castrador,
a peste se abateu e aniquilou a humanidade.
Já quase nenhum ser humano habitava a Terra.
Na plantação de inhame,
o casal continuava sua vida sem prazer,
sem filhos, sem sexo.

Oxaguiã um dia ficou com pena deles,
pois tratava-se de um homem forte e atraente
e de uma mulher jovem e bonita,
mas eles não podiam saciar seus desejos,
nem produzir uma nova vida.
Deitavam-se juntos na esteira,
mas não podiam se penetrar.
Oxalá então abriu a vagina da mulher
e fez para o homem um pênis novo,
um pênis novo modelado com a massa de inhame.
E eles fizeram sexo e tiveram filhos
e sua descendência repovoou toda a Terra.
O homem tem o pênis de massa de inhame,
que às vezes fica duro para fazer sexo.
Desde então, em dias de preceito,
homem e mulher não podem fazer sexo.
Devem abster-se em memória daquele tempo,
quando estavam impedidos de ter o prazer do corpo
e impossibilitados de gerar filhos.
Nesse dia, devem celebrar o orixá
que devolveu o sexo ao homem e à mulher.
[282]

Ajagunã destrói palácios para o povo trabalhar

Ajagunã, o filho guerreiro de Oxalá,
andava junto com Ogum fazendo a guerra.
Onde Ogum destruía uma cidade,
Ajagunã construía outra maior e mais próspera.
Conquistavam para seu povo todos os campos de inhame
e todas as riquezas em ouro e escravos.

O jovem Oxalá não tinha descanso,
estava sempre provocando novas situações,
obrigando todo mundo a trabalhar e progredir.
Onde a paz resultava em calmaria e preguiça
ele provocava a discórdia e o movimento,
ninguém podia se acomodar na presença de Ajagunã.

Um dia, entre uma batalha e outra,
Ajagunã foi à cidade de Ogum em busca de munição.
Lá chegando, viu que o povo festejava.
Tinham acabado a construção de um palácio novo,
que ofereciam para o seu rei Ogum.
A eles perguntou Ajagunã:
"Que fazeis agora que o palácio está feito?".
Responderam eles:
"Descansamos de nosso feito. Festejamos".
Disse Ajagunã:
"Vosso rei está em guerra e tardará.
Aproveitai o tempo e fazei um trabalho melhor.
Um palácio mais belo e resistente,
do qual ele haverá de mais se orgulhar".
E tocou a parede do palácio com sua espada
e o palácio ruiu.
Ajagunã voltou para a guerra
e quando, de outra feita, à cidade retornou,
lá estava o palácio refeito,
maior, mais imponente, mais bonito.
Ao povo que comemorava com festas
a conclusão da nova fortaleza de Ogum,
perguntou Oxalá Ajagunã:
"Que fazeis agora que o palácio está feito?".
Responderam eles:

"Descansamos de nosso feito. Festejamos".
Disse Ajagunã:
"Vosso rei está em guerra e tardará.
Aproveitai o tempo e fazei um trabalho melhor.
Um palácio mais belo e resistente,
do qual ele haverá de se orgulhar".
E derrubou o palácio de novo.
E tantas vezes isso se repetiu
que os habitantes daquela cidade se transformaram
num povo de grandes construtores
e sua engenharia é reconhecida até os dias de hoje.
Porque Ajagunã não gosta de ver ninguém parado.
[283]

Oxaguiã encontra Iemanjá e lhe dá um filho

Houve um tempo em que os orixás viviam do outro lado do oceano.
Mas depois tiveram que vir para o lado de cá,
para acompanhar seus filhos que foram trazidos como escravos.
Assim vieram todos e assim veio Oxaguiã.
Oxaguiã veio boiando na superfície do mar,
navegando no tronco flutuante de uma árvore.
A travessia durou muito tempo, mais de um ano.
Foi nessa viagem que Oxaguiã conheceu Iemanjá,
que era a dona do próprio mar em que viajava Oxaguiã.
Logo se conheceram e logo se gostaram.
Oxaguiã era moço, forte, corajoso;
Iemanjá era mulher bonita, destemida e sedutora.
Iemanjá engravidou de Oxaguiã
e nove meses depois deu à luz um menino,
que já nasceu valente e forte, querendo guerrear.

Mais tarde chamaram o menino de Ogunjá,
porque o guerreiro gostava de comer cachorro.
Sempre que ia à guerra, a mãe o acompanhava
e então todos a chamavam Iemanjá Ogunté.
Oxaguiã, Ogunté e Ogunjá formam uma família de guerreiros.
E eles são muito festejados no Brasil.
[284]

Oxalá — Obatalá — Orixanlá — Oxalufã

Oxalá — Obatalá — Orixanlá — Oxalufã

Orixanlá cria a Terra

No começo, o mundo era todo pantanoso e cheio d'água,
um lugar inóspito, sem nenhuma serventia.
Acima dele havia o Céu, onde viviam Olorum e todos os orixás,
que às vezes desciam para brincar nos pântanos insalubres.
Desciam por teias de aranha penduradas no vazio.
Ainda não havia terra firme, nem o homem existia.
Um dia Olorum chamou à sua presença Orixanlá, o Grande Orixá.
Disse-lhe que queria criar terra firme lá embaixo
e pediu-lhe que realizasse tal tarefa.
Para a missão, deu-lhe uma concha marinha com terra,
uma pomba e uma galinha com pés de cinco dedos.
Orixanlá desceu ao pântano e depositou a terra da concha.
Sobre a terra pôs a pomba e a galinha
e ambas começaram a ciscar.
Foram assim espalhando a terra que viera na concha
até que terra firme se formou por toda parte.
Orixanlá voltou a Olorum e relatou-lhe o sucedido.
Olorum enviou um camaleão para inspecionar a obra de Oxalá
e ele não pôde andar sobre o solo que ainda não era firme.
O camaleão voltou dizendo que a Terra era ampla,
mas ainda não suficientemente seca.
Numa segunda viagem o camaleão trouxe a notícia
de que a Terra era ampla e suficientemente sólida,
podendo-se agora viver em sua superfície.
O lugar mais tarde foi chamado Ifé, que quer dizer ampla morada.

Depois Olorum mandou Orixanlá de volta à Terra
para plantar árvores e dar alimentos e riquezas ao homem.
E veio a chuva para regar as árvores.
Foi assim que tudo começou.
Foi ali, em Ifé, durante uma semana de quatro dias,
que Orixá Nlá criou o mundo e tudo o que existe nele.
[285]

Obatalá cria o homem

Num tempo em que o mundo era apenas a imaginação de Olodumare,
só existia o infinito firmamento e abaixo dele a imensidão do mar.
Olorum, o Senhor do Céu, e Olocum, a Dona dos Oceanos,
tinham a mesma idade e compartilhavam
os segredos do que já existia e ainda existiria.
Olorum e Olocum tiveram dois filhos:
Orixalá, o primogênito, também chamado Obatalá,
e Odudua, o mais novo.

Olorum-Olodumare encarregou Obatalá,
o Senhor do Pano Branco, de criar o mundo.

Deu-lhe poderes para isso.
Obatalá foi consultar Orunmilá,
que lhe recomendou fazer oferendas para ter sucesso na missão.
Mas Obatalá não levou a sério as prescrições de Orunmilá,
pois acreditava somente em seus próprios poderes.
Odudua observava tudo atentamente
e naquele dia também consultou Orunmilá.
Orunmilá assegurou a Odudua
que, se ele oferecesse os sacrifícios prescritos,
seria o chefe do mundo que estava para ser criado.
A oferenda consistia em quatrocentas mil correntes,
uma galinha com pés de cinco dedos,
um pombo e um camaleão,
além de quatrocentos mil búzios.
Odudua fez as oferendas.

Chegado o dia da criação do mundo,
Obatalá se pôs a caminho até a fronteira do além,
onde Exu é o guardião.
Obatalá não fez as oferendas nesse lugar,
como estava prescrito.
Exu ficou muito magoado com a insolência
e usou seus poderes para se vingar de Oxalá.
Então uma grande sede começou a atormentar Obatalá.
Obatalá aproximou-se de uma palmeira
e tocou seu tronco com seu comprido bastão.
Da palmeira jorrou vinho em abundância
e Obatalá bebeu do vinho até embriagar-se.
Ficou completamente bêbado e adormeceu na estrada,
à sombra da palmeira de dendê.
Ninguém ousaria despertar Obatalá.

Odudua tudo acompanhava.
Quando certificou-se do sono de Oxalá,
Odudua apanhou o saco da criação
que fora dado a Obatalá por Olorum.
Odudua foi a Olodumare e lhe contou o ocorrido.
Olodumare viu o saco da criação em poder de Odudua
e confiou a ele a criação do mundo.
Com as quatrocentas mil correntes Odudua fez uma só
e por ela desceu até a superfície de *ocum*, o mar.
Sobre as águas sem fim, abriu o saco da criação
e deixou cair um montículo de terra.
Soltou a galinha de cinco dedos
e ela voou sobre o montículo, pondo-se a ciscá-lo.
A galinha espalhou a terra na superfície da água.
Odudua exclamou na sua língua: "Ilè nfé!",
que é o mesmo que dizer "A Terra se expande!",
frase que depois deu nome à cidade de Ifé,
cidade que está exatamente no lugar onde Odudua fez o mundo.
Em seguida Odudua apanhou o camaleão
e fez com que ele caminhasse naquela superfície,
demonstrando assim a firmeza do lugar.
Obatalá continuava adormecido.
Odudua partiu para a Terra para ser seu dono.

Então, Obatalá despertou e tomou conhecimento do ocorrido.
Voltou a Olodumare contando sua história.
Olodumare disse:
"O mundo já está criado.
Perdeste uma grande oportunidade".
Para castigá-lo, Olodumare proibiu Obatalá
de beber vinho de palma para sempre,
ele e todos os seus descendentes.

Mas a missão não estava ainda completa
e Olodumare deu outra dádiva a Obatalá:
a criação de todos os seres vivos que habitariam a Terra.
E assim Obatalá criou todos os seres vivos
e criou o homem e criou a mulher.
Obatalá modelou em barro os seres humanos
e o sopro de Olodumare os animou.
O mundo agora se completara.
E todos louvaram Obatalá.
[286]

Obatalá cria Icu, a Morte

Quando o mundo foi criado,
coube a Obatalá a criação do homem.
O homem foi criado e povoou a Terra.
Cada natureza da Terra, cada mistério e segredo,
foi tudo governado pelos orixás.
Com atenção e oferendas aos orixás,
tudo o homem conquistava.
Mas os seres humanos começaram a se imaginar
com os poderes que eram próprios dos orixás.
Os homens deixaram de alimentar as divindades.
Os homens, imortais que eram,
pensavam em si mesmos como deuses.
Não precisavam de outros deuses.

Cansado dos desmandos dos humanos,
a quem criara na origem do mundo,
Obatalá decidiu viver com os orixás no espaço sagrado
que fica entre o Aiê, a Terra, e o Orum, o Céu.

E Obatalá decidiu que os homens deveriam morrer;
cada um num certo tempo, numa certa hora.
Então Obatalá criou Icu, a Morte.
E a encarregou de fazer morrer todos os humanos.
Obatalá impôs, contudo, à morte Icu uma condição:
só Olodumare podia decidir a hora de morrer de cada homem.
A Morte leva, mas a Morte não decide a hora de morrer.
O mistério maior pertence exclusivamente a Olorum.
[287]

Obatalá provoca a inveja e é feito em mil pedaços

Obatalá foi ao mercado e comprou um escravo.
Pôs o escravo trabalhando em sua terra.
O escravo trabalhou duro e a terra floresceu.
Obatalá ficou feliz.
Todos ficaram com inveja da plantação de Obatalá.
Um dia Obatalá estava caminhando por suas terras
quando o escravo, subornado pelos invejosos,
rolou uma imensa pedra sobre ele e o esmagou.
A pedra esmagou Obatalá
e seu corpo foi feito em mil pedaços.
Olorum viu tudo isso e, descontente,
mandou Exu recolher os mil pedaços de Oxalá.
Exu recolheu de Obatalá todos os pedaços que encontrou,
mas não pôde encontrar todas as partes.
Levou o que pôde a Olorum
e Olorum juntou os pedaços e de novo deu vida a Obatalá.
Mas Exu não pôde de fato encontrar todas as partes,
pois muitas delas se perderam longe, muito longe.
Por isso, dizem,

Obatalá está espalhado pelo mundo inteiro.
Obatalá está em todo lugar.
[288]

Obatalá fere acidentalmente sua esposa Iemu

Desde o dia em que Obatalá se casou com Iemu,
ela parou de tomar água e passou a beber sangue,
sangue fresco de animais, que Obatalá devia prover.
Um babalaô tinha dito a ela que os filhos viriam com sangue
e foi assim que ela interpretou a mensagem do oráculo.
Ela queria filhos, então alimentava-se de sangue.
Obatalá não tinha armas para caçar
e por isso foi ao babalaô para saber como fazer.
Foi preparada então uma colher de pau com poderes mágicos.
Quando Obatalá apontava a colher de pau para um animal,
dele jorrava sangue fresco, que levava à sua mulher.
Diariamente Obatalá ia à floresta em busca de sangue
e Iemu ficava muito intrigada que ele o conseguisse,
pois sabia que o marido não tinha arma alguma
e muito menos o dom de caçador.
Resolveu seguir Obatalá e descobrir o segredo.
Fez um furo no embornal de Oxalá e o encheu de cinzas.

Quando Obatalá foi ao mato em busca de sangue,
bastou a Iemu seguir o rastro de cinzas deixado por ele.
Seguiu o marido escondida no mato, sem se deixar por ele descobrir.
E lá estava ele na clareira onde sempre esperava por algum bicho.
Quando ouviu o ruído de algo se aproximando entre os arbustos,
Obatalá apontou sua mágica colher de pau naquela direção
e imediatamente um grito de mulher ferida ecoou na mata.

Correu para os arbustos e lá estava Iemu caída,
com sangue fresco jorrando por entre as pernas.
Ele a carregou nos braços e a levou ao babalaô.
O babalaô mandou que ela oferecesse cinco galinhas,
uma galinha a cada dia, em cinco dias sucessivos.
Assim foi feito e Iemu parou de sangrar.
Ela e Obatalá fizeram sexo e ela engravidou.
Iemu teve muitos filhos de Obatalá.
Desde aquele dia na clareira,
todas as mulheres passaram a sangrar a cada mês.
E somente aquelas que podem sangrar podem ter filhos.
Obatalá, por sua vez, nunca mais quis saber de sangue.
[289]

Orixalá guarda de lembrança uma pena de Ecodidé

Orixalá era muito amigo de um pequeno pássaro chamado Ecodidé.
Orixalá dividia todos os seus segredos e desejos com Ecodidé.
Ecodidé era um belo papagaio
com brilhantes penas vermelhas na cauda.
Ele se recostava junto da cadeira de Orixalá para ouvi-lo falar.

Um dia, porém, Exu resolveu atrapalhar
a amizade entre o pássaro e Orixalá.
Exu sentia inveja e ciúme de Orixalá.
Ele pôs uma tigela cheia de azeite perto da cauda do pássaro
e a cauda dele encharcou-se toda.
Quando Ecodidé ergueu-se para acompanhar Orixalá,
o azeite escorreu de sua cauda e caiu sobre Orixalá
e também sobre tudo por onde Ecodidé passava.
Orixalá não suporta dendê, é seu tabu.

Orixalá escorraçou Ecodidé de sua casa:
"Não quero ver-te nunca mais.
De hoje em diante és uma coisa ruim para mim.
Fora da minha casa!".
Ecodidé ficou muito magoado com aquilo,
mas Orixalá guardou de lembrança uma de suas penas vermelhas,
porque sempre foram muito amigos
antes de tudo aquilo ter acontecido.
[290]

Oxalá salva seus filhos com a ajuda de Orunmilá

Os filhos de Oxalá eram meninos muito malcriados.
Junto com outros moleques levados, sem respeito
invadiam roças e fundos de quintal dos vizinhos.
Roubavam frutas, mel e tudo o que podiam apanhar.
Viviam atormentando os habitantes do lugar.
Orunmilá e Oxalá, então, combinaram um *ebó*
para dominar os traquinas, acalmar os seus *oris*.
Oxalá levou os filhos à casa de Orunmilá,
onde os meninos ficaram reclusos para as obrigações.

No outro dia,
os outros meninos vadios foram procurar os filhos de Oxalá,
mas não os encontraram para levá-los às suas algazarras.
Foram então para suas aventuras sem os filhos de Oxalá.
Mas, quando se encontravam na copa de uma árvore,
comendo as frutas e rindo do roubado proprietário,
eis que o dono surge gritando contra eles e dando tiros para o ar.
O susto das crianças foi tamanho que caíram lá de cima,
no chão, quebrando pernas, braços e cabeça.
Os filhos de Oxalá, que estavam em paz na casa de Orunmilá,
em oferendas para acalmar o buliçoso temperamento,
livraram-se, assim, do castigo que os companheiros receberam.
Com a lição e com o *ebó*, tomaram juízo
e cresceram homens respeitosos e respeitados.
[291]

Oxalá cria a galinha-d'angola e espanta a Morte

Há muito tempo, a Morte instalou-se numa cidade
e dali não quis mais ir embora.
A mortandade que ela provocava era sem tamanho
e todas as pessoas do lugar estavam apavoradas.
A cada instante tombava mais um morto.
Para a Morte não fazia diferença alguma
se o defunto fosse homem ou mulher,
se o falecido fosse velho, adulto ou criança.
A população, desesperada e impotente, recorreu a Oxalá,
rogando-lhe que ajudasse o povo daquela infeliz cidade.
Oxalá, então, mandou que fizessem oferendas,
que ofertassem uma galinha preta e o pó de giz *efum*.
Fizeram tudo como ordenava Oxalá.

Com o *efum* pintaram as pontas das penas da galinha preta
e em seguida a soltaram no mercado.
Quando a Morte viu aquele estranho bicho,
assustou-se e imediatamente foi-se embora,
deixando em paz o povo daquela cidade.
Foi assim que Oxalá fez surgir a galinha-d'angola.
Desde então, as *iaôs*, sacerdotisas dos orixás, são pintadas como ela
para que todos se lembrem da sabedoria de Oxalá
e da sua compaixão.
[292]

Oxalá é proibido de consumir sal

Oxalá foi consultar Ifá
para saber como melhor tocar a vida.
Os adivinhos recomendaram que fizesse *ebó*,
que oferecesse aos deuses uma cabaça de sal e um pano branco.
Assim Oxalá não passaria por transtornos
e não sofreria desonras e outras ofensas morais na Terra.

Dando de ombros ao conselho,
Oxalá foi dormir sem cumprir o recomendado.
De noite Exu entrou na casa de Oxalá.
Ele trazia uma cabaça cheia de sal
e a amarrou nas costas de Oxalá.
Na manhã seguinte Oxalá despertou corcunda.
Desde então tornou-se protetor dos corcundas,
dos albinos e toda sorte de aleijados.
Mas foi para sempre proibido de consumir sal.
[293]

Oxalá é feito albino por Exu

Um dia Oxalá e Exu puseram-se a discutir.
Quem era o mais antigo orixá do mundo?
A briga foi tamanha que foram convidados a lutar entre si.
Ambos foram consultar Ifá.
Mas somente Oxalá realizou as oferendas.
Chegado o dia da luta,
todas as divindades se reuniram numa praça de Ifé.
Oxalá por três vezes derrubou Exu com suas mãos.
Exu recompôs-se as três vezes.

Os presentes conclamavam Exu
a usar seus poderes mágicos para derrotar Oxalá.
Num movimento, Exu sacou uma pequena cabaça,
abriu-a em direção a Oxalá e uma estranha fumaça branca
encobriu seu inimigo,
descolorindo totalmente a pele do rei.
Oxalá tentou recobrar sua cor, mas foi em vão.

A disputa prosseguia.
Num lance final, Oxalá venceu o oponente
e o obrigou a lhe entregar a terrível cabaça
que o descolorira para sempre.
Exu obedeceu e entregou-lhe sua cabacinha.
Oxalá agarrou-a e guardou-a no seu saco.
Oxalá foi então aclamado vencedor,
o verdadeiro senhor do poder,
o dono do princípio e do fim.
"Oxalá é o maior de todos os orixás", gritavam.
"Oxalá conseguiu suplantar Exu", aclamavam.
Oxalá ficou para sempre com a cabaça de Exu

e com seu poder Oxalá marca seus devotos,
transformando humanos em albinos.
[294]

Obatalá separa o Céu da Terra

No início não havia a proibição de se transitar entre o Céu e a Terra.
A separação dos dois mundos foi fruto de uma transgressão,
do rompimento de um trato entre os homens e Obatalá.
Qualquer um podia passar livremente do Orum para o Aiê.
Qualquer um podia ir sem constrangimento do Aiê para o Orum.

Certa feita um casal sem filhos procurou Obatalá
implorando que desse a eles o filho tão desejado.
Obatalá disse que não, pois os humanos que no momento fabricava
ainda não estavam prontos.
Mas o casal insistiu e insistiu,
até que Obatalá se deu por vencido.
Sim, daria a criança aos pais, mas impunha uma condição:
o menino deveria viver sempre no Aiê
e jamais cruzar a fronteira do Orum.
Sempre viveria na Terra, nunca poderia entrar no Céu.
O casal concordou e foi-se embora.
Como prometido, um belo dia nasceu a criança.
Crescia forte e sadio o menino,
mas ia ficando mais e mais curioso.
Os pais viviam com medo de que o filho um dia
tivesse curiosidade de visitar o Orum.
Por isso escondiam dele a existência do Céu,
morando num lugar bem distante de seus limites.
Acontece que o pai tinha uma plantação

que avançava para dentro do Orum.
Sempre que ia trabalhar em sua roça,
o pai saía dizendo que ia para outro lugar,
temeroso de que o menino o acompanhasse.
Mas o menino andava muito desconfiado.
Fez um furo no saco de sementes que o pai levava para a roça
e, seguindo a trilha das sementes que caíam no caminho,
conseguiu finalmente chegar ao Céu.

Ao entrar no Orum,
foi imediatamente preso pelos soldados de Obatalá.
Estava fascinado: tudo ali era diferente e miraculoso.
Queria saber tudo, tudo perguntava.
Os soldados o arrastavam para levá-lo a Obatalá
e ele não entendia a razão de sua prisão.
Esperneava, gritava, xingava os soldados.
Brigou com os soldados,
fez muito barulho, armou um escarcéu.
Com o rebuliço, Obatalá veio saber o que estava acontecendo.
Reconheceu o menino que dera para o casal de velhos
e ficou furioso com a quebra do tabu.
O menino tinha entrado no Orum!
Que atrevimento!
Em sua fúria, Obatalá bateu no chão com seu báculo,
ordenando a todos que acabassem com aquela confusão.
Fez isso com tanta raiva que seu *opaxorô*
atravessou os nove espaços do Orum.
Quando Obatalá retirou de volta o báculo,
tinha ficado uma rachadura no universo.
Dessa rachadura surgiu o firmamento,
separando o Aiê do Orum para sempre.
Desde então, os orixás ficaram residindo no Orum

e os seres humanos, confinados no Aiê.
Somente após a morte poderiam os homens ingressar no Orum.
[295]

Obatalá rouba o pescador cego

Obatalá tem enormes poderes.
Obatalá tem o poder de trazer fortuna às pessoas,
tem o poder de devolver a visão a um homem cego.
O cego pescador de nome Ojiá certo dia percebeu
que alguém se aproveitava de sua cegueira e lhe furtava os peixes.
Ele não conseguia flagrar o ladrão porque não podia enxergá-lo.
O pescador, então, foi consultar Ifá
para descobrir quem roubava o fruto de seu trabalho.
Ifá ensinou ao pescador uma canção,
que deveria cantar sempre que fosse pescar.
A canção acusava o ladrão,
descrevendo suas roupas e sua aparência.
Era Obatalá quem roubava os peixes.
Ele havia usado os peixes
para fazer o *ebó* que lhe dera seus enormes poderes.
Obatalá ficou muito surpreso ao ouvir aquela canção,
que o descrevia tão perfeitamente.
Foi ao pescador e lhe pediu que não contasse a ninguém
que era ele o autor daqueles furtos.
O pescador disse que nada contaria
desde que Obatalá lhe devolvesse a visão.
Obatalá assim o fez
e sua fama de honesto e poderoso foi preservada.
[296]

Oxalá expulsa o filho chamado Dinheiro

Oxalá tinha um filho chamado Dinheiro,
prepotente e abusado,
que se achava mais poderoso que o pai.
Contando vantagem, proclamou ser tão destemido
que era capaz de capturar até a Morte.
Para demonstrar seu poder perante todos,
Dinheiro pôs-se a pensar como realizar tal façanha.
Fez um *ebó* e saiu maquinando.
Onde morava Icu, a Morte?
Onde a encontraria?
Deitou-se na encruzilhada para pensar melhor
e as pessoas que passavam na estrada
deparavam com um homem espichado no meio do caminho.
Até que um transeunte disse assim:
"Que faz este homem assim esticado no caminho,
com a cabeça para a casa da Morte,
os pés para as bandas da doença
e os lados do corpo para o lugar da desavença?".
Ouvindo tais palavras, levantou-se o homem e disse:
"Já sei tudo o que era preciso saber".
E lá se foi ele direto para o lugar onde a Morte residia.
Chegando à casa dela, entrou sorrateiramente
e começou a bater os tambores fúnebres
que a dona da casa usava quando matava as pessoas.
Icu veio apressada, irritada mesmo,
e entrou em casa afoitamente sem nenhum cuidado,
querendo saber quem estava tocando os seus tambores.
Dinheiro tinha uma rede preparada
que jogou sobre a Morte, fazendo dela prisioneira.
Feliz da vida, lá foi Dinheiro para a casa de seu pai,

levando sua horrenda presa para provar seu poder.
Mas Oxalá o recebeu furioso:
"Ah! Tu que és capaz de causar todo o bem e todo o mal
agora te atreves a trazer à minha casa a própria Morte,
só para dar provas de tua força!
Vai-te embora daqui com tua conquista, filho destemperado.
Dinheiro que carrega a Morte nunca será boa coisa,
mesmo que tudo possa comprar e possuir".
E assim Oxalá expulsou o Dinheiro de sua casa.
[297]

Orixalá ganha o mel de Odé

Orixalá vivia com Odé debaixo do pé de algodão.
Odé ia para a caça e levava Orixalá.
Orixalá ia para o peji e levava Odé.
Eles eram grandes companheiros.
Mas Odé reclamava sempre de Orixalá,
que era muito lento e andava devagar.
Estava muito velho o orixá do pano branco.
E Orixalá reclamava de Odé Oxóssi,
que era muito rápido e sempre andava bem depressa.
Era muito jovem o caçador.
Então os dois resolveram se separar.
Mas Odé estava muito triste,
porque fora criado por Orixalá.
E Orixalá estava muito triste,
porque fora ele quem criara Odé.
Odé disse então a Orixalá
que todo o mel que ele colhesse
seria sempre dado a Orixalá

e que ele mesmo nunca mais provaria uma gota,
reservando tudo o que coletasse ao velho orixá.
E que Orixalá sempre dele se lembrasse,
quando comesse seu arroz com o mel do caçador.
Nunca mais Odé comeu do mel.
Nunca Orixalá de Odé se esqueceu.
[298]

Oxalufã é banhado com água fresca e limpa ao sair da prisão

Um dia Oxalufã, que vivia com seu filho Oxaguiã,
velho e curvado por sua idade avançada,
resolveu viajar a Oió em visita a Xangô, seu outro filho.
Foi consultar um babalaô para saber acerca do passeio.
O adivinho recomendou-lhe não seguir viagem,
pois a jornada seria desastrosa e poderia acabar muito mal.
Mesmo assim, Oxalufã, por teimosia,
resolveu não renunciar à sua intenção.
O adivinho aconselhou-o então a levar consigo três panos brancos,
limo da costa e sabão da costa.
E disse a Oxalá ser imperativo tudo aceitar com calma

e fazer tudo o que lhe pedissem ao longo da estrada.
Com tal postura talvez pudessse não perder a vida no caminho.

Em sua caminhada, Oxalufã encontrou Exu três vezes.
Três vezes Exu solicitou ajuda ao velho rei
para carregar seu fardo pesadíssimo de dendê, cola e carvão,
o qual Exu acabou, nas três vezes, derrubando em cima de Oxalufã.
Três vezes Oxalufã ajudou Exu a carregar seus fardos sujos.
E por três vezes Exu fez Oxalufã sujar-se
de azeite de dendê,
de carvão,
e outras substâncias enodoantes.
Três vezes Oxalufã ajudou Exu.
Três vezes suportou calado as armadilhas de Exu.
Três vezes foi Oxalufã ao rio mais próximo lavar-se e trocar as vestes.

Finalmente chegou Oxalá à cidade de Oió.
Na entrada viu um cavalo perdido, que ele reconheceu
como o cavalo que havia presenteado a Xangô.
Tentou amansar o animal para amarrá-lo e devolvê-lo ao amigo.
Mas nesse momento chegaram alguns soldados do rei
à procura do animal perdido.
Viram Oxalufã com o cavalo e pensaram
tratar-se do ladrão do animal.
Maltrataram e prenderam Oxalufã.
Sempre calado, o orixá deixou-se levar prisioneiro.
Magoado e desgostoso foi arrastado ao cárcere sem comiseração.
O tempo passou e Oxalufã continuava preso e sem direito de defesa.
Humilhado, decidiu que aquele povo presunçoso e injusto
merecia uma lição.
E o velho orixá usou de seus poderes e vingou-se de Oió.
Assim, Oió viveu por longos sete anos a mais profunda seca.

As mulheres e os campos tornaram-se estéreis
e muitas doenças incuráveis assolaram o reino.

O rei Xangô, em desespero, consultou o babalaô da corte
e soube que um velho sofria injustamente como prisioneiro,
pagando por um crime que não cometera.
Disse-lhe também que o velho nunca havia reclamado,
mas que sua vingança tinha sido a mais terrível.

Xangô correu imediatamente para a prisão.
Para seu espanto, o velho aprisionado era Oxalufã.
Xangô ordenou que trouxessem água do rio para lavar o rei,
água limpa e fresca das fontes para banhar o velho orixá.
Que lavassem seu corpo e o untassem com limo da costa.
Que providenciassem os panos mais alvos para envolvê-lo.
O rei de Oió mandou seus súditos vestirem-se de branco também.
E determinou que todos permanecessem em silêncio.
Pois era preciso, respeitosamente, pedir perdão a Oxalufã.
Xangô vestiu-se também de branco
e nas suas costas carregou o velho rei.
E o levou para as festas em sua homenagem
e todo o povo saudava Oxalá
e todo o povo saudava Airá, o Xangô Branco.
Depois Oxalufã voltou para casa
e Oxaguiã ofereceu um grande banquete
em celebração pelo retorno do pai.
Terminadas as homenagens, Oxalá partiu de volta para casa.
Caminhava lentamente, apoiando-se no *opaxorô*,
comprido báculo de lenho que o ajuda a se locomover.
Seus acompanhantes cobriam-no com o branco *alá*,
alvo pálio que protege o velho orixá da luz e do calor do sol.

Quando Oxalufã chegou em casa,
Oxaguiã realizou muitos festejos
para celebrar o retorno do velho pai.
[299]

Obatalá usa a coroa de ecodidé e é chamado rei dos orixás

Obatalá queria ser o rei dos orixás
e ser considerado um homem sábio e superior.
Consultou um babalaô
e o babalaô o mandou fazer uma oferenda,
fazer um *ebó*.
Foi dito a ele que fosse ao mercado,
comprasse a primeira escrava que achasse
e de nada reclamasse.
E depois fizesse o *ebó*,
que levaria inúmeras pedras.
Assim fez.
Achou uma moça sentada em uma esteira
por um preço muito barato.
Comprou-a, mas quando foi levá-la para casa
viu que era aleijada, com muita dificuldade para andar.
Lembrou o conselho do oráculo, não reclamou
e carregou a escrava consigo.
Como ela não servia para fazer as tarefas domésticas,
levou-a para uma plantação que tinha em Iranjê
e a deixou sentada junto aos cultivos de inhame,
com ordem de espantar os pássaros que estragavam as plantas.
E foi reunindo os materiais do *ebó* ao lado dela.
Quando ele saiu para buscar alguns ingredientes,
os pássaros vieram.

Por mais que ela gritasse, não conseguia afugentá-los.
Então apanhou as pedras separadas para o *ebó*
e as atirou nos pássaros.
Os pássaros tinham belas penas vermelhas na cauda,
que eram chamadas *ecodidés*, pois *edidé* era o nome do pássaro.
Pois bem, na revoada em fuga, muitos dos pássaros perderam penas.
O chão ficou coalhado de penas vermelhas e brilhantes.
Ela apanhou as penas e enfeitou o *adê*, a coroa, de Obatalá.
Ficou *odara* o *adê* de Obatalá.
Ficou muito bonita a coroa de Oxalá.

Chegando bem tarde, Obatalá fez o *ebó*
e se preparou para ir a uma festa que reuniria os orixás.
Usou suas roupas brancas, muito limpas e engomadas.
Na cabeça, o *adê* todo enfeitado com os *ecodidés*.
Chegando à festa, foi recebido com admiração e respeito.
Todos comentavam a beleza e a delicadeza do *adê*.
Combinava perfeitamente com suas alvíssimas vestimentas.
Seus panos brancos, engomados e muito bem passados,
eram extraordinariamente elegantes,
encimados pela belíssima coroa.
Todos os orixás queriam uma coroa igual
e Oxalá recomendou que fossem à sua casa
e encomendassem à sua escrava uma coroa igual.
Com isso ele ganhou muito dinheiro, prosperou, ficou rico.
Oxalá passou a ser conhecido desde então como o Rei dos Orixás,
Orixá Nlá, Orixanlá, o Grande Orixá.
[300]

Epílogo

Epílogo

E foi inventado o candomblé...

No começo não havia separação entre
o Orum, o Céu dos orixás,
e o Aiê, a Terra dos humanos.
Homens e divindades iam e vinham,
coabitando e dividindo vidas e aventuras.
Conta-se que, quando o Orum fazia limite com o Aiê,
um ser humano tocou o Orum com as mãos sujas.
O céu imaculado do Orixá fora conspurcado.
O branco imaculado de Obatalá se perdera.
Oxalá foi reclamar a Olorum.
Olorum, Senhor do Céu, Deus Supremo,
irado com a sujeira, o desperdício e a displicência dos mortais,
soprou enfurecido seu sopro divino
e separou para sempre o Céu da Terra.
Assim, o Orum separou-se do mundo dos homens
e nenhum homem poderia ir ao Orum e retornar de lá com vida.
E os orixás também não poderiam vir à Terra com seus corpos.
Agora havia o mundo dos homens e o dos orixás, separados.
Isoladas dos humanos habitantes do Aiê,
as divindades entristeceram.
Os orixás tinham saudade de suas peripécias entre os humanos
e andavam tristes e amuados.
Foram queixar-se com Olodumare, que acabou consentindo
que os orixás pudessem vez por outra retornar à Terra.
Para isso, entretanto,

teriam que tomar o corpo material de seus devotos.
Foi a condição imposta por Olodumare

Oxum, que antes gostava de vir à Terra brincar com as mulheres,
dividindo com elas sua formosura e vaidade,
ensinando-lhes feitiços de adorável sedução e irresistível encanto,
recebeu de Olorum um novo encargo:
preparar os mortais para receberem em seus corpos os orixás.
Oxum fez oferendas a Exu para propiciar sua delicada missão.
De seu sucesso dependia a alegria dos seus irmãos e amigos orixás.
Veio ao Aiê e juntou as mulheres à sua volta,
banhou seus corpos com ervas preciosas,
cortou seus cabelos, raspou suas cabeças,
pintou seus corpos.
Pintou suas cabeças com pintinhas brancas,
como as penas da galinha-d'angola.
Vestiu-as com belíssimos panos e fartos laços,
enfeitou-as com joias e coroas.
O *ori*, a cabeça, ela adornou ainda com a pena *ecodidé*,
pluma vermelha, rara e misteriosa do papagaio-da-costa.
Nas mãos as fez levar *abebés*, espadas, cetros,
e nos pulsos, dúzias de dourados *indés*.
O colo cobriu com voltas e voltas de coloridas contas
e múltiplas fieiras de búzios, cerâmicas e corais.
Na cabeça pôs um cone feito de manteiga de *ori*,
finas ervas e *obi* mascado,
com todo condimento de que gostam os orixás.
Esse *oxo* atrairia o orixá ao *ori* da iniciada e
o orixá não tinha como se enganar em seu retorno ao Aiê.
Finalmente as pequenas esposas estavam feitas,
estavam prontas, e estavam *odara*.
As *iaôs* eram as noivas mais bonitas

que a vaidade de Oxum conseguia imaginar.
Estavam prontas para os deuses.

Os orixás agora tinham seus cavalos,
podiam retornar com segurança ao Aiê,
podiam cavalgar o corpo das devotas.
Os humanos faziam oferendas aos orixás,
convidando-os à Terra, aos corpos das *iaôs*.
Então os orixás vinham e tomavam seus cavalos.
E, enquanto os homens tocavam seus tambores,
vibrando os batás e agogôs, soando os xequerês e adjás,
enquanto os homens cantavam e davam vivas e aplaudiam,
convidando todos os humanos iniciados para a roda do *xirê*,
os orixás dançavam e dançavam e dançavam.
Os orixás podiam de novo conviver com os mortais.
Os orixás estavam felizes.
Na roda das feitas, no corpo das *iaôs*,
eles dançavam e dançavam e dançavam.
Estava inventado o candomblé.
[301]

Notas bibliográficas e comentários

[1] *Exu ganha o poder sobre as encruzilhadas.* William Bascom, 1980, pp. 101-2. Este mito, com muitas variantes colhidas em terreiros brasileiros, ensina uma das mais caras tradições do candomblé, segundo a qual o aprendizado iniciático deve ser lento e baseado na observação, de preferência sem que o iniciando faça perguntas. Quem pergunta muito não aprende. Também afirma a ideia de que o número 16 para os iorubás é a perfeição, a totalidade, número que se repete frequentemente em mitos e fórmulas rituais.

[2] *Exu respeita o tabu e é feito o decano dos orixás.* Juana Elbein dos Santos, 1976, pp. 176-8. Filhos de Exu são proibidos de levar qualquer coisa na cabeça. Quem usa o *ecodidé* no ritual da iniciação no candomblé também é interditado de carregar objetos na cabeça por um período de tempo.

[3] *Exu ajuda Olofim na criação do mundo.* Natalia Aróstegui, 1994 (a), pp. 53-4. Por Olofim, ou Olofi, designa-se em Cuba o Deus Supremo, no Brasil chamado mais frequentemente de Olorum e, na África, de Olodumare ou Olorum.

[4] *Exu come tudo e ganha o privilégio de comer primeiro.* Rita de Cássia Amaral, pesquisa de campo, São Paulo, 1986. Em todas as cerimônias do candomblé, Exu é sempre o primeiro a receber homenagens e sacrifícios. Outros mitos também tratam dessa prerrogativa de Exu.

[5] *Exu põe fogo na casa e vira rei.* Agenor Miranda Rocha, 1928, p. 2 [1999, pp. 35-6]; Pierre Verger, 1957, p. 113 [1999, p.126]; Deoscóredes Maximiliano dos Santos, 1963, pp. 107-8; D. M. dos Santos, 1981, pp. 85-6; Willfried Feuser e Mariano Carneiro da Cunha, 1982, pp. 4-5; Júlio Braga, 1988, p. 175; Braga, 1989, p. 17.

[6] *Eleguá guarda o portão de Aganju.* Lydia Cabrera, 1980, p. 79. Eleguá (Elleguá) é o nome de Exu na santeria de Cuba. Muitas qualidades (caminhos) de Eleguá, no entanto, têm nomes de Exu (Echu). Em geral o nome Exu é reservado a aspectos malfazejos do orixá.

[7] *Exu leva dois amigos a uma luta de morte.* Noël Baudin, 1884, p. 53; Pierre Verger, 1954, p. 183; Verger, 1957, p. 112 [1999, pp. 124-5]; Deoscóredes Maximiliano dos Santos, 1963, pp. 17-9; Ulli Beier, 1980, pp. 55-6; Verger, 1980, pp. 286-7; Verger, 1981 (a), p. 77; Verger, 1981 (b), pp. 10-4; Verger, 1985, pp. 11-2. Noutra versão, depois de muita luta, os dois são levados para ser julgados pelo rei (Philip Neimark, 1993, pp. 74-5).

[8] *Legba carrega uma panela que se transforma em sua cabeça.* Bernard Maupoil, 1943, pp. 53-5; Juana Elbein dos Santos, 1976, pp. 214-5. Para os iorubás, a cabeça, o *ori*, é uma dádiva que recebe sacrifício, tradição mantida nos candomblés através do *bori*, cerimônia de dar comida à cabeça.

[9] *Exu ajuda um homem a trapacear.* Agenor Miranda Rocha, 1928, pp. 47-8 [1999, pp. 139-41]; Deoscóredes Maximiliano dos Santos, 1961, pp. 25-6; Willfried Feuser e Mariano Carneiro da Cunha, 1982, pp. 117-8; Júlio Braga, 1988, p. 201; Braga, 1989, p. 52.

[10] *Exu promove uma guerra em família.* Pierre Verger, 1954, p. 183; Verger, 1957, p. 113 [1999, p. 125]; Verger, 1980, p. 287; Verger, 1981 (a), p. 77. Uma das artimanhas de Exu consiste em jogar as pessoas umas contra as outras.

[11] *Eleguá ganha a primazia nas oferendas.* Lydia Cabrera, 1993, pp. 81-2.

[12] *Bará aprende a trabalhar com Ogum.* Reginaldo Prandi, pesquisa de campo, Porto Alegre, 1994. Bará, corruptela de Elegbara, é o nome pelo qual Exu é referido no batuque, a religião dos orixás do Rio Grande do Sul, onde o nome Exu é exclusivo da umbanda e designa entidades cultuadas na linha da quimbanda, que se acredita trabalharem para o mal.

[13] *Exu vinga-se por causa de ebó feito com displicência.* Pierre Verger, 1981 (b), pp. 16-7; Verger, 1985, pp. 13-4.

[14] *Eleguá espanta a clientela das adivinhas.* Lydia Cabrera, 1993, pp. 84-5; Pierre Verger, 1957, pp. 111-2 [1999, pp. 124-5]. Neste mito cubano, Obatalá é orixá feminino, podendo ter em Cuba qualidades ou avatares (caminhos) masculinos e femininos.

[15] *Exu recebe ebó e salva um homem doente*. Agenor Miranda Rocha, 1928, p. 7 [1999, p. 50]; Willfried Feuser e Mariano Carneiro da Cunha, 1982, p. 15; Júlio Braga, 1988, p. 177; Braga, 1989, p. 20.

[16] *Exu provoca a ruína da vendedora do mercado*. Pierre Verger, 1954, p. 183; Verger, 1954, p. 113 [1999, p. 125]; Verger, 1980, p. 287; Verger, 1981 (a), p. 77.

[17] *Exu come antes dos demais na festa de Iemanjá*. Rita Segato, 1995, pp. 377-8.

[18] *Eleguá ajuda Orunmilá a ganhar o cargo de adivinho*. Lydia Cabrera, 1993, pp. 89-90.

[19] *Exu tenta trocar a morada dos deuses*. Leo Frobenius, 1949, pp. 234-8.

[20] *Exu corta o nariz do artesão que não fez o ebó prometido*. Deoscóredes Maximiliano dos Santos, 1976, pp. 17-8.

[21] *Exu não consegue vencer a Morte*. Harold Courlander, 1973, pp. 163-5.

[22] *Exu atrapalha-se com as palavras*. Harold Courlander, 1973, pp. 29-31.

[23] *Exu põe Orunmilá em perigo e depois o salva*. William Bascom, 1969, pp. 223-7; Harold Courlander, 1973, pp. 71-4.

[24] *Exu instaura o conflito entre Iemanjá, Oiá e Oxum*. Harold Courlander, 1973, pp. 75-8.

[25] *Elegbara devora até a própria mãe*. Juana Elbein dos Santos, 1976, pp. 135-7; Monique Augras, 1983, pp. 96-7.

[26] *Exu provoca a rivalidade entre duas esposas*. Geoffrey Parrinder, 1967, pp. 90-1.

[27] *Exu torna-se o amigo predileto de Orunmilá*. Harold Courlander, 1973, pp. 59-62.

[28] *Exu leva aos homens o oráculo de Ifá*. Leo Frobenius, 1949, pp. 228-30; Arno Vogel et alii, 1993, pp. 15-6.

[29] *Exu ajuda um mendigo a enriquecer.* Agenor Miranda Rocha, 1928, pp. 60-1 [1999, pp. 167-9]; Deoscóredes Maximiliano dos Santos, 1963, pp. 22-4; D. M. dos Santos, 1981, pp. 17-9; Willfried Feuser e Mariano Carneiro da Cunha, 1982, pp. 154--6; Júlio Braga, 1988, pp. 211-2; Braga, 1989, p. 64.

[30] *Exu vinga-se e exige o privilégio das primeiras homenagens.* Roger Bastide, 1945, p. 115; Pierre Verger, 1957, p. 110 [1999, pp. 122-3]; Bastide, 1978, pp. 178-9.

[31] *Ogum dá aos homens o segredo do ferro.* Harold Courlander, 1973, pp. 33-7; fragmento em Jan Knappert, 1995, p. 185.

[32] *Ogum torna-se rei de Irê.* Pierre Verger, 1957, p. 142 [1999, p. 126]; Ulli Beier, 1980, p. 37.

[33] *Ogum mata seus súditos e é transformado em orixá.* Pierre Verger, 1957, p. 142 [1999, p. 152]; Ulli Beier, 1980, pp. 34-5; Verger, 1980, p. 286; Verger, 1981 (b), pp. 23-4; Verger, 1985, p. 15; Agenor Miranda Rocha, 1994, pp. 70-2.

[34] *Ogum faz instrumentos agrícolas para Oxaguiã.* Reginaldo Prandi, pesquisa de campo, Salvador, 1994. O mito dá razões para o uso de roupa branca por Ogunjá, qualidade de Ogum, e para o uso de algum pedaço de azul na roupa branca de Oxaguiã. Para Mestre Didi, Deoscóredes Maximiliano dos Santos, Oxaguiã é um Oxalá com um pouquinho de azul e Ogunjá é um Oxalá com bastante azeite de dendê.

[35] *Ogum repudia Oiá por causa de Xangô.* Monique Augras, 1983, pp. 142-3.

[36] *Ogum é castigado por incesto a viver nas estradas.* Natalia Aróstegui, 1994 (a), pp. 53-4.

[37] *Ogum cria a forja.* Síkírú Sàlámì, 1997, pp. 69-73.

[38] *Ogum faz ebó e se torna uma potência.* Agenor Miranda Rocha, 1928, p. 8; Willfried Feuser e Mariano Carneiro da Cunha, 1982, pp. 16-7; Júlio Braga, 1989, p. 21.

[39] *Ogum reconquista o amor de Oxum.* Roger Bastide, 1978, p. 163; Monique Augras, 1983, p. 109; Rita Segato, 1995, p. 387.

[40] *Ogum recompensa a generosidade da vendedora de acaçá.* Agenor Miranda Rocha, 1928, p. 13 [1999, pp. 63-4]; Pierre Verger, 1957, p. 145 [1999, p. 158]; Deoscóredes Maximiliano dos Santos, 1961, pp. 107-8; Willfried Feuser e Mariano Carneiro da Cunha, 1982, pp. 29-30; Ulli Beier, 1980, p. 38; Júlio Braga, 1988, p. 180; Braga, 1989, p. 28.

[41] *Ogum ensina aos homens as artes da agricultura.* Síkírú Sàlámì, 1997, pp. 73-5.

[42] *Ogum trai o pai e deita-se com a mãe.* Lydia Cabrera, 1993, p. 231.

[43] *Ogum livra um pobre de seus exploradores.* Agenor Miranda Rocha, 1928, p. 3 [1999, pp. 37-8]; Pierre Verger, 1957, p. 145 [1999, pp. 158-9]; Deoscóredes Maximiliano dos Santos, 1963, pp. 102-3; Willfried Feuser e Mariano Carneiro da Cunha, 1982, pp. 6-7; Júlio Braga, 1988, p. 175; Braga, 1989, p. 18; José Beniste, 1997, pp. 254-5.

[44] *Ogum chama a Morte para ajudá-lo numa aposta com Xangô.* Rómulo Lachatañeré, 1992, pp. 163-4, 1992. Xangô tem pavor da morte e evita todas as circunstâncias a ela relacionadas, inclusive o *axexê*. Diz-se que Xangô, quando era rei dos tapas, foi preso durante sete anos em um buraco fundo e desde então passou a ter pavor das sepulturas e da morte. Xangô odeia a friagem dos corpos. Roger Bastide, 1978, p. 58.

[45] *Ogum livra Oxum da fome imposta por Xangô.* Rita Segato, 1995, pp. 384-5.

[46] *Ogum violenta e maltrata as mulheres.* Harol Courlander, 1973, pp. 219-20. Obatalá pode ser masculino ou feminino em Cuba, dependendo da qualidade (caminho).

[47] *Ogum conquista para os homens o poder das mulheres.* Agenor Miranda Rocha, 1928, p. 55 [1999, pp. 155-6]; Willfried Feuser e Mariano Carneiro da Cunha, 1982, pp. 141-2; Juana Elbein dos Santos, 1976, pp. 122-3; Júlio Braga, 1988, p. 208.

[48] *Ogum cria a Terra.* Monique Augras, 1983, pp. 107-8. Variante brasileira do mito da criação do mundo por Odudua, esquecido no Brasil e substituído por Ogum.

[49] *Ogum recusa a coroa de Ifé.* Geoffrey Parrinder, 1967, p. 79.

[50] *Oxóssi aprende com Ogum a arte da caça.* Rita de Cássia Amaral, pesquisa de campo, São Paulo, 1986.

[51] *Oxóssi mata o pássaro das feiticeiras.* Pierre Verger, 1980, p. 289; Verger, 1981 (a), pp. 112-3. Verger, 1985, pp. 17-9; Verger, 1981 (b), pp. 25-35; Verger, 1981 (c), pp. 5 e segs.

[52] *Odé desrespeita proibição ritual e morre.* Monique Augras, 1983, pp. 112-3. Odé, caçador em iorubá, é um nome genérico para vários orixás da caça, como Oxóssi, Erinlé, Logum Edé. No xangô, nome da religião dos orixás em Pernambuco, e no batuque do Rio Grande do Sul usa-se Odé para referir-se a Oxóssi. No candomblé, o nome Odé aparece nas cantigas, rezas e nomes rituais, mas o nome pelo qual os devotos se referem ao orixá é Oxóssi.

[53] *Oxóssi ganha de Orunmilá a cidade de Queto.* Rita de Cássia Amaral, pesquisa de campo, São Paulo, 1986.

[54] *Oxóssi mata a mãe com uma flechada.* Rómulo Lachatañeré, 1992, pp. 65-9.

[55] *Oxóssi desobedece a Obatalá e não consegue mais caçar.* Samuel Feijoo, 1986, pp. 285-6.

[56] *Oxóssi quebra o tabu e é paralisado com seu arco e flecha.* Rómulo Lachatañeré, 1992, p. 69.

[57] *Oxóssi é raptado por Ossaim.* René Ribeiro, 1978, pp. 51-2; Pierre Verger, 1957, pp. 208-9 [1999, p. 209]; Verger, 1980, p. 289; Verger, 1981 (a), p. 113; José Flávio Pessoa de Barros, 1989, p. 22. Em outra versão, é Erinlé que é raptado por Ossaim. Depois de tomar uma poção que lhe é dada por Ossaim, Erinlé transforma-se em Odé e não se lembra mais do que acontecera antes (Ulli Beier, 1980, pp. 38-41).

[58] *Odé mata o irmão que trai os seus segredos.* Adéwalé Fama, 1994, pp. 113-20.

[59] *Oxóssi é feito rei de Queto por Oxum.* Rita de Cássia Amaral, pesquisa de campo, São Paulo, 1986.

[60] *Erinlé transforma-se em rio e encontra Oxum.* Pierre Verger, 1985, pp. 20-3. Em vários mitos Erinlé é referido como um caçador, um Odé. No mito em que é pai de Logum Edé, ele chega a ter aversão às entidades do rio. Quase esquecido no Brasil, Erinlé também é confundido com Oxóssi.

[61] *Erinlé tem a língua cortada por Iemanjá.* Lydia Cabrera, 1980, p. 45; Natalia Aróstegui, 1994 (a), p. 187.

[62] *Erinlé é acusado de roubar cabras e ovelhas.* Harold Courlander, 1973, pp. 163-5.

[63] *Erinlé é chamado Ibualama.* Pierre Verger, 1957, p. 210 [1999, pp. 211-2].

[64] *Logum Edé nasce de Oxum e Erinlé.* Reginaldo Prandi, pesquisa de campo, São Paulo, 1989. Narrado por Pai Doda Aguéssi Braga, babalorixá do Ilê Axé Ossaim Darê, São Paulo. Mito bastante popular nos terreiros da Bahia e de São Paulo, onde Erinlé é substituído por Oxóssi. O mel de abelhas, usado para Oxum para se disfarçar e enganar o caçador, tornou-se tabu para Oxóssi, sendo substituído por mel de milho nas oferendas a ele dedicadas.

[65] *Logum Edé é salvo das águas.* Rita de Cássia Amaral, pesquisa de campo, São Paulo, 1987.

[66] *Logum Edé devolve a visão a Erinlé.* Reginaldo Prandi, pesquisa de campo, São Paulo, 1997.

[67] *Logum Edé rouba segredos de Oxalá.* Narrado por Mãe Pierina Ferreira de Oxum. Reginaldo Prandi, pesquisa de campo, Salvador, 1988.

[68] *Logum Edé é possuído por Oxóssi.* Luís Felipe Rios do Nascimento, pesquisa de campo, Recife, 1997.

[69] *Otim esconde que nasceu com quatro seios.* Ulli Beier, 1980, pp. 46-8. Otim, como orixá feminino, no Brasil é cultuada apenas no batuque gaúcho, onde é a mulher de Odé-Oxóssi. No candomblé queto, Otim é uma qualidade de Oxóssi, orixá masculino. Na África, é o orixá do rio Otim, que corre entre Ilorim e Ibadã. Mito semelhante ao "Iemanjá foge de Oquerê e corre para o mar".

[70] *Otim aprende a caçar com Oxóssi*. Reginaldo Prandi, pesquisa de campo, Rio de Janeiro, 1998. Narrado por Pai Agenor Miranda Rocha.

[71] *Ossaim recusa-se a cortar as ervas miraculosas*. Bernard Maupoil, 1943, p. 176; Pierre Verger, 1957, p. 229 [1999, p. 228]; William Bascom, 1980, p. 531; Ulli Beier, 1980, pp. 54-5; Verger, 1980, p. 290; Verger, 1981 (a), p. 123; José Flávio Pessoa de Barros, 1989, p. 25.

[72] *Ossaim dá uma folha para cada orixá*. Lydia Cabrera, 1954, p. 100; Pierre Verger, 1957, p. 230 [1999, p. 228]; Roger Bastide, 1978, pp. 155-6; Verger, 1985, p. 24; José Flávio Pessoa de Barros, 1989, p. 23; Agenor Miranda Rocha, 1994, p. 78.

[73] *Ossaim cobra por todas as curas que realiza*. Deoscóredes Maximiliano dos Santos, 1961, pp. 67-70; Monique Augras, 1983, p. 118.

[74] *Ossaim imita um pássaro e casa com a filha do rei*. Deoscóredes Maximiliano dos Santos, 1976, pp. 25-7; Monique Augras, 1983, p. 119.

[75] *Ossaim vinga-se dos pais por o deixarem nu*. José Flávio Pessoa de Barros, 1989, pp. 22-3.

[76] *Ossaim vem dançar na festa dos homens*. Souza Carneiro, 1937, pp. 254-7.

[77] *Ossaim tem as suas oferendas rejeitadas por Orunmilá*. René Ribeiro, 1978, pp. 98-100.

[78] *Ossaim é mutilado por Orunmilá*. Lydia Cabrera, 1993, p. 75; Natalia Aróstegui, 1994 (a), p. 132.

[79] *Iroco castiga a mãe que não lhe dá o filho prometido*. M. I. Ogumefu, 1929, pp. 11, 43-5; Phillis Gershator, 1994, pp. 2 e segs.

[80] *Iroco ajuda a feiticeira a vingar o filho morto*. Osamaro Ibie, 1993, vol. 3, pp. 29-30.

[81] *Iroco engole a devota que não cumpre a interdição sexual*. Narrado pelo babalaô nigeriano Ọnadele Epega, conforme registro de Mãe Sandra Medeiros Epega, ialorixá do Ilê Leuiwyato, Guararema, São Paulo.

[82] *Orixá Ocô cria a agricultura com a ajuda de Ogum.* Narrado por Mãe Beata de Yemonjá, ialorixá no Rio de Janeiro (Yemonjá, 1997, pp. 115-7).

[83] *Orixá Ocô é condenado a trabalhar a terra.* Lionel Scott, 1994, pp. 15-7. Orixá Ocô (Orixá da Fazenda), que não pertence ao grupo das divindades brancas, é o patrono da agricultura, mas está esquecido no Brasil, onde o patronato da agricultura ficou para Ogum, responsável pela confecção dos instrumentos agrícolas de ferro, conforme mito que o relaciona a Oxaguiã e como se pode ver nas suas "ferramentas" ou representação material em ferro contendo miniaturas desses instrumentos.

[84] *Orixá Ocô é expulso de seu reino.* Ulli Beier, 1980, pp. 48-50.

[85] *Orixá Ocô tira joias da barriga de suas caças.* Pierre Verger, 1985, p. 26.

[86] *Orixá Ocô julga os praticantes de feitiçaria.* M. I. Ogumefu, 1929, pp. 12-4; José Flávio Pessoa de Barros, 1989, p. 30.

[87] *Orixá Ocô recebe de Obatalá o poder sobre as plantações.* Natalia Aróstegui, 1994 (a), p. 140.

[88] *Orixá Ocô desaparece e deixa o cajado em seu lugar.* Leo Frobenius, 1949, pp. 228-30; Jan Knappert, 1995, p. 185.

[89] *Orô é traído pela mulher e se afasta do mundo.* Lydia Cabrera, 1980, p. 41. Na África, o culto de Orô é conduzido pela sociedade secreta masculina dos Ogboni, responsável pela execução de criminosos condenados à morte. Seus sacerdotes saem às ruas tocando instrumentos que produzem um som rouco como a voz de Orô, obrigando as mulheres a se trancar em casa. Orô está praticamente esquecido no Brasil. É cultuado como *egum* em Cuba.

[90] *Orô assusta o povo com seus gritos.* Agenor Miranda Rocha, 1928, p. 49 [1999, pp. 142-3]; Júlio Braga, 1988, pp. 203-4. Nesse caderno de 1928, Orô é chamado egungum. Em 1998, o próprio Professor Agenor disse-me que Orô foi completamente esquecido, assim como Gunocô, segundo ele "um orixá que vivia nas matas do Rio Vermelho, em Salvador, que metia medo em todo mundo. Gunocô e Orô faziam parte da mesma coisa". Gunocô, que alguns consideram entidade tapa, ainda hoje é saudado por uma cantiga no ritual do Padê em terreiros antigos da nação queto, mas

quase nada se sabe dele. Souza Carneiro (1937, capítulo XIII) o descreve como uma espécie de egungum mascarado, um "palhaço", que na mata "vive só, sem casa, sem mulher, sem consumições, sem necessidades" (p. 243). Manuel Querino dá as mesmas características a Gunocô, dizendo tratar-se de "santo pertencente à tribo dos tapas [nupes], e o nagô dá-lhe o nome de Orixá Ocô", informação esta reproduzida por Souza Carneiro (loc. cit.). Cf. Manoel Querino, *A raça africana e seus costumes*, Salvador, 1916, republicado em 1955, pela Livraria Progresso Editora (p. 45). Assim, Orixá Ocô, Gunocô e Orô formam uma tríade esquecida.

[91] *Oquê surge do fundo do mar.* Natalia Aróstegui, 1990, p. 88. Oquê está esquecido no Brasil. No final do século XIX, entretanto, Nina Rodrigues refere-se a um monte em Salvador, no bairro de Plataforma, cultuado como Oquê (Nina Rodrigues, 1935, pp. 177-8).

[92] *Oquê salva seus súditos dos invasores.* Reginaldo Prandi, pesquisa de campo, Rio de Janeiro, 1998. Narrado por Pai Agenor Miranda Rocha.

[93] *Nanã fornece a lama para a modelagem do homem.* Reginaldo Prandi, pesquisa de campo, Salvador, 1988. Narrado por Mãe Pierina Ferreira de Oxum. Variante conta que, depois de terem sido testadas várias matérias para se fazer o homem, tentou-se a lama, mas ela chorou e não aceitou ser usada para a modelagem. Foi levada então por Icu, que não teve pena dela. Em contrapartida, foi prometido a ela que haveria de retornar depois de um certo tempo (Juana Elbein dos Santos, 1976, p. 107; Ronilda Ribeiro, 1996, p. 158).

[94] *Nanã esconde o filho feio e exibe o filho belo.* Reginaldo Prandi, pesquisa de campo, São Paulo, 1989; fragmento em Pierre Verger, 1985, pp. 56-8; Agenor Miranda Rocha, 1994, p. 73.

[95] *Nanã tem um filho com Oxalufã.* Monique Augras, 1983, pp. 136-7.

[96] *Nanã proíbe instrumentos de metal no seu culto.* Pierre Verger, 1985, pp. 62-4; Agenor Miranda Rocha, 1994, pp. 85-6. Até hoje, nos candomblés, os animais oferecidos a Nanã são sacrificados sem instrumentos de metal, usando-se uma espécie de lâmina de bambu. Nanã é a única divindade que não rende homenagem a Ogum, também chamado Oluobé, o Senhor da Faca.

[97] *Obaluaê desobedece à mãe e é castigado com a varíola*. René Ribeiro, 1978, pp. 54-5. Na maioria dos *ebós* usados nos candomblés para afastar doenças e diversos males regidos por Omulu, usa-se pipoca.

[98] *Omulu cura todos da peste e é chamado Obaluaê*. Deoscóredes Maximiliano dos Santos, 1976, pp. 22-4. Nas cerimônias em que um novo *iaô* é apresentado à comunidade do candomblé, em uma de suas saídas no barracão, ele dança com a cabeça raspada e pintada de *efum, ossum* e *uági*, levando em cada mão uma folha de *peregum*. Fragmentos em Donald Pierson, 1971, pp. 333-4.

[99] *Obaluaê tem as feridas transformadas em pipoca por Iansã*. Rita de Cássia Amaral, pesquisa de campo, 1986, 1987. A pipoca, chamada no candomblé de "flor de Obaluaê", é uma das comidas prediletas de Obaluaê, sendo também muito usada para fazer um tipo de festão com que se enfeita o barracão nas festas desse orixá.

[100] *Obaluaê conquista o Daomé*. Pierre Verger, 1957, pp. 54-8 [1999, p. 240]; Verger, 1985, pp. 59-61; Claude Lépine, 1998, pp. 126-7.

[101] *Xapanã ganha o segredo da peste na partilha dos poderes*. Ulli Beier, 1980, pp. 44-5.

[102] *Sapatá se esquece de trazer água para a Terra*. Melville Herskovits, 1938, vol. II, pp. 132-4. Sapatá e Sobô são voduns. Sapatá equivale a Xapanã e Obaluaê ou Omulu. Sobô é cultuada no candomblé jeje da Bahia e no tambor de mina do Maranhão como divindade feminina equivalente ao orixá Oiá-Iansã, com a qual compartilha o patronato do raio.

[103] *Sapatá é proibido de viver junto com os outros orixás*. Harold Courlander, 1973, pp. 39-42. No candomblé, os assentamentos (altares) de Omulu-Sapatá são mantidos num local separado dos demais. Embora esse "exílio" do orixá da peste seja muito falado entre o povo de santo, o orixá reconhecido nos candomblés como não tendo uma perna é Ossaim.

[104] *Omulu ganha as pérolas de Iemanjá*. Narrado por Mãe Sandra Medeiros Epega, ialorixá do Ilê Leuiwyato, Guararema, São Paulo, apud Mara Vidal, 1994, pp. 145-6.

[105] *Xapanã é proclamado o Senhor da Terra.* Pierre Verger, 1981 (a), p. 212; Natalia Aróstegui, 1994 (a), pp. 257-8.

[106] *Obaluaê morre e é ressuscitado a pedido de Oxum.* Rómulo Lachatañeré, 1940-6, p. 15; Harold Coulander, 1973, pp. 216-8; Lydia Cabrera, 1980, p. 77; Natalia Aróstegui, 1994 (a), pp. 257-8.

[107] *Xapanã ganha seu culto entre os iorubás.* Leo Frobenius, 1949, pp. 193-5.

[108] *Sapatá torna-se rei na terra dos jejes.* Natalia Aróstegui, 1994 (a), pp. 257-8.

[109] *Oxumarê desenha o arco-íris no céu para estancar a chuva.* Pierre Verger, 1985, p. 58. Noutra versão, Oxumarê cura a filha da rainha e esta, temendo que ele fosse embora, o prende no céu. Agenor Miranda Rocha, 1994, p. 176. Oxumarê é considerado o próprio arco-íris, mas também a cobra que faz um círculo e morde o próprio rabo.

[110] *Oxumarê fica rico e respeitado.* Pierre Verger, 1980, p. 295; Verger, 1981 (a), p. 206; Verger, 1985, p. 56.

[111] *Oxumarê transforma-se em cobra para escapar de Xangô.* Reginaldo Prandi, pesquisa de campo, Rio de Janeiro, 1998. Narrado por Pai Agenor Miranda Rocha.

[112] *Oxumarê usurpa a coroa de sua mãe Nanã.* Monique Augras, 1983, p. 131. Oxumarê é considerado no candomblé um orixá "metá-metá", isto é, homem e mulher, andrógino.

[113] *Oxumarê é morto por Xangô.* Ari Pedro Oro, pesquisa de campo, Porto Alegre, 1997. Narrado por Pai Ricardo Maldonato Rangel, Ricardo de Olocum.

[114] *Euá transforma-se numa fonte e sacia a sede dos filhos.* Noël Baudin, 1884, pp. 70-1; A. E. Ellis, 1894, p. 123; Pierre Verger, 1957, p. 295 [1999, p. 299]. A fonte é o elemento de Euá, lugar apropriado para suas oferendas.

[115] *Euá transforma-se na névoa.* Rita de Cássia Amaral, pesquisa de campo, São Paulo, 1986. Em muitos candomblés, Euá é a patrona da virgindade e da pureza. Dizem mesmo que somente uma virgem pode ser iniciada no seu culto.

[116] *Euá livra Orunmilá da perseguição da Morte.* Wande Abimbola, 1975, pp. 139-
-55. Uma versão maranhense narrada por Pai Jorge Itaci, de São Luís, em pesquisa de
Sérgio Ferretti, em 1997, diz que Euá, que é vodum cultuado no tambor de mina do
Maranhão, estava um dia lavando roupa perto de uma cacimba grande, um lago onde
as mulheres lavavam roupas, quando surgiu do mato um homem que vinha correndo,
perseguido por muitos outros. Quando ele chegou perto dela, pediu que o escondesse.
Ele entrou na água e Euá o cobriu com um monte de roupa que jogou na beira do lago,
por cima dele. Quando os homens chegaram e perguntaram se não o tinha visto, ela
disse que ele havia seguido por um caminho, mostrando uma direção errada, e todos
foram por ali. O homem escondido por Euá chamava-se Xapanã e com ela se casou.

[117] *Euá casa-se com Oxumarê.* Rita de Cássia Amaral, pesquisa de campo, São
Paulo, 1986.

[118] *Euá é expulsa de casa e vai viver no cemitério.* Lydia Cabrera, 1980, pp. 34-6.
Variante apresenta Odudua como pai de Euá. Natalia Aróstegui, 1994 (a), pp. 248-9.

[119] *Euá é escondida por seu irmão Oxumarê.* Rita de Cássia Amaral, pesquisa de
campo, São Paulo, 1986.

[120] *Euá é presa no formigueiro por Omulu.* Agenor Miranda Rocha, 1994, p. 86.

[121] *Euá atemoriza Xangô no cemitério.* Lydia Cabrera, 1993, p. 237.

[122] *Euá se desilude com Xangô e abandona o mundo dos vivos.* Lydia Cabrera,
1980, p. 37.

[123] *Xangô é escolhido rei de Oió.* William Bascom, 1980, pp. 737-9.

[124] *Xangô é reconhecido como o orixá da justiça.* Rita de Cássia Amaral, pesquisa
de campo, São Paulo, 1986.

[125] *Xangô torna-se rei de Cossô.* Pierre Verger, 1981 (b), pp. 36-9. Verger, 1985,
pp. 33-5.

[126] *Xangô é reconhecido por Aganju como seu filho legítimo.* Samuel Feijoo, 1986,
pp. 259-60; Natalia Aróstegui, 1994 (a), p. 206. Em outra versão, a mãe de Xangô é

Obatalá, que em Cuba pode ser masculino ou feminino: Harold Coulander, 1973, pp. 220-1.

[127] *Xangô rouba Iansã de Ogum*. Pierre Verger, 1985, pp. 37-8.

[128] *Xangô ordena que primeiro saúdem seu irmão mais velho*. Pierre Verger, 1985, p. 30.

[129] *Xangô faz oferendas e vence os inimigos*. William Bascom, 1980, pp. 725-7.

[130] *Xangô mata o monstro e lança chamas pela boca*. Samuel Feijoo, 1986, pp. 258-9.

[131] *Xangô foge de seus perseguidores vestido de mulher*. Samuel Feijoo, 1986, 257-8; Natalia Aróstegui, 1994 (a), pp. 211-2.

[132] *Xangô cai no fogo e brinca com as brasas*. Natalia Aróstegui, 1994 (a), p. 166.

[133] *Xangô foge de Oiá com a ajuda de Oxum*. Lydia Cabrera, 1993, p. 237. Acredita-se que Xangô nada teme, a não ser os mortos.

[134] *Xangô é vencido pelo Carneiro*. Agenor Miranda Rocha, 1928, p. 16 [1999, pp. 70-1]; Pierre Verger, 1957, p. 312 [1999, p. 324]; Willfried Feuser e Mariano Carneiro da Cunha, 1982, p. 38; Júlio Braga, 1988, p. 182; Braga, 1989, p. 31.

[135] *Xangô usurpa a coroa de Ogum*. Rita Segato, 1995, pp. 368-9. Numa versão publicada por Ulli Beier, Xangô simula a própria morte e ressurreição para provar que tinha poderes excepcionais e assim usurpar o trono do verdadeiro herdeiro, cujo nome não é mencionado no mito (Ulli Beier, 1980, pp. 25-6).

[136] *Xangô seduz o povo e usurpa o trono de Ogum*. Rita Segato, 1995, p. 370.

[137] *Xangô é salvo por Oiá da perseguição dos eguns*. Monique Augras, 1983, p. 142. Em Roger Bastide (1945, p. 101), o medo que Xangô tem da morte e dos mortos é justificado por ter ficado ele, depois de sofrer uma derrota, detido durante sete anos numa prisão subterrânea, ganhando então o pavor pelas sepulturas e tudo o que com elas se relaciona.

[138] *Xangô ensina ao homem como fazer fogo para cozinhar.* Souza Carneiro, 1937, pp. 196-9. Este mito atribui a Xangô um papel civilizatório equivalente ao do grego Prometeu.

[139] *Xangô seduz a mãe adotiva.* Lachatañeré, 1995, p. 14.

[140] *Xangô usa vários nomes para escapar de Iemanjá.* Octavio da Costa Eduardo, 1948, p. 82. Mito do Maranhão, onde há forte sincretismo entre orixás e voduns, como, no caso, entre o orixá Xangô e o vodum Badé.

[141] *Xangô e suas esposas transformam-se em orixás.* Pierre Verger, 1985, pp. 35-6. Versão da divinização de Xangô preferida por seus partidários que rejeitam a versão do suicídio.

[142] *Xangô ganha o colar vermelho e branco.* Lydia Cabrera, 1993, pp. 218-9. O colar de contas brancas e vermelhas, alternadas, é insígnia de Xangô na África, em Cuba e no Brasil.

[143] *Xangô mata o touro com seu machado duplo.* Rita Segato, 1995, pp. 379-80.

[144] *Xangô dá a Obaluaê os cães de Ogum.* Lydia Cabrera, 1993, p. 225.

[145] *Xangô conquista Iansã na guerra contra Ogum.* Rita Segato, 1995, p. 381.

[146] *Xangô incendeia sua cidade acidentalmente.* Harold Courlander, 1973, pp. 79-82; Ulli Beier, 1980, pp. 23-4. Numa versão publicada por Pierre Verger em 1954, desgostoso com o incêndio que provocou, Xangô teria entrado na terra, transformando-se em orixá (Verger, 1957, p. 173). Nos candomblés, quando se sacrifica carneiro, os assentamentos de Oiá são cobertos com pano branco.

[147] *Xangô é visitado pelos quinze odus e acaba ficando rico.* Agenor Miranda Rocha, 1928, pp. 21-3 [1999, pp. 79-83]; Deoscóredes Maximiliano dos Santos, 1961, pp. 91-3; D. M. dos Santos, 1981, pp. 81-4; Willfried Feuser e Mariano Carneiro da Cunha, 1982, pp. 48-51; Samuel Feijoo, 1986, pp. 261-2; Júlio Braga, 1988, pp. 184-6; Braga, 1989, pp. 35-4. Neste mito, identificam-se os orixás com os nomes dos *odus* nos quais suas histórias são contadas. Obará é o principal *odu* de Xangô.

[148] *Xangô oferece mil riquezas a Oxum.* Rita Segato, 1995, p. 383.

[149] *Xangô conquista pela força o amor de Iansã.* Rita Segato, 1995, p. 389.

[150] *Xangô depende de Iansã para ganhar a guerra.* Rita Segato, 1995, pp. 392-3.

[151] *Xangô conquista a terra dos malês.* René Ribeiro, 1978, pp. 53-4.

[152] *Xangô vence Exu e conquista Oxum.* René Ribeiro, 1978, pp. 50-1.

[153] *Xangô deixa de comer carne de porco em honra dos malês.* Rita Segato, 1995, pp. 394-5.

[154] *Xangô encanta-se juntamente com Iansã e Oxum.* Rita Segato, 1995, p. 397.

[155] *Xangô é proibido de participar do culto dos eguns.* Rita Segato, 1995, p. 398. Nas religiões afro-brasileiras Xangô nunca participa dos ritos funerários e das homenagens aos antepassados.

[156] *Xangô é destronado e se torna um orixá.* Leo Frobenius, 1949, pp. 174-80; Ulli Beier, 1980, pp. 20-2, Conrad Maugé, 1996, pp. 50-1.

[157] *Xangô é rejeitado por seus súditos.* Noël Baudin, 1884, pp. 22-5; Nina Rodrigues, 1935, pp. 43-4; William Bascom, 1980, p. 44; Ulli Beier, 1980, pp. 20-2; Judith Gleason, 1987, p. 60 [1999, p. 73]. O mesmo som iorubá de "Obá Kossô" (rei de Cossô) e "Obá ko so" (o rei não se enforcou) pode explicar as variantes dos mitos que afirmam ou negam o suicídio de Xangô. Podemos lembrar que os reis da África tradicional eram frequentemente acusados por desgraças que se abatiam sobre seus súditos, sendo por isso executados ou obrigados ao suicídio. Também narrado em Agenor Miranda Rocha, 1928, pp. 44-6 [1999, pp. 135-8]; Willfried Feuser e Mariano Carneiro da Cunha, 1982, pp. 117-8, Júlio Braga, 1988, pp. 199-200.

[158] *Xangô é condenado por Oxalá a comer como os escravos.* Reginaldo Prandi, pesquisa de campo, Recife, 1992, narrado por Mãezinha, Maria do Bonfim, do Sítio de Pai Adão; São Paulo, 1993, narrado por Pai Doda Aguéssi Braga, babalorixá do Ilê Axé Ossaim Darê. Este mito justifica o assentamento de Xangô em recipientes de madeira, de preferência gamelas, e faz referência ao ciclo de festas do candomblé

denominado Águas de Oxalá. Muitos relatos populares enfatizam que os escravos no Brasil comiam em cochos de pau, como "come" Xangô nos candomblés.

[159] *Xangô torna-se o quarto rei de Oió*. Conrad Maugé, 1996, pp. 39-45. Pierre Verger, em mito que conta terem os príncipes vindos do Orum para criar a Terra, dá a seguinte relação: Oloú, que se tornou rei Egbá; Onisabé, rei de Savé; Orungã, que reinou em Ilá; Oni, que foi soberano de Ifé; Ajero, que foi rei de Ajerô; Alaqueto, que reinou em Queto; e o mais jovem, Oraniã, que se tornou rei de Oió [Verger, 1981 (a), p. 131]. Fragmentos em N. A. Fadipę, 1970, pp. 33-6; Verger, 1980, p. 290.

[160] *Xangô tem seu culto organizado pelos doze obás*. Agenor Miranda Rocha, 1928, p. 46 [1999, p. 138]; Martiniano Eliseu do Bonfim, 1940, pp. 233-6; Roger Bastide, 1945, pp. 44-6; Pierre Verger, 1957, p. 313 [1999, p. 325]; Willfried Feuser e Mariano Carneiro da Cunha, 1982, pp. 111-3; Júlio Braga, 1988, p. 200; Braga, 1989, pp. 50-1. O mito justifica a instituição dos doze obás de Xangô no candomblé do Axé Opô Afonjá por sua fundadora Mãe Aninha, mãe de santo do Professor Agenor Miranda Rocha, que o registrou em 1928. A versão de Rocha e aquela contada pelo babalaô Martiniano Eliseu do Bonfim, mentor da instituição dos ministros de Xangô no terreiro de Mãe Aninha, apresentam como inimigos de Xangô dois de seus melhores guerreiros: Timim e Gboncá. Também em Geoffrey Parrinder, 1967, p. 72; Donald Pierson, 1971, pp. 319-20.

[161] *Xangô vence Ogum na pedreira*. Reginaldo Prandi, pesquisa de campo, São Paulo, 1989. Narrado por Pai Doda Aguéssi Braga, babalorixá do Ilê Axé Ossaim Darê, São Paulo.

[162] *Xangô deixa a velha Obá e encontra Oxum*. Mito recolhido pelo jornalista João do Rio (Paulo Barreto) e publicado na revista *Kosmos* em 1904, reproduzido por Arthur Ramos em "Os mythos de Xangô e sua degradação no Brasil", comunicação apresentada no Primeiro Congresso Afro-Brasileiro, reunido no Recife em 1934 (in Roquette-Pinto et alii, 1935, pp. 51-4), que o republicou em 1940 (Ramos, 1940, pp. 340-2). Mais tarde foi reapresentado, com mínimas variações, por Mestre Didi (Deoscóredes Maximiliano dos Santos, 1963, pp. 89-92; D. M. dos Santos, 1981, pp. 13-6). Transcrito integralmente a partir de Ramos, atualizando-se a ortografia e redividindo-se os parágrafos. Obá, a esposa mais velha de Xangô, é chamada Olobá na versão de João do Rio reproduzida por Arthur Ramos.

[163] *Oiá recebe o nome de Iansã, mãe dos nove filhos.* William Bascom, 1980, pp. 231-3; Pierre Verger, 1981 (a), p. 168. Até hoje, nos candomblés, comer carne de carneiro é tabu para os filhos de Oiá.

[164] *Oiá nasce na casa de Oxum.* Lydia Cabrera, 1980, pp. 81-2.

[165] *Iansã ganha seus atributos de seus amantes.* Rita de Cássia Amaral, pesquisa de campo, São Paulo, 1986.

[166] *Oiá transforma-se num búfalo.* Pierre Verger, 1980, p. 292; Verger, 1981 (a), p. 169; Verger, 1981 (b), pp. 45-8; Verger, 1985, pp. 37-41. Até hoje, em todo peji de Iansã, são depositados dois chifres de búfalo. Narra uma variante: Oiá transformava-se em uma novilha e saía pelo mundo afora, à caça de aventuras. Um dia chegou à terra de Oxóssi. Ao aproximar-se do mercado, Oiá tirou sua pele de novilha, seguiu para lá e passou o dia todo cantarolando e não fazendo nada. Oxóssi, o dono da terra, encontrou-a e apreciou tanto a alegria dessa mulher que a chamou de Oiá, a ligeira (Rosamaria Susanna Barbàra, 1999, p. 62). Noutra versão, Oiá transformou-se num antílope e se casou com Xangô (Ulli Beier, 1980, pp. 33-4).

[167] *Iansã proíbe Xangô de comer carneiro perto dela.* Rita Segato, 1995, pp. 390-1.

[168] *Iansã é traída pelo Carneiro.* René Ribeiro, 1978, pp. 47-9; Rita Segato, 1995, p. 405.

[169] *Iansã foge ligeira e transforma-se no vento.* Rosamaria Susanna Barbàra, 1999, p. 64.

[170] *Oiá cria o rio dum pedaço de pano preto.* Judith Gleason, 1987, p. 46 [1999, p. 59]; Síkírú Sàlámì, 1990, p. 138; Rosamaria Susanna Barbàra, 1999, p. 64.

[171] *Oiá transforma-se no rio Níger.* Síkírú Sàlámì, 1990, p. 138; Rosamaria Susanna Barbàra, 1999, p. 65.

[172] *Oiá transforma-se num elefante.* Júlio Braga, 1989, p. 68; Rosamaria Susanna Barbàra, 1999, pp. 65-6.

[173] *Oiá sopra a forja de Ogum e cria o vento e a tempestade.* Reginaldo Prandi, pesquisa de campo, Recife, 1994.

[174] *Oiá transforma-se em coral.* Rosamaria Susanna Barbàra, 1999, p. 61. Colares de coral são usados pelos iniciados no culto de Oiá.

[175] *Oiá é dividida em nove partes.* Pierre Verger, 1980, p. 287; Verger, 1981 (a), p. 87; Rosamaria Susanna Barbàra, 1999, pp. 38-9.

[176] *Oiá liberta Xangô da prisão usando o raio.* Samuel Feijoo, 1986, p. 259; Natalia Aróstegui, 1994 (a), pp. 238-9.

[177] *Oiá é disputada por Xangô e Ogum.* Rosamaria Susanna Barbàra, 1999, p. 37.

[178] *Oiá usa a poção de Xangô para cuspir fogo.* Noël Baudin, 1884, pp. 25-6; Ulli Beier, 1980, pp. 27-8; Rosamaria Susanna Barbàra, 1999, pp. 59-60.

[179] *Oiá ganha de Obaluaê o reino dos mortos.* Rosamaria Susanna Barbàra, 1999, p. 102.

[180] *Oiá dá à luz Egungum.* Rosamaria Susanna Barbàra, 1999, p. 74.

[181] *Oiá toca o fole de Ogum para os egunguns dançarem.* Narrado por Mãe Sandra Medeiros Epega, ialorixá do Ilê Leuiwyato, Guararema, São Paulo, apud Mara Vidal, 1994, pp. 118-9. Outra versão traz Oxum como a protagonista (Pierre Verger, 1980, p. 293).

[182] *Oiá inventa o rito funerário do axexê.* Narrado por Mãe Stella Odé Kaiodé, ialorixá do Axé Opô Afonjá (Maria Stella de Azevedo Santos, 1993, p. 91); Rosamaria Susanna Barbàra, 1999, pp. 47-8.

[183] *Obá é possuída por Ogum.* Pierre Verger, 1985, p. 40; Agenor Miranda Rocha, 1994, pp. 80-1.

[184] *Obá corta a orelha induzida por Oxum.* Pierre Verger, 1954, p. 185; Verger, 1957, p. 411 [1999, p. 404]; Verger, 1980, p. 293; Verger, 1985, p. 49; Roger Bastide, 1978, p. 203; Jean Ziégler, 1971, p. 97; Natalia Aróstegui, 1994 (a), pp. 243-4; Rita

Segato, 1995, pp. 388-9; William Bascom, 1992, pp. 1-5; Migene González-Wippler, 1994, pp. 49-53; Adilson de Oxalá, 1998, pp. 127-30. Até hoje, nos candomblés, quando se canta para Obá, os iniciados cobrem a orelha com a mão em concha, re-memorando a vergonha de Obá. Versão apresentada por Edson Carneiro (1954, p. 73) conta que Obá foi enganada por Oiá e não por Oxum, versão incluída por Judith Gleason em seu livro de 1987 (p. 92), mas excluída da segunda edição, datada de 1992, da qual se fez a tradução para a edição brasileira (1999). Outra variante ainda conta que, depois do episódio da orelha cortada, Obá retirou-se ao cemitério para amargar sua solidão [Aróstegui, 1994 (a), pp. 243-4].

[185] *Obá provoca a morte do cavalo de Xangô.* Lydia Cabrera, 1980, pp. 81-2.

[186] *Oxum é concebida por Iemanjá e Orunmilá.* René Ribeiro, 1978, p. 50.

[187] *Oxum dança para Ogum na floresta e o traz de volta à forja.* Rita de Cássia Amaral, pesquisa na Internet, 1997. Relatado pelo babalaô cubano Efún Moyiwá, site OrishaNet (www.orishanet.com).

[188] *Oxum Apará tem inveja de Oiá.* Reginaldo Prandi, pesquisa de campo, São Paulo, 1997. Nos candomblés, Oxum Apará usa roupas cor-de-rosa, com ferramentas feitas de latão, que são atributos de Oiá.

[189] *Oxum seduz Iansã.* Rita Segato, 1995, p. 403.

[190] *Oxum Navezuarina cega seus raptores.* Sérgio Ferretti, pesquisa de campo, São Luís, 1997. Narrado por Pai Jorge Itaci, chefe do terreiro mina de Iemanjá. Navezua-rina, ou Navê, Dantã e Queviossô são voduns cultuados no tambor de mina.

[191] *Oxum mata o caçador e transforma-se num peixe.* Reginaldo Prandi, pesquisa de campo, São Paulo, 1997. Seixos colhidos nas margens dos rios são usados nos assentamentos de Oxum.

[192] *Oxum transforma sangue menstrual em penas de papagaio.* Pierre Verger, 1957, p. 447 [1999, p. 436]; Juana Elbein dos Santos, 1976, pp. 87-8; Deoscóredes Ma-ximiliano dos Santos, 1997, pp. 15-35; Monique Augras, 1983, pp. 160-1. O sangue menstrual é um interdito no candomblé e as mulheres menstruadas não podem tomar parte nos ritos.

[193] *Oxum transforma-se em pombo.* Roger Bastide, 1978, p. 192; Monique Augras, 1983, p. 164. Oxum é considerada a senhora dos pombos e em muitos candomblés não se dá pomba a ela.

[194] *Oxum recupera o báculo de Orixalá que Iansã joga no mar.* Rita Segato, 1995, p. 401.

[195] *Oxum exige a filha do rei em sacrifício.* Agenor Miranda Rocha, 1928, p. 16 [1999, pp. 71-3]; Pierre Verger, 1957, p. 110 [1999, p. 401]; Deoscóredes Maximiliano dos Santos, 1963, pp. 36-41; Pierre Verger, 1981 (b), pp. 49-53; Willfried Feuser e Mariano Carneiro da Cunha, 1982, p. 41; Verger, 1985, pp. 44-5, Júlio Braga, 1988, p. 182. Em outras versões (Verger, 1980, p. 294; Verger, 1981 (a), pp. 186-7) este mito é protagonizado por Obá. Um dos raros mitos que falam de sacrifício humano. O que está em jogo aqui, porém, é a recomendação muito repetida entre o povo de santo de que promessas e pedidos aos orixás sejam feitos com muita clareza, sem dar margem à possibilidade de má compreensão, pois o que vale é o que é dito e ouvido e nunca a intenção de quem diz.

[196] *Oxum fica pobre por amor a Xangô.* Rómulo Lachatañeré, 1992, pp. 50-2. O amarelo é a cor das roupas de Oxum.

[197] *Oxum deita-se com Exu para aprender o jogo de búzios.* Harold Courlander, 1973, pp. 67-9. Oxum e Exu são os patronos do jogo de búzios, sobretudo no Brasil, onde os babalaôs desapareceram, assim como o jogo do *opelê* de Ifá.

[198] *Oxum leva ebó ao Orum e salva a Terra da seca.* Lydia Cabrera, 1980, p. 89.

[199] *Oxum nasce de Iemanjá e é curada por Ogum.* Ronilda Ribeiro, 1995, pp. 114-5.

[200] *Oxum é transformada em pavão e abutre.* Rita de Cássia Amaral, pesquisa na Internet, 1997. Relatado pelo babalaô cubano Efún Moyiwá, site OrishaNet.

[201] *Oxum faz ebó e mata os invasores do seu reino.* Roger Bastide, 1978, p. 164.

[202] *Oxum difama Oxalá e ele a faz rica para se livrar dela.* Agenor Miranda Rocha, 1928, pp. 17-9 [1999, pp. 73-4]; Deoscóredes Maximiliano dos Santos,

1963, pp. 75-6; Willfried Feuser e Mariano Carneiro da Cunha, 1982, pp. 42-3; Júlio Braga, 1988, p. 183; Braga, 1989, p. 33.

[203] *Oxum faz as mulheres estéreis em represália aos homens*. Pierre Verger, 1981 (a), p. 174; Arno Vogel et alii, 1993, p. 106.

[204] *Iá Mi chegam ao mundo com seus pássaros maléficos*. Pierre Verger, 1992, pp. 38-40. As Iá Mi são feiticeiras, não são orixás. A inclusão de seus mitos neste volume justifica-se por sua importância na disputa entre o poder construtivo dos orixás, o *axé*, e o poder destrutivo delas. Ialodê, em algumas cidades e aldeias iorubanas, é quem organiza o trabalho comunitário das mulheres. No candomblé é um cargo feminino para o provimento do terreiro e organização das festas. O culto às Iá Mi no Brasil está restrito a alguns terreiros mais antigos, cantando-se para elas no rito do Padê, e a outros terreiros africanizados. O fato de que, no Brasil, a ideia de feitiço deixou de ter, junto ao povo de santo, as interdições morais existentes na África pode ter contribuído para o enfraquecimento do culto das temidas feiticeiras.

[205] *Iá Mi são enganadas por Orunmilá*. Pierre Verger, 1992, pp. 41-3.

[206] *Iá Mi usam proibições para aprisionar os imprudentes*. Pierre Verger, 1992, pp. 44-8. O mito mostra a dificuldade de se lidar com as Iá Mi. Como elas proíbem coisas que ninguém sabe direito o que são, elas vivem acusando as pessoas de incorrer em seus tabus.

[207] *Iá Mi propõem enigma a Orunmilá*. Pierre Verger, 1992, pp. 48-57.

[208] *Iá Mi fazem um pacto com Orunmilá*. Pierre Verger, 1992, pp. 57-61.

[209] *Iá Mi reconhece o poder dos homens sobre o poder feminino*. Pierre Verger, 1992, pp. 65-77.

[210] *Iá Mi perseguem Orixalá pelo roubo da água*. Ulli Beier, 1980, pp. 15-7; Pierre Verger, 1992, pp. 77-80.

[211] *Iá Mi Odu torna-se esposa de Orunmilá*. Pierre Verger, 1992, pp. 80-4.

[212] *Iá Mi Odu fica velha e morre*. Pierre Verger, 1992, pp. 85-90. O mito faz re-

ferência aos quatro elementos "secretos" contidos nas cabaças de Odu, assentamento cultuado pelos babalaôs. São *efum*, giz de cor branca, o *ossum*, pó vermelho, o carvão, com a cor preta, e a lama, de cor indeterminada.

[213] *Os Ibejis nascem de Oiá e são criados por Oxum.* Monique Augras, 1994, p. 79.

[214] *Os Ibejis são transformados numa estatueta.* Rita de Cássia Amaral, pesquisa de campo, São Paulo, 1986, 1987.

[215] *Os Ibejis brigam por causa do terceiro irmão.* Reginaldo Prandi, pesquisa de campo, São Paulo, 1997.

[216] *Os Ibejis nascem como abicus mandados pelos macacos.* Harold Courlander, 1973, pp. 137-41.

[217] *Os Ibejis brincam e põem fogo na casa.* Narrado pelo babalaô nigeriano Ọnadele Epega, conforme registro de Mãe Sandra Medeiros Epega, ialorixá do Ilê Leuiwyato, Guararema, São Paulo.

[218] *Os Ibejis encontram água e salvam a cidade.* Roger Bastide, 1945, pp. 112-3.

[219] *Os Ibejis enganam a Morte.* Natalia Aróstegui, 1994 (a), p. 169.

[220] *Iemanjá ajuda Olodumare na criação do mundo.* Natalia Aróstegui, 1994 (b), pp. 8-10.

[221] *Iemanjá é violentada pelo filho e dá à luz os orixás.* Noël Baudin, 1884, p. 13; A. E. Ellis, 1894, p. 43; Nina Rodrigues, 1945, p. 353; Arthur Ramos, 1940, pp. 318-9; Ramos, 1952, pp. 14-5; Edson Carneiro, 1954, p. 235; Leo Frobenius, 1949, p. 161; Pierre Verger, 1957, p. 292 [1999, p. 295]; Verger, 1981 (a), p. 194; Olumide Lucas, 1948, p. 97; R. C. Abraham, 1962, p. 680; Lydia Cabrera, 1980, pp. 23-4; Samuel Feijoo, 1986, pp. 241-2; Natalia Aróstegui, 1994 (a), p. 154; Rosa María Lahaye Guera e Rubén Zardoya Loureda, 1996, p. 26; Zora Seljan, 1973, pp. 95-6 e 111. No começo do século xx, Nina Rodrigues transcreveu o mito aprendido com Ellis, que o reproduzira do padre Baudin, e disse não ter encontrado similar na Bahia. Verger, quase um século após o registro de Baudin, afirma, com base em suposições, que o mito foi uma "invenção" de Baudin (Verger, 1981 (a), p. 194) e o rejeita, embora

reproduza, sem citar, muitos outros mitos presentes no mesmo volume de Baudin. Antropólogos e estudiosos da religião dos iorubás na África e no Novo Mundo reproduziram o mito e a partir de certo tempo ele já é encontrado em pesquisa de campo tanto no Brasil como em Cuba. No Brasil de hoje, é um dos mitos mais populares entre o povo de santo, que não sabe dizer o nome do filho de Iemanjá que a teria violentado, mas conta que a origem dos orixás foi consequência da violência sexual do filho contra ela. No original de Baudin, cada filho de Iemanjá ocupa um longo trecho da narrativa, merecendo Exu um capítulo à parte. Na versão resumida de Ellis, que tomou Baudin como base, os orixás são apenas enumerados com sua atribuição principal, esquecendo-se de Exu.

[222] *Iemanjá foge de Oquerê e corre para o mar.* William Bascom, 1980, pp. 45--6, 489-93; Pierre Verger, 1981 (a), p. 190; Verger, 1981 (b), pp. 59-63; Verger, 1985, pp. 50-2; Agenor Miranda Rocha, 1994, pp. 83-4. Variantes deste mito dizem que Iemanjá teria entrado num quarto proibido do palácio de Oquerê, buscando comida para seus hóspedes, e que seu marido teria então ridicularizado os fartos seios da esposa. Iemanjá replicara fazendo alusão aos enormes dentes de Oquerê e, noutra variante, fazendo pouco de seus desproporcionais testículos. Mito muito parecido ao de Otim. Noutra versão, o marido é Ogum (Ulli Beier, 1980, pp. 45-6). Em muitos candomblés, a Iemanjá aqui descrita corresponde à qualidade Ataramabá.

[223] *Iemanjá dá à luz as estrelas, as nuvens e os orixás.* Awo Fá'lókun Fátunmbi, 1994, p. 126.

[224] *Iemanjá vinga seu filho e destrói a primeira humanidade.* Lydia Cabrera, 1980, pp. 32-3.

[225] *Iemanjá joga búzios na ausência de Orunmilá.* Natalia Aróstegui, 1994 (b), p. 45.

[226] *Iemanjá é nomeada protetora das cabeças.* Lydia Cabrera, 1980, p. 31.

[227] *Iemanjá trai seu marido Ogum com Aiê.* Lydia Cabrera, 1980, p. 42.

[228] *Iemanjá finge-se de morta para enganar Ogum.* Lydia Cabrera, 1980, p. 47.

[229] *Iemanjá afoga seus amantes no mar.* Zora Seljan, 1973, p. 133. No Nordeste do Brasil, os pescadores que morrem no mar são considerados vítimas do amor de Iemanjá. Por temor e devoção, as festas promovidas pelos pescadores a Iemanjá, com oferendas depositadas no mar, transformaram-se em uma das mais importantes celebrações populares, atraindo milhares de adeptos e curiosos.

[230] *Iemanjá salva o Sol de extinguir-se.* Lydia Cabrera, 1980, p. 50.

[231] *Iemanjá irrita-se com a sujeira que os homens lançam ao mar.* Lydia Cabrera, 1980, p. 32.

[232] *Iemanjá atemoriza seu filho Xangô.* Lydia Cabrera, 1980, p. 41.

[233] *Iemanjá oferece o sacrifício errado a Oxum.* Lydia Cabrera, 1980, p. 55.

[234] *Iemanjá mostra aos homens o seu poder sobre as águas.* Noël Baudin, 1884, p. 14; Natalia Aróstegui, 1994 (a), p. 95. Na versão de 1884, o mito tem como personagem Olocum e não Iemanjá.

[235] *Iemanjá seduz seu filho Xangô.* Rómulo Lachatañeré, 1992, pp. 50-2.

[236] *Iemanjá tem seu poder sobre o mar confirmado por Obatalá.* Lydia Cabrera, 1980, p. 31.

[237] *Iemanjá cura Oxalá e ganha o poder sobre as cabeças.* Reginaldo Prandi, pesquisa de campo, São Paulo, 1997.

[238] *Olocum acolhe todos os rios e torna-se a rainha das águas.* Pierre Verger, 1985, pp. 53-5. Olocum não é cultuada no Brasil, tendo sido confundida com Iemanjá, havendo referência a uma qualidade desta, Iemanjá Olocum, a rainha do mar. Iemanjá é pouco lembrada como deusa do rio Níger, uma vez que a geografia africana perdeu o sentido para os brasileiros, embora ainda seja saudada como Odô Iá (mãe do rio). Igualmente, Olossá transformou-se numa qualidade de Oxum e às vezes da própria Iemanjá.

[239] *Olocum mostra sua força destruidora.* Lydia Cabrera, 1980, pp. 25-6; Natalia Aróstegui, 1994 (a), pp. 194-5.

[240] *Olocum isola-se no fundo do oceano.* Natalia Aróstegui, 1994 (a), pp. 194-5.

[241] *Olocum perde uma disputa para Oxalá.* Geoffrey Parrinder, 1967, p. 83.

[242] *Onilé ganha o governo da Terra.* Reginaldo Prandi, pesquisa de campo, Rio de Janeiro, 1999. Narrado por Pai Agenor Miranda Rocha. Fragmentos em Wande Abimbola, 1977, p. 111; Abimbola, 1997, pp. 67-8. Onilé é orixá pouco conhecido no Brasil, embora receba homenagens em candomblés tradicionais da Bahia e em candomblés africanizados. Onilé significa literalmente Dona da Terra. Também chamada Aiê ou Ilê, nome do mundo dos humanos. Recebe sacrifícios num assentamento preparado num montículo de terra.

[243] *Ajê Xalugá cega os homens e também perde a visão.* Reginaldo Prandi, pesquisa de campo, Santiago de Cuba, 1988. Narrado por Luis de Yemayá, babalaô cubano.

[244] *Ajê Xalugá faz seu amado próspero e rico.* Reginaldo Prandi, pesquisa de campo, Rio de Janeiro, 1998. Narrado por Pai Agenor Miranda Rocha.

[245] *Odudua briga com Obatalá e o Céu e a Terra se separam.* Noël Baudin, 1884, p. 11; Leo Frobenius, 1949, p. 170; Ulli Beier, 1980, pp. 9-10. Na versão de 1884, a briga se deu pela falta de espaço dentro da cabaça; não cita anéis. Outras variantes falam de Obatalá e Iemu, sua esposa (Pierre Verger, 1992, pp. 32-3). Na maioria dos mitos, Odudua é masculino, em outros, feminino. Também Obatalá aparece ora masculino, ora feminino; no Brasil quase sempre considerado masculino e, em Cuba, feminino.

[246] *Odudua cai na armadilha que ele mesmo prepara para Oxalá.* Pierre Verger, 1985, pp. 88-93.

[247] *Odudua é encarregado de dotar os homens de cabeça.* Natalia Aróstegui, 1994 (a), p. 88.

[248] *Odudua constrói um abrigo para seu amado caçador.* Arthur Ramos, 1940, p. 302.

[249] *Oraniã nasce negro e branco e tem dois pais.* Ulli Beier, 1980, pp. 19-20; Pierre Verger, 1957, p. 143 [1999, pp. 340-1]; Verger, 1980, p. 288; Verger, 1981 (b), pp. 18-9; Verger, 1985, p. 28.

[250] *Oraniã cria a Terra.* Ulli Beier, 1980, pp. 10-2; Pierre Verger, 1957, p. 327 [1999, p. 338]; Verger, 1980, p. 291; Verger, 1981 (a), pp. 130-1.

[251] *Oraniã traz Oquê, a Montanha, do fundo do mar.* Natalia Aróstegui, 1994 (a), pp. 121-2.

[252] *Oraniã é invocado para salvar sua cidade e mata seus súditos.* Bolaji Idowu, 1962, pp. 12-3; Harold Courlander, 1973, pp. 53-7. O monumento lítico Opá Oraniã [Òpá Òrànmíyán] é um símbolo não só da cidade de Ilé-Ifé, considerada o berço da civilização iorubá, mas da própria cultura desse povo.

[253] *Orunmilá institui o oráculo.* Wande Abimbola, 1975, pp. 51-72. Variantes ouvidas no Brasil relatam a ida de Orunmilá para o Orum e a instauração da fome e da miséria na Terra pelo fato de os homens não saberem mais como fazer o sacrifício correto, o que era do conhecimento exclusivo de Orunmilá. Assim, Orunmilá teria enviado à Terra os *odus*, por meio dos quais se pode falar com ele, para salvar o homem da extinção.

[254] *Ifá dá ao feiticeiro as lendas da adivinhação.* Contado por Pai Agenor Miranda Rocha, apud Muniz Sodré e Luís Felipe de Lima, 1996, pp. 38-9.

[255] *Orunmilá traz a festa como dádiva de Olodumare.* Rita de Cássia Amaral, pesquisa de campo, 1996. Os atabaques são sagrados na religião dos orixás e igualmente recebem sacrifício.

[256] *Orunmilá aprende o segredo da fabricação dos homens.* Rita de Cássia Amaral, pesquisa de campo, São Paulo, 1986.

[257] *Ifá nasce como menino mudo.* Contado por Pai Agenor Miranda Rocha, apud Muniz Sodré e Luís Felipe de Lima, 1996, pp. 39-40.

[258] *Orunmilá ludibria Oxalá com a ajuda de Exu.* Agenor Miranda Rocha, 1928, pp. 35-7 [1999, pp. 111-4]; Willfried Feuser e Mariano Carneiro da Cunha, 1982, pp. 86-8; Júlio Braga, 1988, pp. 193-4; Braga, 1989, p. 47.

[259] *Orunmilá trava longa contenda com seu escravo Ossaim.* Lydia Cabrera, 1954, p. 87; Roger Bastide, 1978, pp. 184-5; Pierre Verger, 1985, pp. 75-7. Trata-se de um mito político dos seguidores de Orunmilá, em disputa com os seguidores de Ossaim.

[260] *Orunmilá engana Oxalá e Odudua e faz a paz na Terra*. Leo Frobenius, 1949, pp. 162-3; Pierre Verger, 1985, pp. 88-93.

[261] *Orunmilá recebe o título de Senhor do Mundo*. Natalia Aróstegui, 1994 (b), p. 61.

[262] *Orunmilá dá o alimento à humanidade*. Pierre Verger, 1985, pp. 80-2. Mito sobre práticas de higiene entre os iorubás.

[263] *Orunmilá é escondido de seus perseguidores por uma aranha*. René Ribeiro, 1978, pp. 88-9.

[264] *Orunmilá disputa com seu escravo quem é o melhor adivinho*. Agenor Miranda Rocha, 1928, pp. 50-3 [1999, pp. 147-52]; Deoscóredes Maximiliano dos Santos, 1961, pp. 47-52; D. M. dos Santos, 1981, pp. 45-8; Willfried Feuser e Mariano Carneiro da Cunha, 1982, pp. 128-9; Júlio Braga, 1988, pp. 204-6; Braga, 1989, pp. 55-7.

[265] *Orunmilá desposa a filha de Olocum*. William Bascom, 1969, pp. 160-2.

[266] *Orunmilá prefere a Paciência à Discórdia e à Riqueza*. Agenor Miranda Rocha, 1928, pp. 28-9 [1999, p. 94]; Deoscóredes Maximiliano dos Santos, 1961, p. 81; Willfried Feuser e Mariano Carneiro da Cunha, 1982, pp. 65-6; Júlio Braga, 1988, pp. 188-9; Braga, 1989, p. 41.

[267] *Orunmilá reconhece seu filho com Iemanjá*. Deoscóredes Maximiliano dos Santos, 1963, pp. 20-1; Zora Seljan, 1973, p. 97. É comum no candomblé a identificação da filiação mítica dos iniciados a seu orixá com base na presença de sinais de nascença no corpo.

[268] *Orunmilá é enganado por Exu mas termina vencedor*. Ronilda Ribeiro, 1996, p. 133.

[269] *Orunmilá proíbe o sacrifício de seres humanos*. William Bascom, 1969, p. 66.

[270] *Orunmilá conquista a mais linda donzela*. Agenor Miranda Rocha, 1928, p. 30 [1999, pp. 101-2]; Deoscóredes Maximiliano dos Santos, 1963, pp. 42-3; Willfried

Feuser e Mariano Carneiro da Cunha, 1982, p. 72; Júlio Braga, 1988, p. 190; Braga, 1989, p. 43.

[271] *Orunmilá recebe de Obatalá o cargo de babalaô*. Samuel Feijoo, 1986, pp. 283-4.

[272] *Ajalá modela a cabeça do homem*. Wande Abimbola, 1975, pp. 32-3, 125-32. Ajalá está esquecido no Brasil, tendo sido substituído por Iemanjá, a dona das cabeças, a quem se canta, no *xirê*, quando os iniciados tocam a cabeça com as mãos para lembrar esse domínio, e na cerimônia de sacrifício à cabeça (*bori*), rito que precede a iniciação ao orixá daquela pessoa. A cabeça, o *ori*, é associada ao destino, que não pode ser mudado, e mesmo a infelicidade é entendida como consequência de uma escolha pessoal malfeita. Em Cuba, conforme vários mitos, Odudua teria feito as cabeças, as quais são cultuadas no assentamento individual de cada iniciado da entidade denominada Ossum, que na mitologia africana é uma das mulheres de Orunmilá. Não confundir Ossum com Oxum.

[273] *Ajalá faz as cabeças de três amigos*. Wande Abimbola, 1976, pp. 117-8; Ulli Beier, 1980, pp. 4-6; Arno Vogel et alii, 1993, pp. 45-6.

[274] *Ori faz o que os orixás não fazem*. Wande Abimbola, 1976, pp. 134-42; Abimbola, 1975, pp. 158-73. Ori é a divindade da cabeça, responsável pelo destino de cada mortal. Este mito dá uma visão bastante rica de um aspecto importante da crença iorubá, que se mantém nos candomblés de hoje. Relata que a primeira divindade a ser louvada é o Ori, a cabeça de cada pessoa. Cada iniciado deve oferecer sacrifício à sua cabeça (*ebó ori, bori*) antes de propiciar seu orixá. O mito dá o nome da cidade de cada orixá e arrola suas comidas prediletas.

[275] *Ori vence os orixás numa disputa*. William Bascom, 1980, pp. 141-7.

[276] *Ori decide não nascer de novo*. Natalia Aróstegui, 1994 (a), pp. 126-7.

[277] *Ori livra Orunmilá de ameaças*. Wande Abimbola, 1976, p. 116. O ritual do *bori* — literalmente, dar comida à cabeça — foi preservado integralmente no candomblé e é o sacrifício votivo que precede a iniciação sacrificial para o orixá. Antes do orixá, deve-se louvar a cabeça do devoto. Em iorubá os nomes da Morte, Doença, Perda, Paralisia e Fraqueza são: "Ikú", "Àrùn", "Òfò", "Ègbà", "Èse".

[278] *Oxaguiã inventa o pilão*. Mito corrente nos candomblés. Fragmento em José Beniste, 1997, p. 223. Oxaguiã, por ter inventado o pilão, é considerado o criador da cultura material, tendo assim completado a criação de Oxalufã-Obatalá.

[279] *Ajagunã ganha uma cabeça nova*. Reginaldo Prandi, pesquisa de campo, São Paulo, 1997.

[280] *Oxaguiã manda libertar o amigo preso injustamente*. Pierre Verger, 1981 (b), pp. 64-8; Verger, 1985, pp. 65-7. No Brasil e em Cuba, Oxaguiã é cultuado como qualidade de Oxalá-Orixalá. É dito Oxalá Jovem no Brasil e O Velho em Cuba. Na África é uma divindade independente. Na África, até hoje, todos os anos no final da estação da seca habitantes de dois bairros de Ejigbô reúnem-se e batem-se com varetas durante todo um dia, a fim de representar sua súplica para que a chuva retorne. Nos candomblés, tal costume é reproduzido no ciclo de festas em homenagem a Oxalá (as Águas de Oxalá), especialmente na parte reservada a Oxaguiã (o Pilão de Oxaguiã), quando os devotos do terreiro se dividem em dois grupos que se batem com as varetas (*atori*), em rito de expiação.

[281] *Ajagunã instaura o reino da discórdia e promove o progresso*. Lydia Cabrera, 1993, pp. 296-7.

[282] *Oxaguiã devolve o sexo aos homens*. William Bascom, 1969, pp. 215-9.

[283] *Ajagunã destrói palácios para o povo trabalhar*. Reginaldo Prandi, pesquisa de campo, São Paulo, 1997.

[284] *Oxaguiã encontra Iemanjá e lhe dá um filho*. Monique Augras, 1989, pp. 20-1; José Flávio Pessoa de Barros, 1993, p. 28.

[285] *Orixanlá cria a Terra*. Geoffrey Parrinder, 1967, p. 20; Klaas Woortmann, 1978, p. 18. A semana iorubá tem quatro dias. A cidade de Ifé é considerada pelos iorubás o berço da humanidade.

[286] *Obatalá cria o homem*. Leo Frobenius, 1949, pp. 162-3; Juana Elbein dos Santos, 1976, pp. 61-4; Ulli Beier, 1980, pp. 7-8; Pierre Verger, 1980, p. 297; Verger, 1981 (a), pp. 252-3; Verger, 1985, pp. 83-7; Agenor Miranda Rocha, 1994, pp. 60-3; Arno Vogel et alii, 1993, p. 174. Uma versão romanceada encontra-se em Adilson

de Oxalá, 1998, pp. 13 e segs. Noutra versão, o primeiro lugar do mundo a ser criado foi a cidade de Ifé, considerada berço dos iorubás e centro do mundo (Frobenius, loc. cit.). Variantes cubanas dão Obatalá como criador do mundo. Odudua às vezes é considerado o criador das cabeças, mas as faz com defeito, obrigando a nova intervenção de Obatalá (Samuel Feijoo, 1986, p. 256; Natalia Aróstegui, 1990, p. 79). No Brasil, Odudua está muito esquecido, lembrado num ou noutro raro terreiro, sendo em geral substituído por Ogum, conforme o mito "Ogum cria o mundo".

[287] *Obatalá cria Icu, a Morte.* Natalia Aróstegui, 1994 (b), pp. 8-10.

[288] *Obatalá provoca a inveja e é feito em mil pedaços.* Rita de Cássia Amaral, pesquisa de campo, São Paulo, 1996; Ulli Beier, 1980, pp. 6-7. A versão publicada em Harold Courlander (1973, pp. 101-3) e retomada por Wole Soyinka (1995, p. 152) conta que de cada pedaço de Obatalá foi feito um novo orixá. Outra versão (Jan Knappert, 1995, p. 189) diz que era Exu o escravo que, cansado de trabalhar como mensageiro, jogou uma pedra na casa de Obatalá, fazendo-o em pedaços, os quais originaram os outros orixás.

[289] *Obatalá fere acidentalmente sua esposa Iemu.* Ifayemi Eleburuibon, 1989, pp. 19-21.

[290] *Orixalá guarda de lembrança uma pena de Ecodidé.* Rita Segato, 1995, p. 408.

[291] *Oxalá salva seus filhos com a ajuda de Orunmilá.* Agenor Miranda Rocha, 1928, pp. 57-8; Willfried Feuser e Mariano Carneiro da Cunha, 1982, pp. 148-9; Júlio Braga, 1989, p. 62.

[292] *Oxalá cria a galinha-d'angola e espanta a Morte.* Arno Vogel et alii, 1993, p. 63. Fragmento em Agenor Miranda Rocha, 1928, p. 50 [1999, pp. 120-1]. Referência ao rito conhecido no candomblé como "saída de *iaô*", quando o iniciado é apresentado à comunidade com o corpo pintado de pequenos círculos brancos feitos de *efum* e usando na cabeça a pena *ecodidé*, em homenagem a Oxalá.

[293] *Oxalá é proibido de consumir sal.* Monique Augras, 1983, p. 180.

[294] *Oxalá é feito albino por Exu.* Pierre Verger, 1985, pp. 72-4. Os albinos, assim como os corcundas, são considerados no candomblé filhos de Oxalá.

[295] *Obatalá separa o Céu da Terra*. Agenor Miranda Rocha, 1994, pp. 64-6. Com a separação do Aiê do Orum, praticamente completa-se a Criação, ficando os deuses separados dos homens e definindo-se o lugar dos mortos.

[296] *Obatalá rouba o pescador cego*. Ulli Beier, 1980, pp. 14-5.

[297] *Oxalá expulsa o filho chamado Dinheiro*. Agenor Miranda Rocha, 1928, p. 14 [1999, pp. 67-8]; Deoscóredes Maximiliano dos Santos, 1961, pp. 21-2; D. M. dos Santos, 1981, pp. 71-2; Willfried Feuser e Mariano Carneiro da Cunha, 1982, pp. 33-4; Júlio Braga, 1988, p. 181. Oxalá é o criador de todas as coisas, inclusive daquelas que são fontes do bem e do mal, como o dinheiro.

[298] *Orixalá ganha o mel de Odé*. Reginaldo Prandi, pesquisa de campo, Recife, 1990. Narrado por Mãezinha Maria do Bonfim, do Sítio de Pai Adão.

[299] *Oxalufã é banhado com água fresca e limpa ao sair da prisão*. Roger Bastide, 1945, pp. 117-8; Pierre Verger, 1954, p. 176; Verger, 1957, pp. 441-5 [1999, pp. 429--30; Harold Courlander, 1973, pp. 83-6; Ulli Beier, 1980, pp. 29-31; Verger, 1980, p. 298; Verger, 1981 (b), pp. 70-5; Verger, 1985, pp. 68-71; Natalia Aróstegui, 1994 (b), pp. 140-1. Na versão de 1954, conta Verger que Xangô, amigo e não filho de Oxalá, teria designado um criado para tomar conta de Oxalufã e carregá-lo, pois os castigos sofridos o deixaram fisicamente incapaz, criado cujo nome é Airá. O mito justifica a cerimônia conhecida nos candomblés como Águas de Oxalá, ocasião em que se reverencia esse orixá e quando as águas depositadas nas quartinhas dos pejis são renovadas. É um cerimonial bastante rigoroso, com a guarda do silêncio e uso de roupas brancas por todos os participantes. Também é considerada cerimônia de expiação pelas más ações cometidas. Na versão de 1945, relata Bastide que Oxalufã vivia com seu filho Oxaguiã quando resolveu visitar seu outro filho Xangô e que, depois de libertado por Xangô, voltou para casa, onde Oxaguiã lhe ofereceu um grande banquete. Essa festa é rememorada na última parte do ciclo das Águas de Oxalá, com cerimônias que recebem o nome de Pilão de Oxaguiã. As referências a Oxaguiã não aparecem na versão de 1954, de Verger, nem nas seguintes. A previsão pelo babalaô de que a viagem seria ruim e dos três encontros com Exu, por sua vez, não estão presentes na versão de Bastide.

[300] *Obatalá usa a coroa de ecodidé e é chamado rei dos orixás*. Narrado por Mãe Sandra Medeiros Epega, ialorixá do Ilê Leuiwyato, Guararema, São Paulo, apud Mara

Vidal, 1994, pp. 130-1. Noutra versão, as penas *ecodidé* foram dadas a Oxalá por Olocum (Pierre Verger, 1957, pp. 445-6 [1999, p. 435]; Deoscóredes Maximiliano dos Santos, 1963, pp. 109-10; Júlio Braga, 1989. p. 45). A ostentação no modo de vestir é um valor africano que se reproduziu perfeitamente no candomblé.

[301] *E foi inventado o candomblé*. . . Mito corrente em terreiros nagô do Recife e terreiros queto do Rio de Janeiro e de São Paulo. Fragmentos em Arno Vogel et alii, 1993, pp. 88, 105, 113.

Glossário

Este glossário fornece os nomes das divindades dos mitos e o significado de expressões e termos que aparecem no texto e que são de uso corrente na religião dos orixás no Brasil, o candomblé. Quando não dicionarizados, aparecem em itálico no texto. Entre colchetes é fornecida a grafia iorubá, quando derivados dessa língua. Quando a palavra não tem essa origem, fornece-se sua provável fonte. Em iorubá, as vogais grafadas *a*, *e*, *o* são abertas. Ausência de sinal indica vogal fechada. A letra Ṣ ou ṣ soa como *x* na palavra *orixá*. Cada sílaba tem tom alto, médio ou baixo, indicado graficamente por acento na vogal: (`) para tom baixo, (´) para tom alto. Sílaba sem esses sinais tem tom médio.

Abará [*àbàlá*]: bolinho de feijão-fradinho amassado cozido no vapor.

Abebé [*abẹ́bẹ́*]: leque de metal; ferramenta dos orixás femininos.

Aberé [*abẹ́rẹ́*]: agulha; no Brasil, escarificações rituais (tatuagens) feitas no corpo e membros do iniciado.

Abicu [*àbíkú*]: entidade que faz com que as crianças morram prematuramente. O abicu nasce para morrer e assim poder nascer de novo.

Abô [*àgbo*]: infusão de água com folhas maceradas e outras substâncias como mel, sangue etc.

Acaçá [*akasa*]: bolinho de amido embrulhado em folha de bananeira.

Acarajé [*àkàrà*]: bolinho de feijão-fradinho amassado frito em azeite de dendê.

Acocô [*akòko pupa*]: planta africana *Newbouldia Laevis Seem.*, *Bignoniaceae*. Usada na coroação de reis e sagração de sacerdotes de alta hierarquia.

Acorô [*kóró*]: pequena coroa usada por Ogum.

Adê [*adé*]: coroa.

Adié [*adiè*]: galinha.

Adjá [*ààjá*]: espécie de instrumento ritual; no candomblé, campainha metálica.

Adô [*àdo*]: pequena cabaça para carregar pólvora, embornal dos orixás caçadores. Também nome da cabaça com búzios que Euá leva na mão quando dança e que em alguns candomblés é chamada de aracolê.

Agbô [*agbò*]: carneiro macho.

Agogô [*agogo*]: instrumento rítmico composto de duas campânulas metálicas.

Agutã [àgùtàn]: carneiro ou ovelha.

Aiabá [ayaba]: rainha, esposa do rei; no candomblé, orixá feminino.

Aiê [ayé]: Terra, mundo dos homens. Outro nome para o orixá Onilé.

Ajagunã [Ajagùnnòn]: título com o significado de grande guerreiro; outro nome para Oxaguiã, o Oxalá jovem e guerreiro que inventou o pilão.

Ajalá [Àjàlá]: orixá da Criação, é encarregado de fabricar as cabeças, ori; está esquecido no Brasil e Cuba.

Ajé [Àjé]: feiticeira.

Ajê Xalugá [Ajé Sàlúgà]: orixá da riqueza.

Alá [àlà]: pano, pano branco, pálio de Oxalá.

Alabê [alábe]: dono da navalha, encarregado das escarificações rituais (aberés); no Brasil, ogã tocador de atabaque, chefe da orquestra do candomblé.

Alafim [Aláààfin]: título do rei de Oió.

Amalá [àmala]: comida predileta de Xangô; no candomblé, comida à base de quiabo, camarão seco e azeite de dendê; no batuque, prato preparado com folhas de mostarda.

Apaocá [àpaòká]: título sacerdotal e árvore sagrada africana; no Brasil, a jaqueira (Artocarpus integrifolia, L. Moraceae). Também nome de divindade.

Aquicó [àkùko]: galo.

Aroni [Àrònì]: duende de uma perna só que habita a floresta e conhece o uso medicinal das ervas. Diz-se que acompanha Ossaim, a quem teria ensinado o segredo das folhas.

Ató [ató]: pequena cabaça usada para guardar remédios, símbolo de Ossaim e Omulu, orixás ligados à cura.

Atori [àtòrì]: vareta usada para flagelação em cerimônia a Oxaguiã; representa os ancestrais; vara da árvore africana Glyphaea lateriflora.

Axé [àse]: força mística dos orixás; força vital que transforma o mundo.

Axéxê [àsésé, àjèjé]: rito fúnebre em que os assentos dos orixás do morto são quebrados e despachados juntamente com o despacho do egum.

Axó [aso]: roupa.

Babalaô [babálawo]: sacerdote de Orunmilá; sacerdote do oráculo; adivinho.

Balé [ìgbàlè]: relativo ao culto dos antepassados, eguns, culto que é restrito aos homens.

Bará [Elégbára]: outro nome para Exu; é o nome de Exu no batuque gaúcho.

Batá [bàtá]: tambor usado em cultos afro-brasileiros, como no xangô de Pernambuco; na África, tambor de Xangô.

Bilala [bílálà]: chibata usada por Otim e Oxóssi.

Bori [ebòrí]: sacrifício à cabeça; primeiro rito de iniciação no candomblé.

MITOLOGIA DOS ORIXÁS / 564

Ebó [ẹbọ̀]: sacrifício, oferenda, despacho.

Ecô [ẹkọ]: bolinho de amido de milho branco ou amarelo embrulhado em folha de bananeira.

Ecodidé [ekódidẹ]: pena vermelha de um papagaio africano, edidé [edidẹ], ou papagaio-da-costa.

Ecuru [èkuru]: bolinho de feijão-fradinho cozido no vapor.

Edum ará [ẹdùn àrá]: pedra de raio, fetiche de Xangô.

Efum [ẹfun]: giz, pó branco.

Egbé [ẹgbẹ̀]: fazenda, associação, comunidade; no candomblé, comunidade do terreiro; também emoções profundas, coração.

Egbé [Egbé]: orixá também considerado uma espécie de egungum feminino cultuado por mulheres em Ibadã, muito ligada aos problemas de saúde das crianças. A cana-de-açúcar é seu atributo.

Egum [Égún]: antepassado, espírito de morto, o mesmo que egungum; alguns orixás são eguns divinizados.

Egungum [Egúngún]: o mesmo que Egum.

Eié [ẹyẹ]: pássaro.

Elegbara [Ẹlẹ́gbára]: outro nome para Exu.

Eleguá [em Cuba: Elegguá]: nome pelo qual Exu é conhecido em Cuba, onde o termo Exu é reservado às qualidades maléficas do orixá.

Eleié [elé ẹyẹ]: literalmente, o dono ou a dona do pássaro; epíteto usado para referir-se às Iá Mi.

Equede [èkejì]: literalmente, segunda (pessoa); na África, cargo sacerdotal do rei, que só estava abaixo do orixá daquela cidade, de quem se acreditava que o rei descendia diretamente; no Brasil, a iniciada no candomblé para cuidar dos orixás, vesti-los e dançar com eles.

Erinlé [Erinlẹ́]: orixá da caça, pai do orixá Logum Edé; o mesmo que Inlé. Está esquecido no Brasil, onde Oxóssi tomou seu lugar em muitos mitos, e é raramente cultuado em Cuba.

Euá [Yẹ̀wá]: orixá das fontes; dona dos cemitérios.

Euê [ewé]: folha.

Euó [ewọ̀]: interdição religiosa; tabu; quizila.

Exu [Èṣù]: orixá mensageiro; dono das encruzilhadas e guardião da porta de entrada da casa; sempre o primeiro a ser homenageado.

Funfum [funfun]: branco.

Gã [gán]: instrumento rítmico em forma de cone metálico achatado.

Iá Mi Oxorongá [Ìyámi Òṣòròngà]: feiticeiras, mães ancestrais.

Ialodê [*iyálóde*]: encarregada de organizar o trabalho comunitário das mulheres da aldeia.

Iamassê [*Yamase*]: mãe de Xangô.

Iansã [*Yánsàn*]: outro nome para Oiá; literalmente, a mãe dos nove filhos.

Iaô [*iyawó*]: esposa jovem; filha ou filho de santo; grau inferior da carreira iniciática dos que entram em transe de orixá.

Ibá [*igbá*]: cabaça; assentamento ou altar da divindade.

Ibejis [*Ibejì*]: orixás gêmeos; protetores das crianças.

Ibiri [*ibiri*]: cetro ritual de Nanã em forma de jota.

Icu [*Ikú*]: a Morte.

Idá [*idà*]: espada, punhal.

Idoú [*Idowu*]: terceiro irmão dos gêmeos Ibejis.

Iemanjá [*Yemọja, Yémánjá*]: orixá do rio Níger, dona das águas, senhora do mar, mãe dos orixás.

Iemu [*Yemowo*]: orixá esposa de Obatalá. Foi substituída na maioria dos mitos por Iemanjá. Seu culto está restrito à cidade de Ifé, na Nigéria.

Ifá [*Ifá*]: outro nome para Orunmilá; também os apetrechos do babalaô e o próprio oráculo.

Igbá ou ibá [*igba*]: cabaça; cabaça que contém a representação material de um orixá, assento ou assentamento de orixá.

Igbim [*ìgbin*]: caracol catassol; animal predileto de Oxalá.

Ilu [*ìlù*]: tambor.

Imolé [*ìmọ́lè*]: designação das divindades que habitaram a Terra nos tempos primordiais e que participaram da Criação; o mesmo que irunmolé. Dizem que são em número de trezentos e um, ou seja, incontáveis; também se diz que são os próprios orixás.

Indé [*idè*]: metal amarelo; pulseira.

Inlé [*Inlè*]: outro nome para Erinlé; orixá do rio Erinlé.

Iroco [*Ìrókò*]: árvore africana sagrada (*Chlorophora excelsa, Moraceae*), onde mora Oro, o espírito da floresta; no Brasil, gameleira-branca (*Ficus maxima M., Moraceae*), cultuada como orixá nos antigos candomblés da Bahia e Pernambuco.

Irofá [*irọ Ifa*]: sineta-bastão de madeira usada pelos babalaôs para invocar Ifá no ato de adivinhação.

Irunmolé [*irúnmọlè*]: o mesmo que imolé.

Iruquerê [*ìrùkèrè*]: espanta-mosca feito com rabo de cavalo ou outro animal, usado por reis africanos como símbolo de poder e por alguns orixás, especialmente Oiá e Oxóssi.

Logum Edé [*Lógunèdę, Logumędę, Ológún-ędę*]: orixá da caça e da pesca; filho de Erinlé ou Oxóssi com Oxum.

Mariô [*màrìwò*]: folha nova da palmeira de dendê.

Nanã, Nanã Burucu [*Nàná, Nàná Buruku*]: orixá do fundo dos lagos; dona da lama com que Obatalá modelou o homem. Teria sido a mãe dos orixás Omulu e Oxumarê, que com ela formam a tríade de voduns do Daomé incorporados ao panteão dos orixás.

Obá [*Ọ̀bà*]: orixá do rio Obá; uma das esposas de Xangô.

Obá [*ọba*]: rei, soberano da cidade.

Obaluaê [*Ọbalúayé*]: orixá da varíola, das pestes, das doenças contagiosas.

Obarixá [*Ọbarìṣà*]: outro nome para Obatalá.

Obatalá [*Obàtálá*]: literalmente, Rei do Pano Branco; orixá da Criação; criador do homem; considerado o maior dos orixás.

Obé [*ọ̀bę*]: faca.

Obi [*obì*]: noz-de-cola, fruto africano aclimatado no Brasil (*Cola acuminata, Streculiacea*), indispensável nos ritos do candomblé; substituído em Cuba pelo coco.

Ocum [*òkun*]: mar, oceano.

Odara [*ó dára*]: bom, bonito.

Odé [*Ọdę*]: caçador; nome genérico para os orixás da caça; denominação de Oxóssi na nação nagô do xangô pernambucano e no batuque gaúcho.

Odu [*Odù*]: nome de uma das mais velhas feiticeiras Iá Mi Oxorongá, que teria sido mulher de Orunmilá.

Odu [*odù*]: signos do oráculo iorubano, formados de mitos que dão indicações sobre a origem e o destino do consulente. O odu é obtido ao acaso, pelo lançamento de dezesseis búzios, dezesseis cocos de dendê, ou pela cadeia de adivinhação de Ifá. Na África, os odus são histórias em forma de poemas recitados de cor pelo babalaô. Em Cuba, os babalaôs mantêm os mitos dos odus escritos em cadernos que conservam em segredo (pataquis). No Brasil, os poemas estão esquecidos, conservando-se contudo seus nomes, nomes de orixás que fazem parte das narrativas e presságios de cada um deles. Odus são divindades enviadas por Orunmilá para ajudar os homens.

Odudua [*Odùdúwà*]: orixá da Criação; criador da Terra; masculino ou feminino.

Ofá [*ọfà*]: arco e flecha; ferramenta de Oxóssi.

Ofó [*ọfọ́*]: cantiga de encantamento.

Ogã [*ọ̀gá*]: na África, alguém que ocupa um cargo superior, mestre; no Brasil, cargo sacerdotal masculino do candomblé, incluindo o tocador, o sacrificador e homens de prestígio ligados afetivamente aos grupos de culto.

Ogó [ọ̀gọ]: porrete usado por Exu, geralmente com formato fálico.

Ogum [Ògún]: orixá da metalurgia, da agricultura e da guerra.

Oiá [Ọya]: orixá dos ventos, do raio, da tempestade; dona dos eguns; uma das esposas de Xangô.

Oiê [oyè]: cargo, posto hierárquico, título.

Ojá [ọ̀já]: pano de amarrar na cintura das mulheres, laço, lenço.

Ojé [ọ̀jẹ̀]: sacerdote do culto dos mortos.

Olocum [Olókun]: orixá dos mares; mãe de Iemanjá; também aparece como orixá masculino. No Brasil é uma qualidade de Iemanjá.

Olodumare [Olọ́dùmarẹ̀]: Deus Supremo. Criou os orixás e deu a eles as atribuições de criar e controlar o mundo.

Olofim [Ọlófin]: denominação pela qual o Deus Supremo (Olodumare, Olorum) é chamado em Cuba. Na África, Olofim ou Alafim é o título do rei de Oió. No Recife, no terreiro Sítio de Pai Adão, Olofim está assentado como qualidade de Orixalá.

Olorum [Ọlọ́run]: literalmente, Dono do Céu; nome pelo qual é denominado preferencialmente no Brasil o Deus Supremo.

Omi [omi]: água.

Omi eró [omi èrọ̀]: literalmente, água que acalma; abô de folhas suaves; também "sangue" de caracol.

Omulu [Ọmọlu]: outro nome para Obaluaê.

Onilé [Onílẹ̀]: literalmente, Dona de Ilê, Dona da Terra. Orixá feminino pouco conhecido no Brasil, homenageado, contudo, em candomblés tradicionais da Bahia e candomblés africanizados, especialmente no início do xirê. Também chamada Aiê.

Opaxorô [ọ̀páṣọọrọ́]: báculo ou longo bastão de madeira usado por Oxalá, no Brasil confeccionado com material prateado.

Opelê [ọpẹlẹ]: instrumento de adivinhação de Ifá, formado por oito metades de caroços de dendê unidos numa cadeia. O babalaô atira a cadeia no chão e a configuração obtida (faces côncavas ou convexas voltadas para cima) determina o odu.

Oquê [Òkè]: orixá da montanha; está esquecido no Brasil.

Oquerê [Òkèrè, Okẹrẹ]: variante de Oquê; título do governante da cidade de Xaqui.

Oraniã [Òrànmíyán]: orixá das profundezas da Terra, filho de Odudua e rei de Ifé.

Ori [Orí]: divindade da cabeça de cada indivíduo; recebe oferendas no ritual do bori.

Ori [orí]: cabeça; destino.

Ori [òrí]: manteiga vegetal usada para untar a pele, limo da costa.

Oriqui [oríkì]: epíteto, frase de louvação que acompanha o nome de determinada pessoa, família ou orixá e que fala de seus atributos e atos heroicos.

Orixá [òrìṣà]: divindade, deus do panteão iorubá.

Orixá Ocô [Òrìṣàoko]: orixá da agricultura; esquecido no Brasil.

Orixalá [Òrìṣànlá]: Orixá Nlá, o grande orixá; outro nome para Oxalá. Forma pela qual Oxalá ou Orixanlá é referido na nação nagô do xangô pernambucano.

Orô [Orò]: temido espírito da floresta, de voz rouca e cavernosa e mau gênio; também egum. Esquecido no Brasil e raramente lembrado em Cuba. Também chamado Orixá-Orô e Itá. Seu culto é interditado às mulheres.

Orobô [orógbó]: noz-de-cola amarga, falso *obi* (*Garcinia gnetoides, Guttiferae*), fruto usado no culto de Xangô.

Orum [òrum]: Céu, mundo sobrenatural, mundo dos orixás; cada um dos nove mundos paralelos da concepção iorubá.

Orungã [Ọrunga]: orixá filho de Iemanjá, que a teria violentado, dando origem ao nascimento dos demais orixás. Esquecido no Brasil e em Cuba.

Orunmilá [Òrúnmìlà]: orixá do oráculo. Importantíssimo em Cuba, onde é chamado Orula, está praticamente esquecido no Brasil, exceto em alguns xangôs tradicionais de Pernambuco e em candomblés africanizados, em que seu culto vem sendo recuperado.

Ossá [ọsa]: lagoa, lago, mar.

Ossaim [Ọsányìn]: orixá das folhas; orixá que cura com as ervas.

Ossum [osun]: pó vermelho usado para pintar o corpo em certas cerimônias; giz.

Otá [ọta]: pedra; seixo usado para assentar (representar) o orixá.

Otim [ọtí]: aguardente, bebida.

Otim [Òtìn]: orixá do rio Otim, cultuado no batuque do Rio Grande do Sul como a mulher de Odé ou Oxóssi; no candomblé queto é uma qualidade de Oxóssi.

Ouô [owó]: búzio, dinheiro.

Oxaguiã [Òṣagiyán]: Oxalá jovem; orixá da Criação; inventou o pilão para comer inhame mais facilmente, criando assim a cultura material. No Brasil e em Cuba é considerado uma qualidade de Oxalá; na África é o orixá que teria sido rei de Ejigbô, o Elejigbô.

Oxalá [Òrìṣànlá]: Grande Orixá; outro nome para Obatalá; nome preferencial de Obatalá no Brasil.

Oxalufã [Òrìṣá Olufón]: Oxalá velho; nome pelo qual Obatalá é referido no Brasil.

Oxé [oṣé]: machado duplo de Xangô.

Oxo [oṣó]: iniciado; nome do cone feito de obi mascado, ori e outros elementos, que é fixado no alto da cabeça raspada do iniciado, indicando que ele está pronto para receber o orixá no transe.

Oxóssi [Òṣóòsi]: orixá da caça.

Oxu [Oṣù]: orixá da Lua.

Oxum [Òṣun]: orixá do rio Oxum; deusa das águas doces, do ouro, da beleza e da vaidade; uma das esposas de Xangô.

Oxumarê [Òṣùmàrè]: orixá do arco-íris. Em Cuba é o nome da coroa de Iemanjá e às vezes uma qualidade dela.

Paó [pa ọwọ́]: bater palmas; palmas ritmadas em tom respeitoso; saudação aos orixás ou iniciados de alta hierarquia, que se faz prostrando-se no chão.

Peregum [pèrègùn]: a planta dracena (Dracaena fragrans, Agavaceae).

Sapatá [Sapata]: outro nome para Obaluaê.

Uági [wáji]: pó azul usado para pintar o corpo em certas cerimônias.

Vodum [do fon: vodun]: divindade, deus do panteão jeje (ewê-fon); alguns voduns foram incorporados ao panteão iorubá como orixás.

Xangô [Ṣàngó]: orixá do trovão e da justiça; teria sido rei de Cossô e o quarto rei de Oió.

Xapanã [Ṣànpònnà]: outro nome para Obaluaê.

Xaxará [ṣàṣàra]: vassoura-cetro de Omulu.

Xequerê [ṣekeré]: chocalho feito com cabaça coberta por uma rede de contas.

Xere [ṣẹ́ré]: chocalho usado nò culto de Xangô.

Xirê [ṣiré]: brincar; no candomblé, ritual em que os filhos e filhas de santo cantam e dançam numa roda para todos os orixás.

Índice onomástico

Abicu, 371, 372, 551
Aganju, 48, 247, 248, 258, 380, 382,
    403, 529, 541
Ajagunã, 23, 488-90, 493-4, 496-8, 558
Ajalá, 470-2, 557
Ajé, 168, 169
Ajê Xalugá, 22, 38, 418-21, 554
Apaocá, 349
Aroni, 154

Bará, 20, 40, 54-5, 530

Egbé, 373, 374
Egum, 186, 198, 199, 240, 253, 256, 257,
    276, 277, 308, 354, 358, 359, 360, 370,
    482, 483, 537, 542, 544
Egungum, 106, 107, 187, 309, 310, 324,
    357, 358, 359, 360, 482, 547
Elegbara, 73-5, 530, 531
Eleguá, 20, 40, 48, 53-4, 56-7, 60-1, 94,
    317, 397, 529, 530, 531
Erinlé, 21, 128-33, 136, 138, 139, 534, 535
Euá, 21, 153, 232-41, 368, 398, 540, 541
Exu, 17, 18, 20, 40-53, 55-83, 92, 122,
    124, 169, 198, 209, 217, 227, 257, 265,
    273, 274, 296, 304, 320, 332, 337, 338,
    339, 351, 355, 356, 363, 383, 398, 412,
    413, 448, 449, 451, 455, 456, 459, 461,
    462, 463, 478, 488, 504, 507, 509, 513,
    520, 527, 529, 530, 531, 532, 544, 549,
    552, 555, 556, 559, 560
Exu Iangui, 73, 74, 75

Gunocô, 537, 538

Iá Mi Oxorongá, 22, 113, 138, 328,
    348-62, 364-5, 550
Iansã, 22, 106, 107, 153, 206, 207, 248,
    249, 260, 261, 264, 271, 272, 273, 274,
    275, 286, 287, 294-301, 305, 325, 326,
    333, 398, 411, 412, 539, 542, 543, 546,
    548, 549
Iansã Igbalé, 207, 308
Ibejis, 22, 259, 368-77, 386, 551
Ibualama, 21, 128, 130, 132-3, 535
Icu, 65, 66, 102, 103, 235, 236, 375, 376,
    389, 489, 506, 507, 517, 538, 559
Idoú, 368, 370, 374
Iemanjá, 22, 24, 45, 56, 57, 59, 60, 70, 71,
    72, 73, 78, 79, 105, 106, 117, 120, 121,
    130, 139, 176, 186, 200, 215, 216, 238,
    254, 255, 258, 259, 260, 262, 263, 286,
    287, 320, 321, 340, 341, 369, 375,
    380-97, 399, 411, 412, 418, 419, 461,
    462, 498, 499, 531, 535, 539, 543, 548,
    549, 551, 552, 553, 556, 557, 558
Iemanjá Ataramabá, 385, 552
Iemanjá Conlá, 247, 390
Iemanjá Maleleo, 395
Iemanjá Ogunté, 24, 388, 389, 499
Iemanjá Sabá, 24, 386
Iemanjá Sessu, 392, 393, 394
Iemu, 94, 99, 100, 508, 509, 554, 559
Ifá, 17, 23, 27, 46, 49, 50, 78, 80, 95, 98,
    114, 141, 176, 198, 211, 217, 225, 234,

235, 236, 257, 281, 301, 307, 337, 339,
340, 351, 352, 362, 364, 365, 397, 402,
403, 442-8, 451, 454, 458, 463, 464,
465, 476, 477, 478, 479, 480, 482, 483,
512, 516, 531, 549, 555

Imolés, 425, 426, 427, 459, 460

Inlé, 128, 130, 139, 164-71

Iroco, 21, 122, 177, 349, 389, 536

Legba, 20, 40, 49, 50, 388, 482, 530

Logum Edé, 21, 129, 136-41, 296, 369,
534, 535

Nanã, 21, 108, 153, 196-201, 215, 227,
228, 233, 234, 238, 239, 241, 255,
398, 538, 540

Obá, 22, 27, 89, 137, 258, 260, 261, 287,
288, 289, 291, 314-7, 355, 382, 398,
544, 547, 548, 549

Obaluaê, 21, 153, 204, 206-8, 218-9, 233,
241, 263, 264, 297, 308, 364, 365, 386,
398, 538, 539, 540, 543, 547

Obatalá, 23, 56, 57, 86, 94, 99, 100, 106,
118, 119, 176, 181, 214, 237, 241, 252,
257, 261, 262, 263, 281, 321, 325, 337,
338, 339, 357, 358, 359, 360, 364, 381,
389, 395, 396, 397, 424, 425, 426, 428,
447, 466, 467, 470, 489, 502-9, 514-6,
522-3, 530, 533, 534, 537, 541, 554,
557, 558, 559, 560

Odé, 21, 82, 112, 114-5, 122-5, 140, 146,
429, 518, 519, 534, 535, 560

Odu, 357, 358, 359, 360, 362, 363, 364,
365, 464, 550

Odudua, 23, 88, 89, 120, 261, 281, 282,
283, 364, 365, 382, 383, 398, 424-9,

432, 435, 452, 470, 503, 504, 505, 533,
541, 554, 555, 557, 559

Ogum, 21, 45, 46, 54, 55, 56, 70, 82,
86-109, 112, 113, 116, 120, 121, 138,
174, 175, 198, 200, 201, 206, 209, 248,
254, 255, 256, 258, 263, 264, 265, 270,
286, 287, 296, 297, 298, 303, 304,
305, 307, 309, 310, 314, 321, 322,
323, 340, 357, 361, 364, 365, 382, 386,
388, 389, 390, 394, 398, 411, 412, 432,
453, 454, 455, 456, 471, 478, 479, 489,
490, 496, 497, 530, 532, 533, 534,
536, 537, 539, 542, 543, 545, 546, 547,
548, 549, 552, 559

Ogum Alacorô, 89

Ogum Alagbedé, 96

Ogum Avanagã, 55

Ogum Mejê, 305

Ogum Onirê, 88, 99

Ogunjá, 92, 264, 499

Oiá, 23, 70, 71, 72, 73, 89, 93, 94, 102,
138, 140, 241, 251, 252, 253, 256, 257,
258, 265, 266, 267, 280, 285, 294-9,
301-11, 316, 323, 324, 325, 355, 360,
382, 386, 398, 477, 482, 531, 532, 539,
542, 543, 546, 547, 548, 551

Olocum, 22, 61, 62, 192, 215, 225, 226, 380,
382, 384, 385, 402-6, 418, 419, 420, 434,
435, 458, 459, 503, 553, 554, 556, 561

Olodumare, 20, 42, 43, 44, 108, 116, 117,
118, 120, 174, 192, 209, 218, 224, 229,
232, 267, 270, 339, 340, 341, 342, 345,
357, 358, 360, 361, 362, 380, 385, 387,
388, 390, 392, 397, 398, 399, 410, 411,
412, 413, 414, 415, 425, 428, 433, 434,
435, 446, 453, 454, 470, 493, 503, 505,
506, 507, 526, 527, 529, 551, 555

Olofim, 20, 44, 45, 53, 54, 60, 61, 192, 217, 218, 219, 220, 267, 268, 269, 270, 380, 383, 387, 390, 405, 428, 434, 453, 493, 529

Olorum, 20, 76, 174, 196, 197, 205, 227, 257, 311, 341, 389, 397, 403, 404, 413, 446, 453, 483, 502, 503, 505, 507, 526, 527, 529

Olossá, 382, 402, 553

Omulu, 21, 197, 204-6, 215-6, 239, 308, 381, 538, 539, 541

Onilé, 21, 410-5, 554

Oquê, 23, 144, 146, 192-3, 383, 385, 434, 435, 538, 555

Oquerê, 383, 384, 385, 535, 552

Ori, 24, 476, 480-5, 489, 557

Orixá Nlá, 23, 405, 406, 503, 523

Orixá Ocô, 21, 174-81, 183, 209, 241, 381, 383, 405, 482, 536, 537, 538

Orixalá, 59, 255, 262, 287, 288, 291, 333, 334, 360, 361, 362, 503, 509, 510, 518, 519, 549, 550, 558, 559, 560

Orixanlá, 23, 109, 406, 502-3, 523, 558

Orô, 23, 186-8, 358, 537, 538

Orungã, 79, 281, 382, 545

Orunmilá, 17, 18, 23, 27, 45, 46, 57, 60, 61, 65, 66, 67, 68, 69, 70, 71, 73, 74, 75, 76, 77, 78, 86, 107, 115, 116, 117, 118, 128, 129, 137, 152, 159, 160, 161, 209, 210, 217, 218, 233, 234, 238, 240, 245, 258, 271, 272, 273, 274, 316, 320, 321, 332, 337, 351, 352, 353, 354, 355, 356, 357, 358, 361, 362, 363, 365, 369, 370, 387, 402, 426, 435, 442-4, 446-67, 471, 476, 477, 478, 479, 480, 481, 484, 485, 504, 510, 511, 531, 534, 536, 540, 548, 550, 552, 555, 556, 557

Ossaim, 23, 61, 86, 120, 121, 152-61, 221, 233, 285, 340, 381, 386, 411, 412, 450, 451, 534, 536, 539, 555

Otim, 21, 144-9, 535, 552

Oxaguiã, 23, 91, 92, 296, 303, 304, 398, 488-92, 494-6, 498-9, 519, 521, 522, 532, 537, 557, 558, 560

Oxalá, 23, 24, 40, 41, 62, 73, 74, 91, 137, 139, 140, 196, 197, 199, 200, 274, 279, 280, 320, 329, 330, 331, 332, 334, 344, 354, 397, 398, 399, 405, 406, 407, 411, 412, 425, 426, 427, 448, 449, 450, 452, 462, 470, 477, 478, 481, 482, 488, 491, 496, 497, 502, 504-5, 507-8, 510-4, 517-21, 523, 526, 532, 535, 544, 547, 553, 554, 555, 558, 559, 560

Oxalufã, 23, 198, 199, 279, 280, 482, 491, 502, 519-22, 538, 558, 560

Oxóssi, 21, 45, 56, 57, 89, 94, 112-4, 116-21, 125, 137, 140, 141, 147, 148, 149, 296, 309, 368, 383, 398, 411, 412, 518, 534, 535, 546

Oxu, 42, 43, 61, 62, 216, 383, 392

Oxum, 22, 27, 48, 57, 70, 71, 72, 73, 89, 95, 97, 103, 104, 105, 115, 116, 117, 125, 128, 129, 136, 137, 139, 140, 141, 218, 219, 228, 249, 253, 258, 259, 260, 261, 270, 271, 272, 273, 274, 276, 286, 287, 288, 289, 290, 291, 295, 296, 300, 301, 314, 315, 316, 317, 320-45, 368, 369, 370, 371, 375, 381, 382, 394, 398, 402, 403, 411, 412, 479, 527, 528, 531, 532, 533, 534, 535, 540, 542, 544, 545, 546, 547, 548, 549, 550, 557

Oxum Apará, 97, 323, 324, 325, 548

Oxum Ijimu, 323, 329

Oxum Ioni, 343

Oxum Ipondá, 136
Oxumarê, 21, 115, 153, 197, 224-9, 233, 236, 238, 239, 380, 398, 411, 412, 540, 541

Sapatá, 21, 204, 208, 210-5, 220-1, 539, 540

Xangô, 21, 22, 27, 45, 56, 59, 60, 70, 79, 89, 93, 94, 97, 102, 103, 104, 105, 117, 141, 153, 154, 159, 160, 187, 188, 209, 221, 226, 227, 228, 238, 240, 241, 244-81, 283-91, 297, 299, 300, 302, 304, 305, 306, 307, 308, 309, 314, 315, 316, 317, 321, 332, 335, 336, 337, 355, 375, 382, 385, 386, 393, 394, 395, 396, 398, 411, 412, 432, 476, 481, 482, 519, 520, 521, 532, 533, 540, 541, 542, 543, 544, 545, 546, 547, 548, 549, 553, 560

Xangô Afonjá, 244
Xangô Airá, 279, 521, 560
Xapanã, 21, 62, 63, 78, 204, 209-10, 216-7, 219-20, 383, 482, 539, 540, 541

Índice e créditos das fotos

PRANCHA 1. Exu
Exu dançando, empunhando o *ogó*, porrete de forma fálica com o qual castiga seus desafetos. Casa das Águas, Itapevi, SP, 2000, foto de Reginaldo Prandi.

PRANCHA 2. Ogum
À esquerda: Ogum Mejê com capacete de palha da costa. Casa das Águas, Itapevi, SP, 1992, foto de Reginaldo Prandi.
À direita, em cima: Ogum Edeí no trono. Ilê Leuwyato, Guararema, SP, 1988, foto de Toninho Macedo.
À direita, no meio: Ogum vestido com as couraças de guerreiro. Candomblé Yeyê Omoejá, São Paulo, SP, 1989, foto de Toninho Macedo.
À direita, embaixo: Ogum com coroa de búzios. Ilê Axé Ossaim Darê, São Paulo, SP, 1994, foto de Reginaldo Prandi.

PRANCHA 3. Ogum
Ogunjá com suas vestes brancas características. Casa das Águas, Itapevi, SP, 1992, foto de Reginaldo Prandi.

PRANCHA 4. Ogum
Ogum Uári em dança de guerra. Ilê Axé Ossaim Darê, São Paulo, SP, 1992, foto de Roderick Steel.

PRANCHA 5. Ogum e Oxóssi
Em cima: Ogum Onirê, envolto em folhas de palmeira, um dos atributos de Ogum. Ilê Alaketu Axé Airá, São Bernardo do Campo, SP, 1998, foto de Roderick Steel.
Embaixo: Oxóssi Aqüerã com elmo adornado com plumas de caças. Ilê Axé Ossaim Darê, São Paulo, SP, 1996, foto de Reginaldo Prandi.

PRANCHA 6. Oxóssi

Em cima: Oxóssi na dança da caça com Otim. Ilê Axé Ogunjá, São Félix, BA, 1999, foto de Roderick Steel.

Embaixo, à esquerda: Oxóssi Oxeuê, com cabaças e polvorinho, símbolos do caçador. Casa das Águas, Itapevi, SP, 2000, foto de Reginaldo Prandi.

Embaixo, à direita: Oxóssi Aqüerã com espanta-moscas, *iruquerê*, símbolo de realeza. Ilê Alaketu Axé Airá, São Bernardo do Campo, SP, 1998, foto de Roderick Steel.

PRANCHA 7. Logum Edé

Em cima, à esquerda: Logum Edé dançando com o leque-espelho *abebé*, símbolo de sua mãe Oxum. Casa das Águas, Itapevi, SP, 2000, foto de Reginaldo Prandi.

Em cima, à direita: Logum Edé com coroa em forma de peixe, representando sua característica de pescador. Axé Ilê Obá, São Paulo, SP, 1988, foto de Toninho Macedo.

Embaixo, à esquerda: Logum Edé com elmo de guerreiro. Ilê Axé Ossaim Darê, São Paulo, SP, 1998, foto de Reginaldo Prandi.

Embaixo, no meio: Logum Edé com *adê*, coroa, e rosto coberto de contas, como usa sua mãe Oxum. Casa das Águas, Itapevi, SP, 2000, foto de Reginaldo Prandi.

Embaixo, à direita: Logum Edé dançando com *iruquerê* (espanta-moscas) e *abebé* (leque-espelho), símbolos de Oxóssi e Oxum, respectivamente. Ilê Alaketu Axé Airá, São Bernardo do Campo, SP, 1999, foto de Roderick Steel.

PRANCHA 8. Ossaim

Ossaim dançando, trazendo no pescoço os *atós*, cabacinhas onde guarda medicamentos. Ilê Axé Ossaim Darê, São Paulo, SP, 1987, foto de Reginaldo Prandi.

PRANCHA 9. Ossaim e Iroco

Em cima: Ossaim enfeitado com suas folhas mágicas. Ilê Olá Omin Axé Opô Araká, São Bernardo do Campo, SP, 1998, foto de Roderick Steel.

Embaixo: Iroco, orixá da gameleira-branca, dançando, leva na mão um galho dessa árvore. Ilê Olá Omin Axé Opô Araká, São Bernardo do Campo, SP, 1998, foto de Roderick Steel.

PRANCHA 10. Nanã

Em cima, à esquerda: Nanã com roupa enfeitada com palha da costa. Ilê Axé Danadana, Taboão da Serra, SP, 1995, foto de Reginaldo Prandi.

Em cima, no meio: Nanã dançando. Axé Ilê Obá, São Paulo, SP, 1989, foto de Reginaldo Prandi.

Em cima, à direita: Nanã com o cetro *ibiri*. Ilê Axé Ogunjá, São Félix, SP, 1999, foto de Roderick Steel.
Embaixo: Nanã em múltiplas incorporações. Ilê Alaketu Axé Airá, São Bernardo do Campo, SP, 1997, foto de Roderick Steel.

PRANCHA 11. Obaluaê
À esquerda: Obaluaê Ajunsum com o cetro-vassoura *xaxará*. Terreiro de Ogunjá, São Paulo, SP, 1989, foto de Andreas Hofbauer.
À direita: Obaluaê visto de costas sob teto de pipocas. Terreiro de Ogujá, São Paulo, SP, 1989, foto de Andreas Hofbauer.

PRANCHA 12. Obaluaê
Em cima: Obaluaê com *xaxará*, sem o capucho de palha da costa que usualmente cobre sua cabeça. Terreiro de Ogunjá, São Paulo, SP, 1989, foto de Andreas Hofbauer.
Embaixo: Omulu, em diferentes incorporações, dançando em volta do poste central. Ilê Alaketu Axé Airá, São Bernardo do Campo, SP, 1998, foto de Roderick Steel.

PRANCHA 13. Obaluaê
Omulu dançando sobre pipocas. Ilê Alaketu Axé Airá, São Bernardo do Campo, SP, 1998, foto de Roderick Steel.

PRANCHA 14. Oxumarê
À esquerda: Oxumarê com colares de metal. Ilê Alaketu Axé Airá, São Bernardo do Campo, SP, 1997, foto de Roderick Steel.
À direita: Oxumarê com roupa bordada com búzios. Ilê Alaketu Axé Airá, São Bernardo do Campo, SP, 1999, foto de Roderick Steel.

PRANCHA 15. Euá
Em cima: Euá sentada segurando seus emblemas, o *ofá*, que faz dela uma guerreira, e o *adô*, sua cabaça de segredos. Ilê Alaketu Axé Airá, São Bernardo do Campo, SP, 1999, foto de Roderick Steel.
Embaixo: Euá dançando em duas sacerdotisas. Ilê Alaketu Axé Airá, São Bernardo do Campo, SP, 1998, foto de Roderick Steel.

PRANCHA 16. Euá
Euá enfeitada com palha da costa vermelha, que a caracteriza, levando na mão o *adô*

ou *aracolê*, sua cabaça de segredos. Ilê Alaketu Axé Ibualamo, São Paulo, SP, 1998, foto de Roderick Steel.

PRANCHA 17. Xangô
Xangô Agodô coroado. Ilê Alaketu Axé Airá, São Bernardo do Campo, SP, 1999, foto de Roderick Steel.

PRANCHA 18. Xangô
À esquerda, em cima: Xangô Airá sentado. Casa das Águas, Itapevi, SP, 2000, foto de Reginaldo Prandi.
À esquerda, embaixo: Xangô dançando em duas manifestações. Axé Ilê Obá, São Paulo, SP, 1989, foto de Toninho Macedo.
À direita, em cima: Xangô Airá com *oxé*, machado duplo. Ilê Alaketu Axé Airá, São Bernardo do Campo, SP, 1997, foto de Roderick Steel.
À direita, no meio: Xangô carregando Obatalá nas costas. Ilê Leuiwyato, Guararema, SP, 1988, foto de Toninho Macedo.
À direita, embaixo: Xangô Airá dançando. Ilê Axé Ossaim Darê, São Paulo, SP, 2000, foto de Reginaldo Prandi.

PRANCHA 19. Obá
Obá, dançando, esconde a orelha cortada. Ilê Alaketu Axé Airá, São Bernardo do Campo, SP, 1998, foto de Roderick Steel.

PRANCHA 20. Oxum
Em cima, à esquerda: Oxum Menina. Terreiro de Ogunjá, São Paulo, SP, 1989, foto de Andreas Hofbauer.
Em cima, no meio: Oxum Apará. Casa das Águas, Itapevi, SP, 2000, foto de Reginaldo Prandi.
Em cima, à direita: Oxum Ipondá. Casa das Águas, Itapevi, SP, 2000, foto de Reginaldo Prandi.
Embaixo: Oxum em quatro manifestações. Ilê Alaketu Axé Airá, São Bernardo do Campo, SP, 1997, foto de Roderick Steel.

PRANCHA 21. Oxum
Em cima: Oxum Iabotô. Casa das Águas, Itapevi, SP, 1998, foto de Giliola Vesentini.
Embaixo: Oxum Muiuá. Ilê Iyá Mi Oxum Muyiwá, São Paulo, SP, 1999, foto de Giliola Vesentini.

PRANCHA 22. Oxum

Em cima: Oxum Ipondá. Casa das Águas, Itapevi, SP, 1999, foto de Giliola Vesentini.

Embaixo, à esquerda: Oxum Abalu. Casa das Águas, Itapevi, SP, 2000, foto de Reginaldo Prandi.

Embaixo, à direita: Oxum Apará, com espada e *abebé*. Ilê Alaketu Axé Airá, São Bernardo do Campo, SP, 1998, foto de Roderick Steel.

PRANCHA 23. Oiá

À esquerda, em cima: Oiá Topé. Ilê Alaketu Axé Airá, São Bernardo do Campo, SP, 1998, foto de Roderick Steel.

À esquerda, embaixo: Iansã Boifá sem a cascata de contas que usualmente esconde o rosto dos orixás femininos. Terreiro de Ogunjá, São Paulo, SP, 1989, foto de Andreas Hofbauer.

À direita, em cima: Oiá Mesã com *iruquerê* e espada. Axé Ilê Obá, São Paulo, SP, 1989, foto de Toninho Macedo.

À direita, embaixo: Oxum, Oiá e Obá, as três esposas de Xangô. Casa das Águas, Itapevi, SP, 2000, foto de Reginaldo Prandi.

PRANCHA 24. Oiá

Em cima: Oiá em três manifestações, com Ogum. Ilê Alaketu Axé Airá, São Bernardo do Campo, SP, 1998, foto de Roderick Steel.

Embaixo: Oiá Igbalé, encarregada dos espíritos dos mortos. Ilê Axé Ossaim Darê, São Paulo, SP, 1995, foto de Reginaldo Prandi.

PRANCHA 25. Oiá

Iansã Onirá em dança de guerra. Casa das Águas, Itapevi, SP, 1999, foto de Giliola Vesentini.

PRANCHA 26. Iemanjá

Em cima, à esquerda: Iemanjá Acurá. Casa das Águas, Itapevi, SP, 1994, foto de Reginaldo Prandi.

Em cima, no meio: Iemanjá Ataramabá. Casa das Águas, Itapevi, SP, 1995, foto de Reginaldo Prandi.

Em cima, à direita: Iemanjá Conlá. Casa das Águas, Itapevi, SP, 1999, foto de Reginaldo Prandi.

Embaixo: Iemanjá Sabá. Ilê Axé Ossaim Darê, São Paulo, SP, 1985, foto de Reginaldo Prandi.

PRANCHA 27. Iemanjá

À esquerda, em cima: Iemanjá em duas manifestações dançando. Ilê Alaketu Axé Airá, São Bernardo do Campo, SP, 1997, foto de Roderick Steel.

À esquerda, no meio: Iemanjá Sabá dançando. Ilê Axé Danadana, Taboão da Serra, SP, 1994, foto de Reginaldo Prandi.

À esquerda, embaixo: Iemanjá Sabá dançando. Casa das Águas, Itapevi, SP, 1999, foto de Reginaldo Prandi.

À direita, em cima: Iemanjá Ogunté sentada com Iansã. Ilê Alaketu Axé Airá, São Bernardo do Campo, SP, 1998, foto de Roderick Steel.

À direita, embaixo: Iemanjá Ogunté sentada. Ilê Alaketu Axé Airá, São Bernardo do Campo, SP, 1999, foto de Roderick Steel.

PRANCHA 28. Iemanjá

Iemanjá Ogunté dançando com espada e *abebé*. Ilê Alaketu Axé Ibualamo, São Paulo, SP, 1998, foto de Roderick Steel.

PRANCHA 29. Oxaguiã

À esquerda, em cima: Oxaguiã dançando com a mão de pilão, símbolo de sua participação na Criação. Axé Ilê Obá, São Paulo, SP, 1989, foto de Toninho Macedo.

À esquerda, embaixo: Oxaguiã com elmo de guerreiro. Ilê Axé Ossaim Darê, São Paulo, SP, 1991, foto de Reginaldo Prandi.

À direita, em cima: Ajagunã com escudo e mão de pilão. Ilê Axé Ossaim Darê, São Paulo, SP, 1995, foto de Reginaldo Prandi.

PRANCHA 30. Oxalá

Em cima, à esquerda: Oxalufã e Obatalá. Ilê Alaketu Axé Airá, São Bernardo do Campo, SP, 1998, foto de Roderick Steel.

No meio, à esquerda: Oxalá com Ibualama. Ilê Alaketu Axé Ibualamo, São Paulo, SP, 1998, foto de Roderick Steel.

Em cima e no meio, à direita: Oxalufã dançando com *opaxorô* sob o pálio *alá*. Casa das Águas, Itapevi, SP, 1999, foto de Giliola Vesentini.

Embaixo, à esquerda: Oxalufã. Ilê Iyá Mi Oxum Muyiwá, São Paulo, SP, 1999, foto de Giliola Vesentini.

Embaixo, no meio: Obatalá dançando. Roça Alaketu Ilê Axé Palepá Mariô Sessu, São Paulo, SP, 1987, foto de Reginaldo Prandi.

Embaixo, à direita: Oxalufã dançando. Ilê Axé Ossaim Darê, São Paulo, SP, 1996, foto de Reginaldo Prandi.

PRANCHA 31. Oxalá
Em cima: Oxalá em duas manifestações. Axé Ilê Obá, São Paulo, SP, 1989, foto de Toninho Macedo.
Embaixo: Oxalá em múltiplas manifestações dançando em roda. Ilê Alaketu Axé Airá, São Bernardo do Campo, SP, 1998, foto de Roderick Steel.

PRANCHA 32. E foi inventado o candomblé. . .
Em cima: Filhas de santo em cerimônia de iniciação. Casa das Águas, Itapevi, SP, 1993, foto de Reginaldo Prandi.
Embaixo: Filha de santo fazendo a saudação ritual. Casa das Águas, Itapevi, SP, 1995, foto de Reginaldo Prandi.

LOCAIS DAS FOTOS

ILÊ ALAKETU AXÉ AIRÁ
Babalorixá Pércio Geraldo da Silva de Airá
Rua Antônio Batistini, 260
Bairro Batistini
São Bernardo do Campo — SP

CASA DAS ÁGUAS
Babalorixá Armando Akintundê Vallado
Rua Dolomita, 195
Jardim Miraflores — Amador Bueno
Itapevi — SP

ILÊ AXÉ OSSAIM DARÊ
Babalorixá Doda Aguéssi Braga
Rua Major Emiliano da Fonseca, 444
Pirituba
São Paulo — SP

AXÉ ILÊ OBÁ
Ialorixá Sílvia de Souza Egídio
Rua Azor Silva, 77
Vila Facchini — Jabaquara
São Paulo — SP

TERREIRO DE OGUNJÁ
Ialorixá Cerila dos Santos
Rua Chapada, 225
Ponte Rasa — Ermelino Matarazzo
São Paulo — SP

ILÊ ALAKETU AXÉ IBUALAMO
Babalorixá José Carlos Santana de Ibualamo
Rua Savério de Simone, 7
Jardim Varginha
São Paulo — SP

ILÊ LEUIWYATO
Ialorixá Sandra Medeiros Epega
Rua Maria Florência, 88
Guararema — SP

ILÊ AXÉ DANADANA
Ialorixá Helena Kassarandé Natividade dos Santos
Rua Edgard Alves Figueiredo, 315
Jardim Maria Teresa
Taboão da Serra — SP

ILÊ IYÁ MI OXUM MUYIWÁ
Ialorixá Wanda de Oliveira Ferreira de Oxum
e Ogã Gilberto Ferreira de Exu
Rua Carlos Belmiro Corrêa, 1240
Parque Peruche
São Paulo — SP

ILÊ AXÉ OGUNJÁ
Babalorixá Idelson de Ogum
Rua Genival Lucas, s/nº
São Félix — BA

ILÊ OMIN AXÉ OPÔ ARAKÁ
Ialorixá Carmen de Melo Cordeiro de Oxum
e Babalorixá Carlito Maciel de Oxumarê
Rua 10, 270
Jardim Porto Novo
São Bernardo do Campo — SP

ROÇA ALAKETU ILÊ AXÉ PALEPÁ MARIÔ SESSU
Ialorixá Clarisse Iyá Sessu do Amaral Neves
Rua das Baúnas, 105
Pedreira
São Paulo — SP

CANDOMBLÉ YEYÊ OMOEJÁ (extinto)
Babalorixá Wilson da Silva de Iemanjá (falecido)
Rua Maria Teresa de Andrade, 800
Parelheiros
São Paulo — SP

Fontes etnográficas escritas

ABIMBOLA, Wande

    1975. *Sixteen Great Poems of Ifá*. Lagos, Unesco.

    1976. *Ifá: An Exposition of Ifá Literary Corpus*. Ibadan e Londres, Oxford University Press.

    1977. *Ifá Divination Poetry*. Nova York, Londres e Ibadan, Nok Publishers.

    1997. *Ifá Will Mend our Broken World: Thoughts on Yoruba Religion and Culture in Africa and the Diaspora*. Roxbury, Massachusetts, Aim Books.

ABRAHAM, R. C.

    1962. *Dictionary of Modern Yoruba*. 2ª ed. [1ª ed.: 1946]. Londres, Hodder and Stoughton.

ARÓSTEGUI, Natalia Bolívar

    1994 (a). *Los orishas en Cuba*. 2ª ed. [1ª ed.: 1990]. Havana, Ediciones Unión.

    1994 (b). *Opolopo owó: los sistemas adivinatorios de la regla de ocha*. Havana, Editorial de Ciencias Sociales.

AUGRAS, Monique

    1983. *O duplo e a metamorfose: a identidade mítica em comunidades nagô*. Petrópolis, Vozes.

    1989. "De Yiá Mi a Pomba Gira: transformações e símbolos da libido". In MOURA, Carlos Eugênio Marcondes de. *Meu sinal está no teu corpo: escritos sobre a religião dos orixás*. São Paulo, Edicon e Edusp.

    1994. "Os gêmeos e a morte: notas sobre os mitos dos Ibeji e dos Abiku na cultura afro-brasileira". In MOURA, Carlos Eugênio Marcondes de. *As senhoras do pássaro da noite: escritos sobre a religião dos orixás V*. São Paulo, Axis Mundi e Edusp.

BARBÀRA, Rosamaria Susanna.

    1999. *Storie di Bahia*. Milão, Mondadori.

BARROS, José Flávio Pessoa de

    1993. *O segredo das folhas: sistema de classificação de vegetais no candomblé jêje-nagô*. Rio de Janeiro, Pallas e UERJ.

BASCOM, William

    1969. *Ifá Divination: Communication between Gods and Men in West Africa*. Bloomington e Londres, Indiana University Press.

1980. *Sixteen Cowries: Yoruba Divination from Africa to the New World*. Bloomington e Londres, Indiana University Press.

1992. *African Folktales in the New World*. Bloomington, Indiana University Press.

BASTIDE, Roger

1945. *Imagens do Nordeste místico em branco e preto*. Rio de Janeiro, Empresa Gráfica O Cruzeiro.

1978. *O candomblé da Bahia: rito nagô*. 3ª ed. [1ª ed. brasileira: 1961; ed. francesa: 1958]. São Paulo, Nacional.

BAUDIN, R. P. Noël

1884. *Fétichisme et féticheurs*. Lyon, Séminaire des Missions Africaines et Bureaux des Missions Catholiques.

BEIER, Ulli

1980. *Yoruba Myths*. Cambridge, Cambridge University Press.

BENISTE, José

1997. *Òrun Àiyé, o encontro de dois mundos: o sistema de relacionamento nagô--yorubá entre o Céu e Terra*. Rio de Janeiro, Bertrand Brasil.

BONFIM, Martiniano Eliseu do

1940. "Os ministros de Xangô". In *O negro no Brasil: trabalhos apresentados ao Segundo Congresso Afro-Brasileiro (Bahia)*. Rio de Janeiro, Civilização Brasileira.

BRAGA, Júlio Santana

1988. *O jogo de búzios: um estudo da adivinhação no candomblé*. São Paulo, Brasiliense.

1989. *Contos afro-brasileiros*. 2ª ed. Salvador, Empresa Gráfica da Bahia. 1ª ed.: 1980, Salvador, Fundação Cultural do Estado da Bahia.

CABRERA, Lydia

1980. *Yemanjá y Ochún: kariocha, iyalorichas y olorichas*. 2ª ed. Nova York, Ediciones C. R. 1ª ed.: 1974, Madri, Ediciones C. R., Colección del Chicherekú en Exilio.

1993. *El monte*. 2ª ed. [1ª ed.: 1954]. Havana, Letras Cubanas.

CARNEIRO, Edson

1954. *Candomblés da Bahia*. 2ª ed. [1ª ed.: 1948]. Rio de Janeiro, Editorial Andes.

CARNEIRO, Souza

1937. *Os mitos africanos do Brasil*. São Paulo, Nacional.

COURLANDER, Harold

1973. *Tales of Yoruba Gods and Heroes*. Nova York, Crown Publishers.

EDUARDO, Octavio da Costa

1948. *The Negro in Northern Brazil*. Seattle, University of Washington Press.

ELEBURUIBON, Ifayemi

1989. *The Adventures of Obatalá*. Oxogbô, A. P. I. Production.

ELLIS, A. E.

1894. *The Yoruba-Speaking Peoples of the Slave Coast of Africa*. Londres, Chapman and Hall.

FADIPE, N. A.

1970. *The Sociology of the Yoruba*. Ibadan, Ibadan University Press.

FAMA, Chief Adéwálé-Somadhi

1994. *Sixteen Mythological Stories of Ifá*. San Bernardino, Califórnia, Ile Orunmila Communications.

FÁTUNMBI, Awo Fá'lókun

1994. *Ìbà'ṣẹ Òrìṣà: Ifà Proverbs, Folktales, Sacred History and Prayer*. Nova York, Original Publications.

FEIJOO, Samuel

1986. *Mitología cubana*. Havana, Letras Cubanas.

FEUSER, Willfried F. e CUNHA, Mariano Carneiro da

1982. *Dílógún: Brazilian Tales of Yorùbá Divination Discovered in Bahia by Pierre Verger*. Lagos, Centre for Black and African Arts and Civilization.

FROBENIUS, Leo

1949. *Mythologie de l'Atlantide*. Paris, Payot.

GERSHATOR, Phillis

1994. *The Iroko-Man: a Yoruba Folktale*. Ilustração de Holly C. Kim. Nova York, Orchand Books.

GLEASON, Judith

1987. *Oya: in Praise of the Goddess*. Boston e Londres, Shambhala Publications. Ed. brasileira: 1999. *Oya: um louvor à deusa africana*. Rio de Janeiro, Bertrand Brasil.

GONZÁLEZ-WIPPLER, Migene.

1994. *Legends of Santería*. St. Paul, Minnesota, Llewellyn Publications.

HERSKOVITS, Melville J.

1938. *Dahomey: An Ancient West African Kingdom*. Nova York, J. J. Augustin Publisher.

IBIE, Osamaro C.

1993. *Ifism: The Complete Works of Orunmila*. 6 vols. Lagos, Efehi Ltd. Reimpressão: 1996, Nova York, Athelia Henrietta Press.

IDOWU, E. Bolaji
1962. *Olódùmarè: God in Yoruba Belief*. Burnt Mill, Longman Nigeria.

KNAPPERT, Jan
1995. *African Mythology: an Encyclopedia of Myth and Legend*. 2ª ed. [1ª ed.: 1990]. Londres, Diamond Books.

LACHATAÑERÉ, Rómulo
1940-6. "El sistema religioso de los locumis y otras influencias em Cuba". *Estudios Afrocubanos*, 5. Havana, Sociedad de Estudios Afrocubanos.

1992. *Oh, Mío Yemaya: Cuentos y cantos negros*. 2ª ed. [1ª ed.: 1938]. Havana, Editorial de Ciencias Sociales.

1995. *Manual de santería*. 2ª ed. [1ª ed.: 1938]. Havana, Editorial de Ciencias Sociales.

LAHAYE GERRA, Rosa María e ZARDOYA LOUREDA, Rubén
1996. *Yemayá a través de sus mitos*. Havana, Editorial de Ciencias Sociales.

LÉPINE, Claude.
1998. As metamorfoses de Sakpata, deus da varíola. In MOURA, Carlos Eugênio Marcondes de (org.). *Leopardo dos olhos de fogo*. São Paulo, Ateliê Editorial.

LUCAS, J. Olumide
1948. *The Religion of the Yorubas*. Lagos, C. M. S. Bookshop.

MAUGÉ, Conrad E.
1996. *The Lost Orisha*. Mount Vernon, House of Providence.

MAUPOIL, Bernard
1943. *La géomancie à l'ancienne Côte des Esclaves*. Paris, Institut d'Ethnologie/ Musée de l'Homme.

NEIMARK, Philip John
1993. *The Way of the Orisha*. Nova York, Harper San Francisco.

OGUMEFU, M. I.
1929. *Yoruba Legends*. Londres, The Sheldon Press. 2ª ed.: 1978, Nova York, AMS Press.

OXALÁ, Adilson de.
1998. *Igbadu, a cabaça da existência: mitos nagôs revelados*. Rio de Janeiro, Pallas.

PARRINDER, Geoffrey
1967. *African Mythology*. Londres, Paul Hamlin.

PIERSON, Donald
1971. *Brancos e prêtos na Bahia: estudo de contacto racial*. 2ª ed. [1ª ed.: 1942]. São Paulo, Nacional.

RAMOS, Arthur

1935. "Os mythos de Xangô e sua degradação no Brasil". In ROQUETTE-PINTO et alii. *Estudos afro-brasileiros: trabalhos apresentados no 1º Congresso Afro-Brasileiro, reunido no Recife em 1934.* Rio de Janeiro, Editora Ariel.

1940. *O negro brasileiro.* São Paulo, Nacional.

1952. *O folclore negro no Brasil.* 2ª ed. Rio de Janeiro, Casa do Estudante do Brasil.

RIBEIRO, René

1978. *Cultos afro-brasileiros do Recife: um estudo de ajustamento social.* 2ª ed. [1ª ed.: 1952]. Recife, Instituto Joaquim Nabuco.

RIBEIRO, Ronilda Iyakẹmi

1995. "Mãe negra, o significado iorubá da maternidade". Tese de doutorado em antropologia. São Paulo, Universidade de São Paulo.

1996. *Alma africana no Brasil: os iorubás.* São Paulo, Oduduwa.

ROCHA, Agenor Miranda

1928. "Caminhos de odus", manuscrito original, editado em: 1999. *Caminhos de odu,* org. Reginaldo Prandi. Rio de Janeiro, Pallas.

1994. *Os candomblés antigos do Rio de Janeiro: a nação ketu, origens, ritos e crenças.* Rio de Janeiro, Topbooks.

RODRIGUES, Raimundo Nina

1935. *O animismo fetichista dos negros bahianos.* 2ª ed. [1ª ed.: 1896]. Rio de Janeiro, Civilização Brasileira.

1945. *Os africanos no Brasil.* 3ª ed. [1ª ed.: 1898]. Rio de Janeiro, Nacional.

SÀLÁMÌ, Síkírú (King)

1990. *A mitologia dos orixás africanos: Ṣàngó, Ọya, Ọ̀ṣun, Obá.* São Paulo, Oduduwa.

1997. *Ogum: dor e júbilo nos rituais de morte.* São Paulo, Oduduwa.

SANTOS, Deoscóredes Maximiliano dos (Mestre Didi)

1961. *Contos negros da Bahia.* Rio de Janeiro, Edições GRD.

1963. *Contos de nagô.* Rio de Janeiro, Edições GRD.

1976. *Contos crioulos da Bahia.* Petrópolis, Vozes.

1981. *Contos de Mestre Didi.* Rio de Janeiro, Codecri.

1997. *Por que Oxalá usa ekodidé.* 3ª ed. Rio de Janeiro, Pallas. 1ª ed.: 1966, Salvador, Edição Cavaleiro da Lua.

SANTOS, Juana Elbein dos

1976. *Os nagô e a morte.* Petrópolis, Vozes.

SANTOS, Maria Stella de Azevedo (Mãe Stella Odé Kaiodê)

1993. *Meu tempo é agora.* São Paulo, Oduduwa.

SCOTT, Lionel F.

1994. *Tales of Ancestors and Orisha*. Nova York, Athelia-Henriquetta Press.

SEGATO, Rita Laura

1995. *Santos e daimones: o politeísmo afro-brasileiro e a tradição arquetipal.* Brasília, Editora Universidade de Brasília.

SELJAN, Zora A. O.

1973. *Iemanjá, mãe dos orixás*. São Paulo, Editora Afro-Brasileira.

SODRÉ, Muniz e LIMA, Luís Felipe de

1996. *Um vento sagrado: história de vida de um adivinho da tradição nagô-kêtu brasileira*. Rio de Janeiro, Mauad.

SOYINKA, Wole

1995. *Myth, Literature and the African World*. [1ª ed.: 1978]. Londres, Cambridge University Press.

VERGER, Pierre Fatumbi

1954. *Dieux d'Afrique*. Paris, Paul Hartmann Éditeur.

1957. *Notes sur le culte des orisa et vodun à Bahia, la Baie de Tous leş Saints, au Brésil et à l'ancienne Côte des Esclaves en Afrique*. Dakar, Institut Français d'Afrique Noir. Ed. brasileira: 1999. *Notas sobre o culto dos orixás e voduns*. Trad. Carlos Eugênio Marcondes de Moura. São Paulo, Edusp.

1980. "Os orixás da Bahia". In CARYBÉ. *Iconografia dos deuses africanos no candomblé da Bahia*. Salvador, Fundação Cultural do Estado da Bahia.

1981 (a). *Orixás: deuses iorubás na África e no Novo Mundo*. Salvador, Corrupio.

1981 (b). *Lendas dos orixás*. Ilustrações de Enéas Guerra Sampaio. Salvador, Corrupio.

1981 (c). *Oxóssi, o caçador*. Ilustrações de Enéas Guerra Sampaio. Salvador, Corrupio e Fundação Cultural do Estado da Bahia.

1985. *Lendas africanas dos orixás*. Ilustrações de Carybé. Salvador, Corrupio.

1992. "Grandeza e decadência do culto de Ìyàmi Òṣòròngà (Minha Mãe Feiticeira) entre os Yorùbá". In *Artigos*. São Paulo, Corrupio. Ed. original: "Grandeur et décadence du culte d'Iyami Osoronga (Ma Mère la Sorciere) chez les Yoruba". *Journal de la Société des Africanistes*, 35 (1), 1965: 141-243. Também em MOURA, Carlos Eugênio Marcondes de (org.), 1994, *As senhoras do pássaro da noite: escritos sobre a religião dos orixás V*. São Paulo, Axis Mundi e Edusp.

VIDAL, Mara Regina Aparecida

1994. "A atuação da mulher na preservação e resistência da herança cultural africana: o caso do Ile Leuiwyato, Guararema, SP". Dissertação de mestrado em comunicação social. São Paulo, Instituto Metodista de Ensino Superior.

VOGEL, Arno, MELLO, Marco Antonio da Silva e BARROS, José Flávio Pessoa de
1993. *A galinha-d'angola: iniciação e identidade na cultura afro-brasileira*. Rio de Janeiro, Pallas, Eduff e Flacso.

WOORTMANN, Klaas
1978. "Cosmologia e geomancia: um estudo da cultura Yorùbá-Nàgô". In *Anuário Antropológico 77*. Rio de Janeiro, Tempo Brasileiro.

YEMONJÁ, Mãe Beata de (Beatriz Moreira Costa)
1997. *Caroço de dendê: a sabedoria dos terreiros*. Rio de Janeiro, Pallas.

ZIÉGLER, Jean
1971. *Le pouvoir africain*. Paris, Éditions du Seuil.

Sobre o autor

REGINALDO PRANDI, paulista de Potirendaba e professor emérito da Faculdade de Filosofia, Letras e Ciências Humanas da Universidade de São Paulo, é autor de três dezenas de livros. Pela editora Hucitec publicou *Os candomblés de São Paulo*, pela Edusp, *Um sopro do Espírito*, e pela Cosac Naify, *Os príncipes do destino*. Dele, o Grupo Companhia das Letras publicou: *Ifá, o Adivinho* (2002); *Xangô, o Trovão* (2003); *Minha querida assombração* (2003); *Oxumarê, o Arco-Íris* (2004); *Segredos guardados* (2005); *Morte nos búzios* (2006); *Contos e lendas afro-brasileiras* (2007); *Jogo de escolhas* (2009); *Feliz aniversário* (2010); *Contos e lendas da Amazônia* (2011); e *Aimó* (2017).

1ª EDIÇÃO [2001] 39 reimpressões

ESTA OBRA FOI COMPOSTA POR RAUL LOUREIRO EM ALDUS E IMPRESSA
EM OFSETE PELA GRÁFICA SANTA MARTA SOBRE PAPEL PÓLEN DA
SUZANO S.A. PARA A EDITORA SCHWARCZ EM JANEIRO DE 2025

A marca FSC® é a garantia de que a madeira utilizada na fabricação do papel deste livro provém de florestas que foram gerenciadas de maneira ambientalmente correta, socialmente justa e economicamente viável, além de outras fontes de origem controlada.